# 백작가의
## 망나니가
### 되었다

# 백작가의 망나니가 되었다 3

**초판 1쇄 인쇄** 2022년 08월 19일
**초판 1쇄 발행** 2022년 08월 25일

**지은이** 유려한
**펴낸이** 서경석
**총괄** 서기원 **책임편집** 황창선 서지혜
**편집** 박현성 김범석 이준영 김우진 이신영 양준 김수아
**편집디자인** 이문영 **표지디자인** 코마

**펴낸곳** 도서출판청어람
**출판등록** 1999년 05월 31일(제38-7-1999-000006호)

**본사** 경기도 부천시 부일로483번길 40, 3층
**지사** 서울특별시 구로구 디지털로272, 404호
**전화** 02-6956-0531
**팩스** 02-6956-0532
**메일** chungeoram_book@naver.com

**ISBN** 979-11-04-92445-3 04810
979-11-04-92442-2 (세트)

THE BIRTH OF A HERO

3

LOUT OF COUNT'S FAMILY LOUT OF

유려한 장편소설

# 백작가의
# 망나니가
# 되었다

제 1 부
영웅의 탄생

## CONTENTS

18장

또 만났네? Ⅱ

## 18장
## 또 만났네? Ⅱ

케일은 건물 옥상 위에 올라가 느긋하게 주위를 둘러보았다.

"날씨도 딱 좋고."

안개로 뒤덮여 아주 우중충했다. 거기다가 날도 더워, 공기가 습하고 끈적끈적했다.

"시간대도 좋고."

아침 해가 뜨기 전의 어슴푸레한 새벽이었다. 케일 옆에서 홍이 고개를 꾸벅거리며 잠에 취한 얼굴로 눈을 깜박였다. 어떻게든 잠을 깨려 안간힘을 쓰고 있었다.

"사람도 별로 없고."

안개에 습한 날씨, 그리고 이른 새벽. 사람이 없기에 딱 좋은 조건이었다. 특히 이곳은 화려한 시간을 보내고 이제야 잠이 들기 시작하는 뒷골목이었다. 케일은 건물 아래를 내려다봤다.

'루트가 여러 곳이라 들었습니다. 오늘은 이 루트로 지나갈 확률

이 70% 이상 됩니다.'

그는 오데우스가 보고한 내용을 떠올리며 고개를 옆으로 돌렸다. 검은 용 라온이 차분히 난간에 앉아 아래를 내려다보고 있었다. 케일은 검은 용의 머리를 툭툭 쓰다듬었다.

"하지 마라, 인간!"

말과 달리 라온은 가만히 그 손길을 내버려두더니 곧 케일을 매섭게 바라봤다.

"오늘 약한 인간은 가만히 있어라."

"그래, 그래. 구경만 할게."

"조심히 구경해라!"

"그래."

그 대답에 만족한 듯 라온이 날개를 펼쳤다. 검은 날개가 움직이며 서서히 라온이 공중에 떴다. 그 행동에 최한과 온, 홍이 움직였다.

"온, 부탁한다."

"내가 제일 잘할 수 있는 환경인데!"

온은 꼬리를 살랑거리며 안개 속으로 사라졌다. 홍이 케일을 쳐다봤다.

"독 뿌려야 하는데?"

"어."

홍은 그 대답에 고개를 끄덕이며 라온의 곁으로 다가갔고, 검은용은 살짝 아래로 내려왔다. 홍은 라온의 몸통을 툭툭 두드리더니 씩 웃으며 안개 속으로 사라졌다.

"가보겠습니다."

최한도 소리 없이 다른 건물 옥상으로 움직였다. 케일의 옆으로 라온이 날아와 공중에 대기했다.

"라온."

"왜 그러는가?"

"네가 하고 싶은 만큼 해라."

검은 용의 눈이 휘었다. 용은 웃으며 답했다.

"당연한 걸 묻지 마라."

라온이 안개 속으로 사라졌다. 케일은 느긋하게 팔짱을 낀 채로 건물 옥상 아래를 내려다봤다.

오데우스가 말한 70%의 확률이 들어맞았다.

로브로 모습을 가린 세 사람이 골목길로 들어서고 있었다. 저 셋 중에 베니온이 있을 것이다. 케일은 난간에 기대어 그 모습을 내려 다봤다. 그 내려다보는 시선을 전혀 모른 채 베니온 스텐, 그는 발걸음을 빨리했다.

'미친 새끼.'

그는 전혀 귀족답지 못한 거친 비속어를 속으로 내뱉고 있었다. 어제 테일러 스텐, 그 다리병신이었던 형님이 미친 소리를 했다.

'나는 핏줄을 죽이지 않아. 다만 그들을 지배할 생각이지.'

테일러의 말은 큰 반향을 일으켰고, 그 때문에 어제부터 후작가는 내내 시끄러웠다. 덕분에 베니온은 오늘 새벽에야 이곳에 올 수 있었다.

현재 테일러의 힘이 너무 커지고 있었고, 베니온은 이를 억누를 필요성을 느꼈다. 평소라면 그가 이곳에 발걸음하지 않았겠지만, 뒷골목에 심어둔 수하가 쉬이 움직이기 힘들어 어쩔 수 없는 상황이었다. 수하의 말로는 얼마 전부터 서북부 뒷세계에서 가장 영향력이 큰 검은 상인과 자꾸 영역이 부딪쳐 힘들다고 했다.

'이래저래 쓸데없는 것들이 자꾸 건드려.'

베니온은 혀를 차며 안개 속을 빠르게 헤쳐 나갔다. 그나마 그는 오늘 새벽안개가 짙어 다행이라 생각했다. 다른 이들이 자신의 모습을 볼 확률이 줄어들 테니까.

'날씨는 나를 돕는군.'

점점 안개가 짙어지는 상황에 베니온은 만족했다. 그런 그의 뒤를 수하 두 명이 따랐다. 그렇게 앞을 향하던 베니온과 수하들이 미처 보지 못한 부분이 있었다. 로브의 후드를 깊이 눌러쓴 탓에 놓친 부분이었다.

그들의 머리 위보다 높은 곳에 자리한 안개가 서서히 검은색으로 물들어가고 있었다.

냐아아옹.

"쯧."

베니온은 새벽에도 울어대는 고양이 소리에 괜히 혀를 찼다. 역시 이 뒷골목은 쓸데없는 인간이나 길고양이 같은 것들이 많았다. 그런 것들은 죄다 교육시키든가 죽이든가 해야 하는 법인데.

냐아아아옹.

다시 한번 소름 돋는 고양이 소리가 들려왔다. 그 소리에 베니온은 한 존재가 떠올랐다. 모든 일의 원흉이나 다름없었다.

'죽였어야 했는데.'

베니온의 표정이 일그러졌다.

검은 용. 그걸 죽였어야 했다. 그랬다면 이런 일이 없었을 텐데. 괜히 사육한다고 난리를 피웠다가 어그러졌다. 순간 짜증이 치밀어

올랐다. 그때 다시 한번 고양이 울음소리가 들렸다.

냐아아옹-

"시끄럽군."

베니온이 짜증을 참다못해 작게 중얼거린 순간이었다.

허억.

누군가 숨 들이마시는 소리가 베니온의 뒤에서 들려왔다. 툭. 그리고 무언가 땅에 부딪치는 소리가 들렸다.

"공, 공자님-"

뒤이어 수하의 목소리가 들려왔다. 베니온은 섬뜩한 기분에 황급히 몸을 돌렸다.

"무슨!"

수하 한 명이 쓰러진 채 두 손으로 제 목을 감싸고 있었다. 베니온을 불렀던 수하는 비틀거리며 천천히 쓰러졌다.

"수, 숨이, 허억!"

수하의 얼굴이 새파랗게 변한 채 앞으로 엎어졌다. 그 수하의 후드가 베니온의 구두코에 닿았다. 갑작스러운 일에 베니온의 미간이 깊이 파이고 그의 눈동자에 당황이 서렸다.

전혀 생각하지 못한 상황이었다.

냐아오옹.

그때 고양이 소리가 다시 들려왔다. 베니온은 이 순간 새로운 사실을 하나 깨달았다.

고양이 소리가 점점 가까워지고 있었다.

냐아옹.

위다!

위에서 소리가 들려온다!

베니온은 고개를 들었다. 그제야 보였다.

"어?"

자신 주변의 하얀 안개와 달리, 머리 위에는 검은색과 붉은색으로 물든 안개가 있었다. 그 안개는 불길해 보였다. 베니온은 저도 모르게 뒷걸음질을 쳤다.

툭. 베니온의 등에 무언가가 닿았다.

베니온은 잠시 멈췄다가 허리춤의 검 손잡이를 잡으며 재빨리 뒤로 돌아섰다. 그러나 보이는 것은 뿌연 안개뿐이었다.

"뭐, 뭐야?"

그는 저도 모르게 말을 내뱉었다. 뒤에서 수하들이 고통의 신음 소리를 내뱉었다.

"으으으-"

"크헉, 으으!"

그 소리 사이로 작은 바람 소리가 들려왔다.

사아아아-

그 바람 소리에 베니온이 반응해 저도 모르게 뒤로 고개를 돌리려던 순간이었다.

"안녕?"

목소리가 들렸다. 베니온은 다시 정면을 바라봤다. 아무것도 없었다.

아니.

보이지 않았던 것뿐이었다.

베니온의 눈앞에 서서히 검은 존재가 모습을 드러내기 시작했다. 눈앞의 존재는 조금씩, 아주 조금씩, 모습을 보여주었다.

"어, 어-"

베니온은 저도 모르게 뒷걸음질 쳤다. 툭. 하지만 그의 걸음은 쓰러진 수하로 인해 막혔다. 마침내 검은 존재가 온전히 모습을 드러냈다.

베니온을 직시하는 눈동자.

오랜만에 보는 존재였다.

"또 만났네?"

검은 용이 그의 앞에 나타났다.

용은, 라온은 웃고 있었다.

"어, 어떻게 이 새끼가!"

베니온의 입에서 전혀 귀족답지 못한 거친 말이 반사적으로 튀어나왔다. 후드가 천천히 벗겨지며 얼굴이 완전히 드러난 그의 표정은 하얗게 질려 있었다.

검은 용은 천천히 날갯짓을 하며 그에게 다가갔다.

"왜 그렇게 놀라?"

천진난만한 목소리가 베니온의 귓가에 닿았다.

"왜, 피를 묻히지 않은 모습이라- 낯선가?"

검은 용은 목소리와 달리 표정에는 아무것도 담지 않고 있었다. 검은 용, 라온은 천천히 베니온에게 다가갔다. 라온의 주위에는 본인의 검은 마나가 일렁이고 있었다.

베니온은 뒷걸음질 쳤다.

"커헉!"

그는 고통스러워하는 수하의 몸을 밟으며 뒤로 물러서고 또 물러섰다.

"베니온 스텐."

용이 말을 한다. 그리고 자신의 이름을 부른다.

베니온은 4년간 말하는 용을 보지 못했다. 항상 채찍과 몽둥이에 맞으며 피를 흘리던 그 존재와 지금 눈앞의 용은 달랐다. 작은 덩치는 그대로인데, 사육당하던 존재가 상위 종족으로 그의 앞에 섰다.

"내가 다시 올 줄은 몰랐나 봐?"

몰랐다. 베니온은 용을 다시 되찾아와 제대로 교육을 시켜야 한다는 생각만 했다. 어리석은 생각이었다. 뒷걸음질 치는 그의 발이 잘게 떨렸다. 그럴 수밖에 없었다.

"아, 아니, 이게 무슨."

그의 주위로 검붉은 안개가 다가왔다. 그의 다리에서부터 서서히 검붉은 안개가 차올랐다. 마치 뱀이 똬리를 틀듯 그의 몸을 안개가 감쌌다. 하지만 도망갈 수 없었다.

"반가워."

반갑다고 말하는 저 용이 베니온의 사지를 움직이지 못하게 마나로 꽁꽁 묶어두었다. 서서히 올라온 뱀 같은 안개는 베니온의 턱밑까지 다가왔다.

"커억!"

수하는 한 번 더 신음을 내뱉더니 조용해졌다.

사아아아. 뱀의 울음소리 비슷한 바람 소리가 귓가를 때렸다. 늘 우아하게 차려입는 그는 그 모습과 달리 형편없는 얼굴을 하고 있었다.

"아, 안 돼."

코밑까지 안개가 올라왔다. 그로서는 처음 겪어보는 일이었다. 신체를 결박당한 그는 무기력했다.

검붉은 안개가 서서히 코와 얼굴을 감쌌다. 베니온은 숨을 쉬지 않으려 했다. 하지만 결국 안개는 그의 코 안으로 스며들었다.

숨이 막혀왔다. 그는 검붉은 안개 사이로 일그러진 용의 얼굴을 볼 수 있었다.

"난 베니온 스텐, 너를 만나서 아주 반갑다."

"……크헉!"

라온은 검붉은 안개 속 베니온의 얼굴을 응시했다. 온과 홍의 약한 독안개를 집중적으로 흡수한 베니온은 몸을 부들부들 떨었다.

검은 용은 베니온을 묶어두고 있던 마나 줄을 풀었다.

투욱. 베니온의 몸이 독에 중독된 채 쓰러졌다. 이미 베니온은 정신을 잃었다. 라온은 쓰러진 베니온을 가만히 내려다봤다. 그때 용의 머리를 쓰다듬는 손길이 있었다.

케일이었다. 바람의 소리로 가볍게 옥상 난간에서 땅으로 내려선 그는 라온을 쓰다듬으며 베니온을 내려다봤다. 그의 귓가로 라온의 목소리가 들렸다.

"약하다. 아주 마음에 안 들게 약하다."

케일은 씁쓸한 미소를 지었다. 그 목소리가 꽤 서글프게 들렸기 때문이다. 하지만 케일은 되물었다.

"그래서 그만하고 싶나?"

"아니. 똑같이 해준다."

조금의 틈도 없이 들려오는 대답에 케일은 그 검고 동글동글한 머리를 툭툭 두드렸다. 그는 주위를 한 번 둘러보며 말했다.

"시작해."

타닥, 탁. 건물 위에 있던 고양이 온과 홍이 사뿐히 아래로 내려섰다. 온이 안개를 조종하자 순간 안개가 살짝 걷히며 최한이 나타났다.

"골목길 입구 앞에 다들 대기 중입니다."

케일은 검은 용 라온이 서서히 투명해지는 것을 보며 지시했다.

"오라고 해."

"네."

곧 두 대의 작은 마차가 골목길 안으로 들어서서 공간을 꽉 채웠다. 그중 하나의 마차에서 한 사람이 내렸다.

"으음, 좋은 아침이에요. 공자님."

"데려가세요."

미친 신관 케이지는 독에 중독된 듯 쓰러져 있는 베니온의 수하 두 명, 그리고 최한이 등에 둘러멘 베니온 스텐을 보며 침을 삼켰다.

케이지는 이 골목길 안에서 무엇이 일어났는지 보지 못했다. 짙은 안개로 시야가 가려졌을 뿐 아니라, 최한이 지키고 있었기 때문이다. 쓰러진 수하 두 명의 얼굴은 일그러져 있었고, 베니온은 공포에 질린 얼굴로 기절해 있었다.

"시간 없습니다."

"네? 아, 네!"

케일의 심드렁한 목소리에 그녀는 얼른 정신을 차리며 함께 온 동료 두 명에게 베니온의 수하들을 옮기라 지시했다. 그녀는 또 다른 작은 마차에 베니온을 싣고 떠나려는 케일에게로 다가갔다.

"기억하시죠? 4일 뒤예요."

"네. 그 정도면 충분합니다."

담담하게 충분하다고 말하는 케일과, 베니온을 마차 구석에 패대기치는 최한의 모습은 평온해 보였다. 그 모습에 케이지는 간담이 서늘해져 왔다.

수도에서 모두를 지키고자 폭탄에 맞섰던 케일 헤니투스. 자신과 테일러를 도운 공자와 현재의 그는 분위기가 전혀 달랐다. 하지만 케이지는 곧 입가에 살짝 미소를 띠었다. 계획을 위해, 똑바로 행동해야 했다.

"네, 믿겠습니다. 공자님이 말씀하신 날짜이니 꼭 기억해 주셔야 해요."

4일. 그 시간을 떠올리며 케일은 걱정이 많은 이 파문당한 신관에게 확실히 답해주었다.

"네. 기억 안 할 수 없으니 걱정 마십시오. 분명."

케일은 쓰러진 베니온의 얼굴을 보며 건조하게 말했다.

"분명 1년 같은 하루하루가 될 테니, 잊을 수가 없겠지요."

그는 케이지에게로 시선을 돌려 인사했다.

"그럼 가보겠습니다."

"아- 네."

케이지는 베니온을 쳐다보던 케일의 눈빛이 머릿속에 박혔다. 그녀는 케일 일행이 탄 마차가 골목길을 빠져나갈 때까지 지켜봤다.

'……분명 죽이지는 않는다고 했으니까.'

케일은 베니온의 신병을 죽이지 않고 넘겨준다고 했다. 약속을 어기는 사람이 아니고, 그 덕분에 이런 계획을 세울 수 있었기에 케이지와 테일러는 그를 믿었다.

"믿기로 했으면 믿어야지."

케이지는 마음을 다잡았다. 오늘부터 빠르게 움직여야 했다.

"모두 다 실었어요?"

"네."

"그럼 가죠."

그녀가 탄 마차가 골목길을 빠져나갔다. 케일이 탄 마차와는 정반대 방향이었다.

케일이 탄 마차는 스텐 영지의 영주성 반대편. 부유한 영지민들과 준남작, 기사들이 모여 사는 꽤 호화로운 구역으로 향했다. 영지 내 부자 동네라고 불리는 곳이라 그런지 거리는 깔끔했고, 저택들도 하나같이 고급스러움과 부를 뽐냈다.

따각, 따각. 이른 새벽 안갯길을 달리던 케일의 마차는 한 저택 앞에 섰다. 저택의 정문이 천천히 열렸다. 끼이익, 철컹. 튼튼한 쇠문이 열리자 마차는 저택 뒤편으로 향했다.

평범한 저택. 그 저택의 뒤편에는 지하로 향하는 문이 하나 있었다.

"좋은 집이네."

마차에서 내려선 케일은 가볍게 감상을 내뱉고는 마부석을 바라봤다. 마부는 로브를 깊숙이 둘러 싸매고 있었다. 로브의 후드가 살짝 들리며 얼굴이 드러났다.

"가봐."

후드 속 오데우스는 굳은 얼굴로 고개를 숙이고는 조용히 저택의 뒷문으로 은밀히 빠져나갔다. 그는 당장 뒤돌아 케일을 한 번 더 보고 싶었지만 참았다.

'잘못 판단했어.'

수하에게 시킬 수 없는 일이라, 그는 직접 움직였다. 왜 케일이 그에게 수발을 들라고 했는지 이해되었다. 그들이 하는 짓은 수하에게 맡길 수 없는 일이었다.

'고문실이라니.'

분명 선하다고 알려진 공자였다. 희생정신도 뛰어나다고. 그런데 실상은 달랐다. 최한도 선하고 올곧은 이였는데, 케일의 말은 착실히 들었다. 오데우스는 케일을 따른다고 말하던 자신의 조카, 서자인 빌로스를 떠올렸다.

노쇠한 얼굴과 달리 오데우스의 눈동자는 또렷했다. 그는 서둘렀다. 이제 4일 동안 자신은 케일이 지시한 수발을 마저 들어야 했다.

"당연하다는 듯이 따르는 게 문제군."

오데우스는 남들이 듣지 못하게 작은 목소리로 중얼거리며 안개 속으로 사라졌다.

케일은 오데우스가 더 이상 보이지 않게 되었을 때, 지하실로 향하는 문을 열었다. 끼릭. 소름 끼치는 소리와 함께 입구 문이 서서히 열렸다.

"오셨습니까?"

문 바로 앞에 비크로스가 서 있었다. 어제저녁에 도착한 그는 이미 진작에 이 저택에 와 있었다.

암살자 론의 아들이자, 검사이자 주방장. 그를 수식하는 말들은 많았다. 하지만 그는 고문 기술자라는 이름도 가지고 있었다.

"그래. 옮기자고."

케일의 말에 최한이 베니온을 들쳐 멘 채 지하실 아래로 향했다. 비크로스는 탐탁지 않은 얼굴로 그 뒤를 따랐다. 그러면서도 그는 케일 옆에 붙어 날아오는 검은 용을 힐끗거렸다.

케일은 용을 쳐다보는 비크로스의 시선을 모른 척했다. 케일은 어제 비크로스가 도착하자마자 용의 존재를 설명했다. 그는 쉽게 수긍했다.

'역시 그랬군요.'

여행 때 식재료를 구해줬던 이가 용이라는 말에 곧바로 수긍했다. 하지만 케일이 그에게 베니온에 대한 이야기를 해주지 않았기 때문에, 비크로스는 지금의 상황을 꽤 탐탁지 않게 느끼는 듯했다.

'그래도 말은 잘 들으니까.'

명 하나는 아주 착실하게 들었다.

케일은 지하실로 내려서자마자 주변을 둘러보았다. 지하실은 상당히 넓었다.

"제대로네."

내려선 지하실 한쪽에는 여러 장비들이 놓여 있었다. 비크로스가 준비한 것들이었다. 그 살벌한 장비들에 케일은 숨을 삼키고는, 라온에게로 시선을 돌렸다.

"똑같다."

라온은 담담하게 지하실의 풍경을 평가했다. 검은 용이 4살까지 살아야 했던 그 동굴과 최대한 비슷한 모습으로, 지하실은 꾸며져 있었다.

최한이 베니온을 의자에 걸쳐놓았다. 비크로스는 케일을 보며 물었다.

"저자를 작업하면 되는 겁니까?"

"그래."

"어떻게 하면 됩니까?"

그 물음에 대한 답은 케일이 아닌 라온의 입에서 흘러나왔다. 비크로스는 자신의 앞으로 날아온 용과 대면해야 했다.

"나는 내가 당한 만큼 갚아줄 것이다."

"……당해?"

비크로스는 용의 사정을 몰랐다.

"그래. 나는 4년간 사육당했고, 고문과 학대를 매일 매 순간 겪었다. 그리고 동굴에 감금당했다. 나는 앞으로 4일 동안 내 4년이라는 시간을 보상받고 싶다."

4살 어린아이의 담담한 목소리가 울려 퍼졌다. 최한은 두 손으로 얼굴을 쓸어내렸고 온과 홍은 어쩔 줄을 몰라 했다.

케일은 팔짱을 낀 채 가만히 라온을 응시했다. 라온은 정말로 위대한 존재였다. 스스로의 아픔을 담담하게 말할 수 있다는 건, 케일로서는 상상하기 힘든 대단한 일이었다.

"구체적으로 내가 당한 일을 말해주겠다. 첫 번째로 이 위대한 용의 튼튼한 피부가 벗겨질 정도로 채찍을 맞는다."

라온은 대략적으로 자신의 지난 4년의 시간 중 학대받았던 상황을 자세히 말했다. 라온은 신중하게 듣고 있는 비크로스를 보며 열심히 말했다. 꼭 갚고 싶었다.

"그리고 피가 나고 상처가 난 데를 더 때리는 건 기본이다."

쾅!

라온은 말을 하다 말고 울려 퍼지는 소리에 시선을 돌렸다.

케일이 베니온이 정신을 잃은 채 앉아 있는 의자를 걷어차 버렸다. 베니온이 바닥에 쓰러졌는데, 어찌나 강한 수면독을 쓴 것인지 케일에게 걷어차여도 아직 정신을 못 차리고 있었다.

케일은 아무 일도 없다는 듯 흐트러진 셔츠를 바로 하며 말했다.

"계속 네 할 거 해."

"……알았다, 인간."

라온은 다시 과거의 이야기를 시작했다. 시간이 얼마 없어 구체적이지만 핵심만을 읊었다. 그 이야기가 모두 끝나자 정적이 내려앉았다.

케일은 비크로스를 응시했다. 그리고 살짝 입꼬리를 올렸다.

비크로스는 품에서 흰 장갑을 꺼냈다. 더러워지는 게 싫어서 끼는 장갑이었다.

"피가 난무하겠군요."

흰 장갑을 두 개나 꺼내 끼었다. 케일은 장갑을 한꺼번에 두 개나 꺼내는 비크로스는 책에서도 읽어보지 못했다.

"비크로스."

"네."

비크로스는 케일의 부름에 그를 바라봤다.

"그 전에 요리 좀."

"……요리요?"

이 무슨 미친 소리인가, 라는 감정이 확연히 드러나는 얼굴로 비크로스는 케일을 쳐다봤다. 하지만 케일은 라온을 가리켰다. 라온이 동의하는 바라는 듯 어깨를 쫙 폈다.

"라온이 먹을 게 필요하거든."

"쟤는 식사 때 입맛 돋운다고 나를 때렸다. 내 피를 보면 밥이 잘 넘어간다고 했다."

"……이런 미친."

최한이 욕을 내뱉었다. 비크로스가 장갑을 하나 더 꺼냈다. 그는 라온과 케일에게 말했다.

"만찬을 준비해야겠군요."

케일은 평이한 어조와 달리 굳은 표정의 비크로스를 보며 역시 정에 약한 녀석이라고 생각했다. 늑대족 아이들도 그렇고, 고문 기술자지만 비크로스는 은근히 어린아이와 정에 약했다. 비크로스는 만찬을 준비하러 올라가며 무심히 물었다.

"불구로 만들까요?"

"필요 없다."

라온이 답했다.

"그래. 그런데 공자님도 함께하시는 겁니까?"

음. 비크로스의 물음에 케일은 침음을 흘리며 살짝 미간을 찌푸렸다.

'썩 보고 싶은 건 아니지만.'

이런 피와 전쟁이 싫어 편안하게 살고 싶었던 그였다. 하지만 이번에는 조금 경우가 달랐다.

지하실 구석에는 투명화 마법 장치를 설치해 두었다. 케일의 정체가 들키면 곤란한 상황이라 설치한 장치로, 몰래 보는 것만 가능한 상황이었다.

'고문을 보며 만찬을 즐기지는 못할 것 같고, 나는 와인으로 해야겠군.'

독한 상황이 펼쳐질 것이 뻔했다. 어쩔 수 없이 생리적으로 비위가 상할 것이고, 화가 날 것이다. 그런 때는 술이 나았다. 케일은 와인을 부탁하기 위해 입을 열려 했다. 그러나 라온이 먼저 말했다.

"이해한다. 약한 인간, 고민하지 마라. 안 봐도 된다."

"그래. 공자님께선 힘들 수도 있을 것 같습니다."

라온의 뒤를 이어 최한이 말했고 온과 홍이 고개를 끄덕였다. 케일은 황당한 표정으로 입을 열었다.

"무슨 소리야?"

케일은 라온의 머리를 쓰다듬으며 지나쳤다.

"내가 봐야지, 안 그럼 너 혼자 보게 해?"

힘들어도 봐야 할 때가 있는 법이었다. 그는 마법 주머니에서 포션을 꺼내 비크로스에게 던졌다.

"죽을 것 같으면 포션 써. 그러면 4일은 버틸 거야."

"역시."

비크로스는 오히려 케일의 이런 반응이 당연하다는 듯 수긍했다. 위퍼 왕국에서 전쟁이 지나간 자리도 케일과 함께 갔던 비크로스였기에 오히려 최한과 검은 용의 반응이 이해되지 않았다.

"그럼 준비하죠."

비크로스는 주방장으로서의 실력을 최대한 발휘해 화려한 만찬을 지하실에 펼쳤다. 오로지 라온만을 위한 만찬이었다.

"으… 으……."

베니온은 신음을 흘리며 몸을 뒤척였다. 몸이 무거웠다. 사지가 결박된 것은 아니었지만 공기가 부족한 것처럼 힘들었다. 그는 곧 정신이 들며 머릿속이 정리되었다.

"허억!"

베니온은 화들짝 놀라며 눈을 떴다. 그의 눈앞에 만찬이 펼쳐져 있었다. 귀족가의 최고급 만찬을 떠올리게 만드는 식탁 위에서 검은 용이 베니온을 내려다봤다.

좌아악!

베니온은 고개를 돌렸다. 제 목에 채워진 족쇄와 팔다리의 족쇄에서 찰그랑하는 소리가 들려왔다.

"으, 으으-"

그는 말을 하고 싶었지만 말이 나오지 않았다. 목의 마법 족쇄가 목소리를 막았다. 라온이 그랬듯 사람의 소리를 낼 수 없었다.

좌르르륵, 쾅!

채찍이 바닥을 긁고 있었다. 쇠와 유리가 박힌 커다란 채찍이었다. 라온이 맞았던 그 채찍과 흡사했다. 그 채찍을 휘두르는 검은 복면의 남자가 서서히 베니온에게 다가왔다.

"시작해라."

라온이 말했다.

복면의 남자, 비크로스는 채찍을 휘둘렀다. 쉬익, 바람을 가르는 소리와 함께 채찍이 베니온에게 휘둘러졌다.

"으아아악!"

몸은 무거웠으나, 아픔은 그대로였다. 채찍이 계속해서 베니온의 몸에 내려쳤다. 로브 안에 간편하게 차려입었던 귀족 일상복이 찢기고, 드러난 맨살에 붉은 선이 그어졌다. 채찍의 날카로운 쇠날이 피부를 찢었다. 그 안으로 채찍에서 떨어져 나간 유리가 박혔다.

라온이 태어나자마자 처음 맞았을 때와 같았다.

"으, 으윽, 으-!"

베니온이 뭐라 소리를 쳤지만 언어가 그의 입에서 나오지 않았다.

그는 몸부림을 쳤지만 움직임은 둔했다. 마나가 제어당한 용이 그러했듯이, 그의 몸도 힘을 제대로 펼치지 못한 채 그저 부들거렸다. 그리고 한없이 웅크려졌다.

하지만 라온이 그랬듯 베니온은 식탁 위의 검은 용을 노려보았다. 절대로 굴복하지 않겠다는 눈빛이었다.

촤아악! 촤악!

그런 그의 뺨을 채찍이 훑고 지나갔다.

"으아악, 으윽!"

베니온의 몸이 경련했고, 점점 그의 몸은 피로 물들어갔다. 하지만 비크로스는 어떠한 반응도 없이 일정한 속도로 채찍을 휘둘렀다. 피가 난 데에 또 채찍을 갈겼고, 피가 공기 중으로 비산하여도 조금의 거리낌도 없었다.

"으음."

케일은 옆에서 들려오는 침음에 시선을 돌렸다. 아기 고양이 온과 홍이 투명화 장치 범위 안에서 몸을 웅크린 채 있었다. 홍이 힘겨운지 살짝 눈을 바닥으로 내리깔았다가 다시 베니온을 보았다가를 반복했다.

투명화 장치 안은 방음 마법도 미리 라온이 펼쳐놓아서, 소리가 나도 베니온에게 들킬 염려가 없었다. 하지만 소리가 들려도 상관없을 것 같았다.

"크윽, 으, 으, 아, 아!"

베니온은 볼 안이 다 터져 피를 흘리며 신음과 알아들을 수 없는 소리를 외쳐댔다. 그럴 때마다 비크로스의 채찍은 베니온에게로 더 무자비하게 휘둘러졌다.

말하지 마라.

가만히 있어라.

눈빛을 죽여라.

그렇게 말하듯 채찍은 끊임없이, 베니온이 조금의 반응이라도 보일 때마다 내려쳤다.

"……봐야 하는데, 그래야 하는데."

은빛 고양이 온이 그렇게 말하면서 고개를 숙였다. 그 마음이 케일은 이해되었다. 온과 홍은 이 광경을 보는 것이 괴로웠다.

지하실, 팔다리와 목에 족쇄가 채워진 베니온. 이곳은 피로 새로이 칠해지고 있었다. 그 광경이 잔인해서, 불쌍해서 쳐다보기 괴로운 것이 아니었다.

라온이 겪은 일이 무엇인지 알았고, 지금 이 정도가 시작이라는 것을 느꼈기 때문이다.

케일은 온과 홍의 머리를 쓰다듬었다.

"애써서 보지 마."

그리 말하며 그는 고개를 돌렸다. 식탁 위에 홀로 있는 검은 용이 보였다.

라온은 식사 중이었다. 평소 좋아하는 스테이크를 먹고 있었다. 볼이 미어터질 정도로, 꾸역꾸역 계속해서 라온은 입안에 음식들을 집어넣었다.

"아아악!"

베니온의 비명 소리를 들으며 라온은 음식을 먹고 또 먹었다.

라온은 이 순간을 바라고 또 바라왔다. 수없이 상상했던 순간이었다. 그래서 이 만찬을, 이 식사를 한순간도 놓칠 수 없었다. 반년 전만 해도 상상할 수 없었던 귀한 음식들, 아프지 않은 몸, 자유로운 의지. 그 모든 것들을 만끽하기 위해 용은 입안에 음식을 욱여넣었다.

"크윽."

라온은 입안에 음식이 너무 많이 들어와 순간 기침이 나왔지만, 멈추지 않았다. 케일은 그런 라온의 행동과 함께 라온의 얼굴을 응시했다.

라온은 울고 있었다. 하지만 절대 멈추지 않았다.

"으윽, 윽."

사레가 들렸음에도 신음을 참으며 계속해서 식사를 했고, 베니온이 채찍에 맞는 장면을 눈에 담았다. 그런 라온을 온과 홍은 차마 보지 못했다.

케일은 그 광경을 모두 눈에 담았다.

"으으, 크으으, 으, 아."

베니온의 몸이 심하게 경련을 했다. 비크로스는 그런 그에게 아플 만한 부분으로 계속해서 채찍을 휘둘렀다. 베니온은 이제 식탁 위의 검은 용을 쳐다보지도 못했다. 멍한 얼굴로, 온몸이 피로 물든 채 그저 정신을 잃어갔다.

촤아아악!

강한 소리와 함께 채찍이 베니온의 머리를 강타했고, 그는 결국 정신을 잃었다.

라온은 스테이크를 하나 더 입에 욱여넣었다. 라온은 눈을 뜨고 있지만, 베니온의 모습이 보이지 않았다. 라온은 과거의 자신을 보고 있었다. 자꾸만 그때의 자신이 보여서 멈출 수가 없었다.

그때.

"체한다."

툭, 툭. 라온은 제 등을 두드리는 투박하지만 꽤 다정한 손길을 느꼈다. 익숙한 손길이었다. 용은 고개를 돌렸다.

"쯧, 입에 다 묻었잖아."

귓가에 평소처럼 무심하다 느껴질 만한 담담한 목소리가 들려왔다. 용은 제 입가를 닦는 소매를 볼 수 있었다. 그리고 케일의 얼굴을 눈동자에 담았다.

라온은 천천히 고개를 돌렸다.

베니온은 정신을 잃고 쓰러져 있었다. 용은 그 광경을 보며 툭 내뱉었다.

"난 계속 볼 거다."

"그래. 같이 보자."

그 말에 라온은 식탁보 위에 얼굴을 묻었다. 케일은 웅크린 용의 등을 토닥이며 비크로스를 쳐다봤다. 케일과 눈이 마주친 비크로스는 찡그린 케일의 얼굴을 볼 수 있었다.

"왜 그러십니까?"

"지금 포션을 왜 써?"

케일은 비크로스의 손에 들린 포션을 턱짓하며 그를 쳐다봤다. 그 시선에 비크로스가 무덤덤히 되물었다.

"치료는요?"

"뒈질 것 같을 때 써."

베니온은 기절을 했음에도 사지에 경련을 일으키며 앓는 소리를 냈다. 온몸이 피로 덮여 그의 피부색이 붉은색인 것만 같았다.

비크로스는 케일의 말에 다시 한번 베니온을 확인하고는 고개를 끄덕였다.

"뒈질 정도는 아니군요. 훌륭하고 적절한 지시입니다."

그는 포션을 다시 제자리에 놓았다. 케일은 그 모습에 한숨을 내쉬며 웅크리고 있는 라온을 안아 들었다. 그리고 인상을 더 찡그렸다.

무거웠다.

엄청 무거웠다.

몇 개월 새에 크기는 그대로인데, 몸무게는 한층 더 증가한 것 같았다. 케일은 살짝 팔이 떨려왔지만 일단 용을 들쳐 안았다. 그냥 두고 갈 수는 없는 노릇 아닌가?

케일은 제 어깨가 젖어가는 것을 느끼며 온과 홍을 쳐다봤다. 둘은 안절부절못하며 케일과 케일 품 안의 용 주위를 빙빙 돌았다. 케일은 잠시지만 슬슬 팔이 저려와 얼른 입을 열었다.

"일단 쉬자."

그의 말에 반박하는 이는 없었다. 다만 비크로스는 물었다.

"이자가 깨어나면 어떻게 할까요?"

"어떡하긴."

케일의 뒷말을 라온이 답했다.

"계속할 거다."

"그렇대."

"알겠습니다."

케일은 지하실 입구 문을 툭 쳤다. 탕. 작은 소리와 함께 문이 열렸다. 최한이 분노와 침울함이 뒤섞인 얼굴로 서 있었다. 케일은 라온과 자신을 번갈아 보는 최한에게 지시했다.

"저 안에 와인 새 거 있다. 챙겨 와. 잔도."

케일은 오늘 술을 마셔야겠다는 생각이 들었다. 케일은 지하실 위, 저택으로 향하며 라온에게 물었다.

"너 그새 컸냐? 저번보다 무거운데."

"약한 인간, 네가 팔 힘이 없는 거다."

"반박할 말이 없네."

이른 새벽부터 거하게 음식을 먹은 라온은 고개를 들었다. 저택 창밖의 풍경이 보였다. 안개가 걷히며 아침이 오고 있었다.

"뭐, 크면 좋은 거지. 잘 컸다."

라온은 그 말에 케일의 어깨에 얼굴을 파묻었다. 케일의 팔이 조금 부들부들 떨리고 있었지만 모른 척했다. 그리고 케일도 기꺼이 그 모른 척하는 응석을 받아주었다.

이제 4살이니까. 충분히 그래도 되었다.

3일 뒤, 늦은 밤. 라온은 식탁에서 날아올라 베니온의 앞에 내려섰다.

"하아, 하아."

베니온은 거친 숨을 몰아쉬고 있었다. 며칠 새 그의 얼굴은 엉망이 되어 있었고, 그 당당하고 귀해 보이던 이는 울며 애원했다. 처음에는 누군가 구하러 올 것이란 기대로 적들을 노려보기도 하였으나, 시간의 흐름을 모른 채 매 끼니 음식을 먹는 라온을 지켜보는 그의 심신은 지쳐갔다.

"베니온 스텐."

라온은 땅바닥에 얼굴을 붙인 채 자신을 쳐다도 못 보는 베니온을 가만히 내려다봤다.

베니온 외에도 자신을 괴롭힌 이들을, 라온은 기억하고 있었다. 그들에 대한 처분도 곧 케일의 계획을 통해서 이루어질 것이다. 그리고 후작도. 직접적으로 괴롭힌 적은 없어도 모든 일의 원흉인 그도 곧 비극을 맞이하리라.

"나는 너를 살려둘 생각이다."

그래서 라온은 베니온을 살려둘 생각이었다.

이제 자신을 보지도 못하고 떨고 있는 약하고, 한심하고, 증오스러운 베니온. 인간이라는 지칭도 아까웠다.

라온은 베니온이 자신에게 했던 말을 떠올렸다.

'역시 짜증 나는 일이 있을 땐, 이 용 새끼 피를 보면 입맛이 돈단 말이야.'

베니온의 귓가로 평온하고 한없이 차분한 목소리가 닿았다.

"그래서 언제고, 입맛이 없을 때마다 너를 찾아올 거야."

베니온이 그랬듯, 검은 용 자신도 그러할 것이라고.

라온이 그리 말하자 베니온의 몸이 떨렸다. 그런 그의 몸을 다시 검붉은 안개가 감쌌다. 베니온은 두려움에 떨었다. 시야에 보이는 검붉은 안개를 보며 그는 정신을 잃지 않으려 했다.

"정신을 잃었군요."

그러나 결국 그는 정신을 잃었다. 비크로스는 정신을 잃은 베니온을 확인하고는 케일을 바라봤다. 케일은 그런 비크로스를 보며 속으로 살짝 감탄했다.

3일. 그 콧대 높은 베니온에게 공포와 두려움을 심어주었다. 온몸이 다친 것은 당연했고, 이따금씩 이지를 잃게 할 정도의 공포를, 비크로스는 베니온에게 안겨주었다.

'굳이 케이지 신관의 정신 고문이 필요 없었어.'

케이지를 부를 필요가 없었다. 물론 비크로스의 그 과정이 많이 잔인해 케일이 쳐다보기 힘들 때도 많았다. 하지만 보기로 약속했으니, 보아야 했다.

최한이 다가왔다. 그는 케일 옆에 서서 베니온을 내려다봤다.

"후작가에서 구하러 오나 안 오나 3일 내내 기다리는 것 같던데. 안됐습니다."

베니온이 단 하나, 정신을 붙들 수 있었던 이유는 자신을 찾을 후작가를 기대해서였다. 아무리 공식 후계자가 아니라도, 후계자가 사라졌다. 이건 스텐 후작가 위상상 찾아야 할 일이었다.

"진심인가?"

"아뇨."

최한은 케일의 물음에 고개를 가로저었다.

"더 해야 한다고 생각합니다만. 라온의 영역이라 참습니다."

"그래."

"아무튼, 살려준다고 그나마 희망을 품었을 텐데 말이죠."

최한은 묘한 눈빛으로 베니온을 내려다봤다.

후작가는 베니온 스텐의 바람대로 그를 이 잡듯이 찾고 있는 중이었다. 장남 테일러의 동료인 케이지의 능력으로 베니온의 두 수하가 잡혔고, 그들을 통해 베니온이 스텐 영지의 뒷세계와 협력하며 온갖 불법적인 일을 저지른 것이 드러났다. 그 사실에 영지민들은 큰 충격에 빠졌다. 스텐 후작가가 권위적이더라도 가장 귀족다운 이들이라 생각했기 때문이다.

현재 스텐 후작가는 케이지와 동료들이 현장을 급습했을 때 수하들이 다치는 것을 내버려 두고 홀로 도망간 베니온 스텐을 찾고 있는 중이었다. 물론 이 일을 진두지휘하고 있는 이는 관련 증거들을 손에 쥐고 있는 장남 테일러 스텐이었다.

케일은 비크로스와 최한에게 지시했다.

"준비해."

비크로스는 새 흰 장갑을 꼈다. 그의 손에는 포션이 들려 있었다. 곧 베니온 스텐은 깨끗한 모습이 되어 그 자신이 마련해 둔 뒷골목 비밀 아지트에서 사로잡힐 것이다.

이제 그는 살아남은 뒤의 절망을 느껴볼 차례였다.

그리고 그 절망을 관람하는 것이 라온이 누릴 권리였다.

"호화롭네."

케일은 그리 말하며 최한에게 지시했다.

"저 의자에 앉혀놔."

"네."

최한은 들쳐 업고 온 베니온을 고급스러운 가죽 의자에 패대기쳤다. 케일은 최한을 빤히 바라봤다. 최한은 슬쩍 케일의 눈빛을 피했다.

"……죄송합니다. 아지트 안을 보니 더 화가 나서."

현재 케일 일행은 베니온 스텐이 뒷골목에 몰래 마련해 둔 비밀 아지트에 와 있었다. 화려함과 부유함이 넘치는 장소였다.

이 장소는 이틀 전 미친 신관 케이지가 알려준 곳이었다. 죽음의 신을 모시는 케이지는 파문당했지만 아직 신관이었다. 그녀는 저주에 특화된 이로서, 정신 고문에 일가견이 있었다. 그녀가 베니온의 수하들에게서 정보를 얻는 건 일도 아니었다.

물론 신의 이름을 달고 있기에, 저주는 그녀 나름 정의라고 생각하는 부분에서만 사용 가능했고. 이번 일에 그녀는 정의라는 이름으로 저주를 사용했을 것이다.

'그래도 대단하네.'

현재 죽음의 신을 모시는 신관들 중 그녀보다 저주를 잘 사용하는 이는 없다. 괜히 네크로맨서의 재림이라고, 신관에게 어울리지 않는 이름이 붙었던 것은 아니었다.

'뭐, 네크로맨서는 따로 있지만.'

대부분의 판타지 세상이 그렇듯, 과거 사라졌다고 여겨지는 직업은 히든 직업으로 어딘가에 있게 마련이었다. 주인공의 옆집 할아버지가 알고 보니 전직 소드 마스터이거나 하는 전개 말이다.

그게 재미와 반전의 묘미가 아니겠는가.

'이 세상도 마찬가지고.'

그런 전개가 엄청나게 많이 나오는 글이 '영웅의 탄생'이었다.

케일은 의자에 구겨진 채로 정신을 못 차리고 있는 베니온을 가만히 응시했다.

"최한, 네 마음은 이해한다만. 이 상태는 좀 곤란하군, 비크로스."

"하, 네."

깊은 한숨과 함께 비크로스는 베니온에게 다가가 그를 제대로 앉히고 복장이나 머리칼 등을 깔끔하게 정리해 나갔다. 누가 보아도 몇 날 며칠 동안 편히 먹고 자고 일어나 우아하게 차려입은 귀족의 모습이었다.

베니온의 등에는 포션으로도 처리 못 하는 자잘한 상처들이 있었다. 하지만 다른 곳의 상처는 대부분 치료된 상태였고, 특히 얼굴과 손, 바로 눈에 보이는 곳은 다친 흔적이 하나도 보이지 않았다.

"그럼 저희는 이만 나가보겠습니다."

"그래."

비크로스가 최한을 데리고 아지트 뒷문으로 은밀히 빠져나갔다. 케일은 아까 전부터 아지트 구석에 조용히 쪼그리고 있는 라온에게 다가갔다.

"시작할까?"

"알았다, 인간."

케일도 라온의 옆에 쪼그리고 앉았다.

"너희도 와."

냐아아옹!

온과 홍이 뛰어와 라온과 케일 옆에 각각 웅크렸다. 케일은 구석에 딱 붙어 웅크린 이들을 확인하고는 라온을 쳐다봤다. 라온의 앞발에서 검은 마나가 피어올랐다.

이제 웃기지도 않는 관람을 할 차례였다.

파아앗.

작은 소리와 함께 케일의 몸이 서서히 투명해져 갔다. 이내 그들의 모습은 아지트 안에서 보이지 않게 되었다.

"으, 으으-"

잠시 뒤, 아지트 안에서 한 사람의 신음 소리가 울려 퍼졌다. 베니온이었다. 그는 악몽이라도 꾸는 듯 미간을 잔뜩 찌푸리고 있었다.

"허억."

그는 숨을 들이켜며 눈을 떴다. 그리고 멍한 얼굴로 앞을 응시했다. 깜박깜박. 몇 번 눈을 깜박이며, 그는 시야에 담기는 광경을 인지하기 시작했다.

"어, 여긴-"

베니온은 화들짝 놀라며 손으로 자신의 목을 만졌다. 목소리가 나온다. 아니, 사람의 언어가 나온다. 그는 제 목을 만지며 족쇄가 없다는 것을 깨달았다. 그제야 그는 황급히 자신의 몸을 살폈고, 피도 상처도 보이지 않는 제 팔과 손을 볼 수 있었다. 또한 고급스러운 옷 어디에도 피가 보이지 않았다.

아프지 않았다.

"……꿈인가?"

지금 여기가 꿈인지, 아니면 그 지하실이 꿈인지, 그는 지금 잘 분간이 되지 않았다. 지하실에서의 일이 끔찍하고 지독해서 선명하게 기억이 났지만, 현실처럼 와닿지 않았다. 베니온은 천천히 손을 뻗었다.

쓰으윽. 아지트에 있는 자신의 책상. 그 위를 쓰다듬었다. 분명 이 촉감은 현실이었다.

'그래, 여긴 현실이다.'

베니온의 얼굴이 일그러져 갔다. 꿈을 꾼 것일까. 새벽에 아지트로 향할 때 납치된 것이 아니라, 그대로 아지트에 도착했고 잠시 기나긴 꿈을 꾼 것이 아닐까.

"크흐."

베니온의 입꼬리가 올라갔다. 일그러진 얼굴과 달리 그의 눈동자에는 수많은 감정들이 오갔다.

"그래, 꿈이었어."

그래, 그래야만 한다. 지금도 그 채찍과 날카로운 날붙이들이 제 몸을 가르는 느낌이 온몸을 감싸고 있었지만. 고문관의 차가운 눈빛과 그 용 새끼의 시선이 어디선가 존재하는 듯 느껴졌지만. 아직도 무섭고 두렵지만.

그렇지만 그건 꿈이었다. 그렇지 않으면 지금 이 상황은 무엇이란 말인가.

"흐흐-"

베니온은 두 손으로 제 목을 감쌌다. 안도감이 온몸을 감쌌다. 그 순간이었다.

냐아아옹.

흠칫. 베니온의 어깨가 떨렸다. 케일은 투명해진 상태로 베니온을 무심히 응시하다가 홍의 머리를 한 번 더 쓰다듬었다. 홍은 한 번 더, 최대한 소름 돋게 울었다.

냐아아옹.

베니온의 얼굴이 하얗게 질렸고 손끝은 떨려왔다. 그의 머릿속으로 한 기억이 떠올랐다.

'나는 너를 살려둘 생각이다.'

'그래서 언제고, 입맛이 없을 때마다 너를 찾아올 거야.'

책상과 팔걸이를 움켜쥔 베니온의 두 손 끝이 창백했다.

"미, 미친-"

그는 아래를 내려다보며 덜덜 떨어댔다.

사아아아-

검붉은 안개가, 뱀과 같은 그것이 서서히 그의 발아래에서 기어 올라왔다. 베니온의 얼굴이 울 것 같은 어린아이처럼 일그러졌다.

"이, 이 미친 용 새끼가!"

그는 거칠게 제 발을 털어댔다. 그래도 안개는 사라지지 않고 더욱더 위로 올라왔다. 미쳐 버릴 것 같았다. 그러나 그 순간 베니온은 한 가지 사실을 깨달았다.

'저번과 다르다!'

저번과 달리, 몸을 움직일 수 있었다. 베니온은 고개를 들어 아지트를 훑어보았다. 아지트의 출입문이 보였다.

케일은 베니온이 아지트 문을 본 순간 시계를 바라봤다. 조금 더 서두르면 딱 알맞게 그림 같은 광경이 나올 것 같다. 케일은 온의 등을 쓰다듬었다.

사아아아-

안개가 조금 더 빨리 베니온의 다리를 타고 올라왔다.

냐아아- 옹.

동시에 고양이의 울음소리가 더 강해졌다.

베니온의 두 다리가 떨리고 있었다. 그는 의자에서 빠르게 일어섰다.

쾅! 커다란 소리를 내며 가죽 의자가 뒤로 쓰러졌다. 하지만 베니온은 조금도 신경 쓰지 않은 채 허겁지겁 아지트의 문을 향해 뛰어갔다. 귀족다운 고급스러운 옷과 머리 스타일과는 달리, 그의 얼굴은 공포에 질려 미쳐버린 이의 얼굴 같았다.

"빠, 빨리―"

덜덜 떨리는 손으로 베니온은 문의 손잡이를 잡았다.

철컥.

그때, 문밖에서 문고리를 돌리는 소리가 났다.

'부하들인가?'

베니온의 머릿속에는 이제 이 공포스러운 상황을 혼자 마주하지 않아도 된다는 안도감이 밀려왔다. 지금 밖에서 문을 여는 이는 분명 그 새벽에 함께 있었던 부하 두 명일 것이다.

밖에서 누군가가 문을 잡아당겼다. 그 덕분에 베니온은 본인이 힘을 줄 필요 없이 자연스럽게 문밖을 마주할 수 있었다.

끼이이―

문이 천천히 열렸다. 문 사이로 살짝 보이는 불빛에 빠져 베니온은 제 다리를 감싸던 안개가 흔적도 없이 사라진 것을 보지 못했다.

그렇게 문이 열렸다.

"드디어 찾았군."

그리고 베니온이 마주한 이는 테일러 스텐. 제가 불구로 만들었던 형이었다.

"……어―"

베니온이 뒷걸음질 쳤다. 테일러 스텐의 뒤에는 비밀 아지트로 내려오는 통로가 있었고, 그 통로에 수많은 사람들이 있었다. 스텐 후작가의 정예와 테일러 측의 사람들이었다.

"이, 이게 무슨."

테일러는 베니온의 겉모습에 아무런 상처가 없음을 확인하며 그의 얼굴을 바라봤다. 공포에 질린 얼굴이었다.

장남 테일러는 베니온의 어깨 너머 아지트 안을 바라봤다. 아무도 없었다. 하지만 저 안에 케일이 있을 것이다. 자신도 케일에게 투명화 마법 장치를 빌려서 사용해 봤으니까. 그래서 더욱더 그가 저 안에 있을 거라 확신할 수 있었다.

"이, 이것도 꿈인가?"

베니온은 뒷걸음질 칠 생각도 못 한 채 멍하니 중얼거렸다. 테일러는 제 동생을, 증오하는 동생을 보며 그의 물음에 답했다.

"긴 악몽이라도 꿨나 보군."

그는 돌아서며 후작가 기사들에게 지시했다.

"체포해."

베니온의 악몽은 이제 시작이었다. 그는 후계자 위에서 영원히 밀려나는 것은 물론, 각종 불법적인 일에 대한 대가를 치러야 할 것이다. 위상이 떨어져 화가 난 스텐 후작가 일원들의 분노를 온전히 받아야 했으니까.

"……이, 이건 용이 한 짓이야. 다 용이-"

테일러는 뒤에서 베니온이 중얼거렸지만 신경 쓰지 않았다. 그는 동료 케이지가 자신을 스쳐 지나가며 작게 속삭이는 목소리에 집중했다.

"오늘 저녁."

오늘 저녁, 오랜만에 테일러는 은인을 만나러 갈 수 있었다.

"공자님, 아지트 수색은 지금 바로 할까요?"

테일러는 기사의 물음에 고개를 가로저었다.

"일단 지금은 베니온의 신병을 성으로 조용히 옮기는 게 관건이다. 밖에 영지민들이 많아."

"몰래 가는 건 힘들지 않을까요?"

아지트 밖에는 영지민들이 몰려 있었다. 그 상황에 기사들과 후작가 사람들은 당황했다.

하지만 이 모든 건 오데우스가 케일의 명에 따라 소문을 퍼뜨린 탓이었고, 테일러도 이를 알고 있었다. 그는 고심이 가득한 표정을 연기했다. 이제 그는 이런 것도 할 줄 알았다.

"그렇긴 하지만 최대한 조용히 움직여야 돼. 스텐 후작가의 위상을 더 떨어뜨릴 수는 없는 노릇 아닌가."

"……알겠습니다!"

기사는 진중한 표정으로 대답했다.

"그 후에는 다른 아지트를 급습하고 일당 검거에 집중하도록 해. 대신 여기에는 기사와 병사들을 몇 명 배치시켜서 입구를 지키도록 하지."

"네."

테일러는 케일이 조금 더 편히 빠져나갈 수 있는 상황을 만들어두고는 아지트 입구에서 등을 돌렸다. 그는 이제 성에 가서 베니온과 후작의 팔다리를 하나, 하나씩 잘라내야 했다.

몇 명의 기사들이 텅 비어 보이는 비밀 아지트를 지켰다. 다른 이들은 이곳 외의 아지트에 있을 베니온의 수하들을 잡으러 떠나갔다.

"경비 똑바로 서게."

"어차피 사람도 하나 없구만. 요 며칠 새 쉬지도 못했는데, 설렁설렁 하자고."

"안 되네."

"빡빡하긴. 들어오는 것만 막으면 되지 않겠나?"

두 기사들은 병사들에게 들리지 않게 작은 목소리로 대화를 나눴다. 그런 그들의 뒤를 바람이 순간 훑고 지나갔지만 아무도 신경 쓰지 않았다. 지하 아지트에는 어울리지 않는 바람이었지만, 아무것도 보이지 않았기 때문이다.

그 바람을 일으킨 장본인, 케일은 아지트에서 조금 떨어진 곳에 준비해 둔 마차에 올라탔다. 뒤따라온 라온이 자신을 제외한 일행의 투명화를 풀었다.

"출발할까요?"

"그래."

오데우스는 케일의 허락에 천천히 마차 문을 닫고는 마부석으로 갔다. 잠시 뒤, 마차가 천천히 움직이며 저택으로 향했다. 케일은 마차 좌석에 몸을 기댔다. 푹신한 가죽의 감촉에 몸이 편해졌다.

그는 아래를 내려다봤다. 이제야 투명화를 풀고서 제 무릎에 얼굴을 올리고 있는 라온과 눈이 마주쳤다. 그 순간 라온은 히죽 웃으며 입을 열었다.

"나는 그럭저럭 괜찮다. 나는 위대한 용이다!"

"그래. 그들에게 지옥은 이제 시작이니까."

"맞다!"

케일은 일행에게 말했다.

"오늘은 다 같이 맛있는 것 좀 먹고 푹 쉬자고."

하지만 케일은 그 말과 달리 일행과 떨어져 저녁 식사를 즐겨야 했다.

"시간이 나셨나 봅니다?"

"케일 공자를 만나는 자린데, 제가 와야지요."

장남 테일러와 미친 신관 케이지. 두 사람이 술병과 술잔을 들고서 케일을 찾아왔다. 늦은 시간에 온 그들 때문에 케일은 늦게서야 저녁 겸 술을 함께 즐기게 되었다.

"오늘 아니면, 앞으로는 더 바쁠 것 같아서 말입니다."

"그렇겠죠."

케일은 테일러의 말에 고개를 끄덕이며 케이지를 바라봤다. 그녀는 씩 웃으며 술병을 들어 보였다. 케일은 아무런 표정 변화 없이 가득 따른 술잔을 한 번에 비웠다.

"케일 공자가 말해준 인원 대부분이 베니온 쪽의 사람들이고, 서로 연관이 있더군요."

"그랬습니까."

테일러는 케일을 마냥 편안하게 바라볼 수 없었다. 그는 베니온의 아지트와 관련 인원들에 대한 정보를 주었다. 그 사실만으로도 놀라운데, 더 놀라운 사실이 있었다.

"그중 아버지의 사람들도 몇 있더군요."

"……그건 몰랐습니다만."

케일이 진심으로 놀란 얼굴로 테일러를 바라봤다. 하지만 이건 당연히 연기였다.

베니온 스텐은 후작의 명에 따라 검은 용을 사육했다. 때문에 용이 있는 동굴을 지킨 이들 중 당연히 후작의 사람도 있을 터였고, 그 인원 중 몇이 베니온의 더러운 일을 해온 것도 일정 부분 연결되는 일이었다.

그들은 이번 일로 최소 노역형, 최대 사형을 받을 것이다. 스텐 후작가는 영지법이 가장 가혹한 곳이었으니까. 후작은 이 일에서 최대한 벗어나기 위해, 그들의 입을 아예 세상에서 없애고 싶을 것이다.

"……그 말씀 믿습니다."

테일러는 다짐하듯 케일에게 그리 답했다. 그런 둘 사이로 술병이 나타났다.

"일단 이 술병은 다 비우죠?"

"그래. 마시자."

"좋습니다."

세 사람은 서로의 잔에 술을 따라주며 술병을 비웠다. 이 술병이 모두 비워지면 케이지와 테일러는 다시 일을 하러 자리를 떠야 했다.

"내일 떠나십니까?"

"네."

"서부 길을 따라 수도에 가신다고 들었는데, 수도가 최종 목적지 이십니까?"

테일러는 자신의 물음에 대답 대신 씩 웃어 보이는 케일을 볼 수 있었다. 그 모습에 테일러는 더 묻지 않았다. 다만 자신의 다짐을 전했다.

"이번 일도, 저번 일도 다음에 반드시 갚겠습니다."

"기대하죠."

"네. 기대하십시오."

또렷한 눈빛으로 기대하라 말하는 테일러를 보며, 케일은 새로운 서북부의 권력 관계를 떠올렸다. 테일러와 오데우스. 다가오는 미래. 굴리고 굴릴 인재들이 꽤 많았다.

다음 날 이른 아침. 케일은 침실에서 떠날 채비를 모두 끝내고 마지막으로 거울을 보고 있었다. 그는 거울 속에 비치는 라온에게 물었다.

"이제 왕세자 마법 알겠지?"

"안다, 인간. 나는 위대하다."

거울에 비친 케일의 입가에는 미소가 지어져 있었다.

19장
선물이긴 하지

## 19장
### 선물이긴 하지

침실을 빠져나와 저택의 후문으로 당도한 케일은 오데우스와 마주할 수 있었다.

"오데우스, 만족스러운 의뢰 수행력이었어."

오데우스는 케일의 말에 웃어야 할지 아니면 황당해해야 할지 감이 잡히지 않았다. 하지만 만들어진 결과는 웃어야 할 일이었다.

"아닙니다. 저야말로 의뢰비가 넘칠 정도라, 좋았습니다."

"그렇겠지."

빈말로도 케일은 의뢰비가 적다고 하지 않았다. 의뢰비가 베니온을 뒷세계에서 없애주는 것이었으니까.

"다음에 연락하지."

오데우스는 다시는 케일을 보고 싶지 않았다. 위험하다고, 고생할 것 같다고, 자신이 살아온 세월의 감이 그렇게 말해주었다. 하지만 그간의 경험으로 이런 일은 피할 수 없다는 것 또한 알고 있었다. 결국 또다시 그를 보게 될 터.

"네. 가끔 연락드리겠습니다."

"그래."

케일은 오데우스의 배웅을 받으며 마차에 올라탔다. 마부석에는 비크로스가 자리해 있었다. 스텐 영지까지 마차를 끌고 왔던 마부는 이미 영지로 돌아갔다.

"오데우스."

"네."

"지하실. 알지?"

오데우스의 눈가가 살짝 떨렸다. 그는 저택 후문 근처, 지하실로 통하는 문이 있던 곳을 바라봤다. 완전히 망가진 잔해만이 존재했다.

"⋯⋯뒤처리는 끝까지 깔끔하게 하겠습니다."

"그래."

지하실이 부서지기 전. 그곳에 갔던 오데우스는 피로 엉망이 된 공간과 고문 도구들이 즐비한 곳에서 식사를 한 흔적까지 목격했다.

'착하긴 개뿔이.'

희생정신이 강하고 착한 공자 따위는 없었다. 독하고 음흉한 자만이 있을 뿐.

"그리고 빌로스에게 이번 일을 다 말하지 않았으면 하는데."

"의뢰는 비밀이 생명이지요."

"그래, 아네. 생명이지."

부드럽게 미소 짓는 케일을 따라 오데우스도 부드러운 미소를 지어 보였다. 하지만 두 사람 다 마음속으로는 웃고 있지 않았다.

"그럼 가보지."

"안녕히 가십시오."

영원히 보지 말자는 듯 오데우스의 배웅 인사는 진심이 담겨 있었다. 케일은 그 인사에 웃음을 흘리며 마차 문을 닫았다.

탁! 경쾌한 소리와 함께 마차 문이 닫혔고, 비크로스는 마차를 움직였다.

마차는 스텐 영지를 빠져나와 수도 방향인 왕국 서부 대로로 향했다. 며칠간 마차는 야영할 때를 제외하고는 빠르게 이동했다.

"지겨워?"

창밖을 보고 있던 케일은 최한의 부드러운 음성에 고개를 돌렸다. 최한이 특유의 선한 미소를 지은 채 온과 홍에게 간식을 건네고 있었다.

"아닌데. 안 지겨운데!"

"나는 뒹굴거리는 게 제일 좋은데."

온과 홍이 차례대로 하는 대답에 최한이 감탄한 표정으로 답했다.

"확실히 너희는 케일 님을 닮았구나."

……저거 욕인가? 케일은 칭찬인지 욕인지 모를 최한의 반응을 탐탁지 않게 바라보다가 온과 홍에게로 시선을 돌렸다.

현재 마차는 로운 왕국의 서북부와 서남부 그 중간 지점, 정확히 말해 왕국의 서부를 지나고 있었다.

헤니투스 영지가 있는 동북부가 대리석으로 유명하다면, 현재 창밖으로 보이는 서북부부터 서부까지는 화강암이 유명했다. 돌산이 많은 지역이었다.

최한의 목소리가 이어졌다.

"여긴 저번에도 왔지만 거의 돌산뿐이네."

최한이 여길 지나쳤던 적이 있었나? 순간 케일의 머릿속에 의문이 일었지만 그는 곧 답을 찾을 수 있었다.

로잘린. 그녀를 위해 라크와 함께 브렉 왕국에 갈 때 이 지역을 지나쳤으리라.

"브렉 왕국에 갈 때 와봤었나?"

케일은 질문을 던지고 난 뒤 최한의 얼굴을 보며 묘한 느낌을 받았다. 대답을 망설이는 최한의 표정이 상당히 찝찝함을 안겨주었다. 툭 던지듯, 케일의 입에서 말이 자연스레 튀어나왔다.

"브렉에서 사고 쳤나?"

"……그렇진 않습니다."

케일은 더 이상 묻지 않았다. 알고 싶지 않았다. 그저 알베르 왕세자에게 브렉 왕국에서 벌어진 일의 결과만 들은 것으로 충분했다. 다만 한 가지. 생각난 김에 물을 것이 있었다.

"그럼 서부를 지날 때, 열손가락산을 지났나?"

"음? 그런 산 이름도 있습니까? 그 지명은 처음 듣습니다만."

희한한 이름에 온과 홍, 라온도 관심을 보였다. 설명해 달라는 듯 반짝이는 눈빛에 케일의 표정이 떨떠름해졌다. 라온이 케일의 무릎 위에 앞발을 올렸다.

"설명해라, 인간! 궁금하다!"

결국 케일은 설명했다.

"서부는 화강암이라는 단단한 돌들이 많아. 그렇지만 모두 그런 돌로 이루어져 있지는 않지. 하지만 로운 왕국 서남부가 시작되는 지점. 그곳에는 화강암 봉우리 10개가 붙어 있어."

마치 손가락처럼, 혹은 탑처럼 기이한 형태로 10개의 돌산이 서남부가 시작되는 지점에 자리하고 있었다.

"음, 그때 저희는 서남부 쪽으로 빠지지 않고 바로 서북부에서 빠져서 못 본 것 같습니다. 돌아올 때도 마찬가지였고요. 그런 돌산을 봤다면 기억할 텐데."

"그래? 그 풍경이 신비롭다고 해서 궁금했는데."

궁금했다는 케일의 말에 라온이 반응했다. 검은 용은 케일이 정글의 여왕 리타나에게 돌아다니기 좋아한다고 했던 말을 기억하고 있었다.

당장 가자! 그리 말하기 위해 라온의 입이 열렸다.

하지만 케일이 빨랐다.

"1년 뒤쯤에 가볼까 했거든. 그래서 궁금해서 물어봤어."

"1년 뒤요?"

"어."

케일은 반드시 1년 뒤에 열손가락산을 가야 했다.

'마지막 고대의 힘이 거기서 모습을 드러낼 테니까.'

케일은 마지막, 공격용 고대의 힘. 번개와 비슷하고 불벼락을 닮은 그 힘을 가져야 했다.

"우리 다 같이 여행 가보면 좋지 않을까."

케일은 무심히 중얼거렸다. 그 말에 온과 홍, 라온의 얼굴 위에 드리워진 이동의 피로가 모두 사라졌다. 최한은 입가에 잔잔한 미소가 자리했다.

"네. 그러면 좋겠습니다. 그런데 돌산이면 근처에 쉴 만한 마을은 없겠군요."

"없기는. 있– 아니, 없다."

케일은 최한과 애들을 보며 단호히 한 번 더 인지시켜 주었다.

"없다. 그 근처에 내가 알기로는 마을이 없다."

암, 없고말고.

사람이 사는 마을은 없다.

문제는 자연을 끔찍하게 사랑하고 드래곤을 마법사보다 더 숭배하는 엘프 마을이 있을 뿐이었다.

엘프.

환상 마법으로 마을을 숨긴 채, 인간들과 떨어져 사는 신비의 종족. 그들은 드래곤 다음으로 자연 친화적인 종족이었다. 그렇기에 정령도 다뤘으며, 아름다운 외모로 대륙 사람들에게서 늘 호감의 대상이 되었다. 마찬가지로 아름답지만 어둠의 속성을 지녀 지탄받는 다크엘프와는 달랐다.

'영웅의 탄생' 주인공 최한이 브렉 왕국에서 라크와 함께 로잘린의 일을 처리하고 다시 로운 왕국으로 돌아올 때, 그들은 열손가락산을 지나게 된다.

그때 엘프 마을을 우연히 발견한다. 그리고 한 엘프와 엮이게 된다.

힐러인 펜드릭. 케일의 재생력과는 다른, 타인을 치료할 수 있는 힘을 지닌 엘프 펜드릭이 이때 등장한다. 그 펜드릭은 최한 일행이 되어 함께 움직인다.

원래 주인공 일행에 엘프는 꼭 한 명 있지 않은가. 그게 펜드릭이었다.

'문제는 죽는다는 것이지.'

라크 첫 광폭화의 시발점. 그것이 펜드릭의 죽음이었다. 그는 라크를 지키다가 죽었고, 그 죽음의 결과로 라크는 첫 광폭화를 겪으며 성정이 크게 바뀐다.

즉, 펜드릭은 라크와 만나지 않으면, 최한 일행과 함께 다니지 않으면 죽을 일이 없을 것이다.

'이미 함께 합류할 때도 놓쳤고.'

지금까지 펜드릭은 케일은 물론이거니와 최한, 라크와 전혀 엮이지 않았다. 이대로만 가서 1년이 지나게 된다면, 펜드릭은 원래 예정보다 더 오래 산 시점이 될 것이다. '영웅의 탄생' 이야기에서 가장 크게 틀어진 부분이라 할 수 있었다.

"······그래, 마을은 없어."

케일은 한 번 더 중얼거리며 다짐했다.

1년 뒤 '열손가락산'에 가게 되었을 때 엘프 마을만은 피하자고.

지금껏 안일하게 생각하고 편히 움직이다가 얼마나 많은 짐 덩이들을 떠안았던가. 케일은 그때는 아예 그런 일이 없도록 할 작정이었다.

"빨리 1년 뒤에 구경 가고 싶다. 마을 없어도 된다."

케일은 해맑은 목소리에 라온을 쳐다봤다.

특히 엘프 마을에 드래곤은 데려가면 안 된다. 거의 신 취급받을 것이 뻔했다. 그 광경이 상상만 해도 눈앞에 선했다. 케일은 소름이 돋아 씩 웃는 라온의 얼굴을 외면했다. 그는 1년 뒤, 왕세자가 준 황금패를 들고서 마지막 고대의 힘을 얻으러 가기 전까진 서부 쪽에는 발도 들이지 않을 것이라, 강하게 다짐했다.

케일은 마부석 근처의 작은 창문을 열며 비크로스에게 말했다.

"좀 더 속도를 내도록 하지."

"알겠습니다."

마차는 아주 빠르게 서부를 빠져나와 수도에 도착했다.

"오랜만에 뵙습니다, 저하."

단정하면서도 세련된 의복에 부드러운 미소를 입가에 띤 케일은 시선을 확 사로잡았다.

"그래. 자네를 다시 보니 반가워. 요양은 잘 했는가?"

금발에 푸른 눈. 케일에게 지지 않을 잘생긴 얼굴의 왕세자 알베르는 환한 미소를 지으며 케일과 포옹을 했다.

왕세자궁 앞. 왕세자 알베르는 이제는 희미해진 사건인 마법 폭탄 테러 사건의 영웅을 손수 나와 반겼다. 희미해진 사건이라고 하더라도 아직까지 수도 광장은 복구 공사 중이었고, 기사들이 수도 내 순찰을 돌고 있었다. 또한 테러범들의 정체를 아직 밝히지 않은 왕궁에 대해 탐탁지 않아 하는 이들이 많았다.

"네. 왕세자 저하의 마음 덕분에, 왕가의 배려 덕분에 푹 쉬어 건강해졌습니다."

그 말이 사실이라는 듯 미소 짓는 케일의 모습은 상당히 건강해 보였다. 왕세자 알베르는 이를 정말 다행이라는 듯 바라보며 그에게 왕세자궁 안을 가리켰다.

"들어가세. 오랜만에 찾아왔는데, 차라도 한잔해야지."

"네. 업무로 바쁘실 텐데, 잠시 뵙고 가겠습니다."

케일의 머릿속으로 라온의 목소리가 들려왔다.

-매번 왜 이러는지 모르겠다.

그건 케일도 같은 생각이었다. 하지만 어쩌겠는가.

달칵. 왕세자궁의 집무실로 들어와 문을 닫는 순간, 정답게 걸어 들어오던 케일과 알베르는 서로에게서 떨어졌다.

"저하, 피곤하시겠습니다."

"자네도 그럴 것 같은데."

알베르는 한숨을 내쉬며 집무실 한편에 마련된 테이블 근처를 대충 턱짓했다. 하지만 이미 케일은 테이블 근처로 다가가 가장 푹신해 보이는 소파에 앉고 있었다.

"누가 보면 서너 번은 와본 줄 알겠어."

"처음입니다만, 왠지 정겨운 공간이네요."

말이라도 못하면. 알베르는 아무 소파에 앉지만 자신을 위한 상석은 비워놓는 케일을 보며, 상석에 놓인 소파에 앉았다.

"내가 최대한 빨리 오라고 했던 것 같은데."

"그래서 밤잠을 줄여가며 달려왔습니다, 저하."

알베르는 그 말에 콧방귀를 뀌었다. 무슨 짓을 하다가 왔는지는 알 수 없지만, 동북부 헤니투스 영지에 있던 이가 수도 서쪽 방면으로 들어왔다. 그리고 서쪽에서, 정확히 서북부 쪽에서 지금 무슨 일이 일어났는가.

"자네는 참 의심스러운 인간이야."

알베르는 시종이 내온 차를 마시며 시종이 나갈 때까지 가만히 케일을 관찰했다. 오늘 그와 나눌 말이 참으로 많았다. 그리고 케일에게 부탁할 것도 아주 많았다.

−저 왕세자 눈빛이 음흉하다.

케일은 라온의 말에 동의하며 알베르의 눈빛을 모른 척했다. 자신에게서 뭔가를 빼내 먹으려는 눈빛이었으나, 아마 오늘 그 생각은, 관계는 역전될 것이다.

시종이 집무실을 나가자마자, 알베르의 입이 열렸다. 그러나 그보다 더 빨리 말을 내뱉는 이가 있었다.

"저하."

왜? 그렇게 쳐다보는 알베르의 시선을, 케일은 마주했다. 그런 그의 머릿속에서 라온이 말하고 있었다.

−두 개 다 겪어보니 이제 확실히 알겠다. 진짜 희한한 존재다.

케일은 품 안에서 마법 주머니를 하나 꺼냈다.

"제가 선물을 하나 준비해 왔습니다."

"……내 선물?"

"네. 우리 왕국의 마음속 별이신−"

"그만."

알베르는 선물이라는 말에 전혀 기뻐하지 않았다. 오히려 더 의심을 담아 케일을 바라봤다. 지금까지 케일과 겪은 일이 그러했기 때문이다. 하지만 선물이라, 기대감은 밀려왔다.

몇 주 전, 알베르는 플린 상단의 한 상인 이름으로 케일의 선물을 하나 받았었다.

"일단 선물은 보도록 하지."

케일은 알베르의 허락에 마법 주머니를 천천히 열었다. 라온의 목소리가 케일의 머릿속에 울렸다. 주머니에서 작은 유리병이 꺼내졌다.

−어둠 속성이다.

탁!

둔탁한 소리와 함께 유리병이 테이블 위에 놓였다.

"……이게 뭔가?"

케일은 알베르의 물음에 답하는 대신 행동으로 보여주었다.

끼릭, 끼릭. 유리병의 뚜껑이 천천히 열렸다. 검은색 물로 가득한 작은 유리병. 뚜껑이 완전히 열렸다. 그러자 그 안에서 눈에 보이지 않는 것이 조금씩 흘러나왔다.

-이 냄새는 익숙하다. 검은 늪에서 맡은 냄새다.

죽은 마나의 향이 조금씩 흘러나왔다.

위퍼 왕국으로 향하는 바다 위에서 만난 고래족 왕에게 받았던 물건 중 하나. 케일이 가진 다른 병과 달리 독기를 뺀, 오로지 죽은 마나만이 담긴 검은 물. 그 검은 물의 삼분의 일이 지금 이 작은 유리병에 담겨 있었다.

"……너-"

말을 잇지 못하는 왕세자를 보며 케일은 천천히 뚜껑을 도로 닫았다.

"저하, 물론 공짜 선물은 아닙니다."

이 귀한 것을 공짜로 줄 이유는 없다. 인간에게는 독이고, 전혀 귀하지 않고, 없애야만 하는 존재였지만.

케일은 왕세자를 보며 라온이 했던 말을 아직도 기억하고 있었다.

'이 왕세자라는 하찮은 인간은 왜 마법으로 머리칼을 염색했지? 위대한 용 정도는 되어야 알아차릴 수준인데. 다른 용이 염색시켰나? 아닌가, 다른 힘인가?'

다른 힘. 라온은 용이어서 그 힘이 일반적인 자연계 마나와 다르다는 것은 알았지만 실체를 정확히 파악하진 못했다. 그럴 수밖에 없었다. 한 번도 겪어보지 못했으니까.

하지만 이제는 겪어봤다.

죽은 마나. 케일은 혼잣말처럼 읊조렸다.

"마족도 아닐 테고, 흑마법도 아닐 테고. 네크로맨서도 아니고."

죽은 마나, 어둠의 속성들이 마법을 사용할 때 쓰는 힘이었다. 당연히 자연계 마법 체계와는 그 방향이 달랐다. 자연의 마나를 위해 만들어진 마법 장치들도 죽은 마나는 감지하지 못했다. 특히 고위급 종족일수록 더 그러했다.

"돌아가신 후궁 마마께서는 분명 평범한 분이라 들었지만, 피부색이 조금 까무잡잡해서 남부인의 피가 섞였나 오해를 받았다고 하시던데."

라온은 왕세자가 평범한 갈색의 머리칼을 지녔다고 했다. 그는 머리칼과 눈 색은 평범했지만, 왕국에서 알아주는 미남이었다. 왕세자의 어머니는 참 아름다웠다고 들었다.

"다크엘프는 까만 피부를 지녔지만, 다크엘프의 혼혈은 남부인과 피부색이 비슷하다고 들었습니다."

케일은 왕세자 알베르를 바라보며 마저 읊조렸다.

"그렇다면, 다크엘프 혼혈의 자식이라면?"

왕세자가 생각보다 담담하게 답했다.

"돌겠네."

케일은 입가에 미소를 매달았다.

"제가 맞혔나 보군요."

케일과 알베르, 두 사람은 서로를 가만히 응시했다.

"그래서?"

정적 끝에 나온 왕세자의 반응은 담담했다. 그의 얼굴은 조금도 흔들리지 않고 있었다. 케일은 어깨를 으쓱였다.

"그래서는요. 선물이긴 한데 공짜는 안 된다는 거죠."

골 때리는 소리를 내뱉고 나서 하는 말도 소소하기 그지없다.

"하, 하하―"

왕세자의 입에서 웃음이 흘러나왔다. 집무실 안에 방음 마법이 걸려 있지 않았다면 어떻게 되었을까. 시종과 더불어 은신하는 수하들까지 이 방에서 내보내지 않았다면 어떻게 되었을까. 간담이 서늘해져 왔다.

"일 좀 시켜 먹을랬더니. 괜히 오라고 했어."

알베르는 평소처럼 여유로운 저 낯짝이 지긋지긋해져 왔다. 그의 시선이 검은 액체가 담긴 유리병으로 향했다.

어머니.

세 글자의 이름에 담긴 무게가 알베르의 심장을 찔러왔다.

케일은 더 이상 말을 하지 않은 채 검은 유리병만을 바라보는 왕세자를 바라봤다.

다크엘프.

어둠 속성을 지닌 이들로, 그 속성 때문에 대륙 사람들에게 지탄을 받는 존재였다. 그들이 사용하는 힘이 죽은 것들에게서 흘러나오는 마나였기 때문이다.

과거 다크엘프들은 주로 무덤가에서 발견되었고, 아니면 전염병이 지나가고 황폐화된 마을에서 터를 잡았다. 그런 이유로 사람들은 다크엘프를 혐오했다. 그들이 딱히 산 사람과 죽은 시체에 해코지를 한 적은 없었지만 말이다. 그래서 엘프보다 더 꽁꽁 숨어서 사는 이들이 다크엘프였다.

알베르가 유리병에서 시선을 돌렸다. 케일은 자신을 바라보는 왕세자에게 미소를 지어 보였다.

"입은 닫고 있겠다?"

"네."

"공짜는 아니고?"

"당연하죠."

알베르는 자신의 속마음을 내뱉었다.

"음흉한 놈."

"제가 좀."

이를 또 능청스럽게 받아넘기는 꼴이 알베르는 참으로 보기 싫었다. 그러면서도 한편으로는 안도했다. 눈앞의 이 녀석이 현재 국왕의 애정을 받는 3왕자나, 자신의 자리를 노리는 2왕자가 아닌 자신에게 바로 왔으니까.

적어도 거래는 자신과 하겠다는 소리였다. 그래서 다행이었다. 이녀석이 자신과 비슷한 이라서. 하지만 한 가지는 궁금했다.

"자네 정말 이쪽 아닌가?"

어떻게 다크엘프가 아닌데 자신의 정체를 아는 거지? 그 의문을 알베르는 숨길 수 없었다. 자신의 정체를 아는 이는 어머니의 형제들뿐이었다. 그들은 국왕인 아바마마께 어머니의 정체가 들키지 않도록 도왔었다. 또한, 그들은 알베르의 영원한 지지자였다.

케일은 유리병을 가리키며 그 물음에 답했다.

"전 저거 마시면 죽습니다."

인간에게 죽은 마나는 과하면 죽을 정도의 아주 심한 독이었다.

-괜찮다, 인간. 걱정 마라. 이 위대한 용이 너는 무조건 살린다.

케일은 오늘도 라온의 말을 흘려들으며 유리병을 알베르 쪽으로
내밀었다.

"필요하시죠?"

알베르는 깔끔히 인정했다.

"그래, 있으면 좋지. 내가 강해질 테니까. 깨끗하네. 독기도 아무
것도 없고."

"당연하죠. 아주 귀한 물건입니다."

툭 던지듯 케일은 말을 이었다.

"죽은 드래곤의 마나니까요."

"……뭐?"

순간 알베르는 놀라움을 그대로 표현했다. 그리고 씩 웃어 보이는
케일의 모습에 한숨을 내쉬었다.

"미치겠네."

오늘 알베르는 전혀 왕족답지 않은, 어머니의 형제들을 만날 때나
쓰던 말들이 입 밖으로 흘러나왔지만, 이를 막을 수 없었고 막고 싶
지도 않았다.

"넌 정말로 나에 대한 것을 말할 생각이 없구나."

죽은 마나도 이제는 구하기 힘든 물건이었다. 그런데 그게 드래곤
의 죽은 마나다. 물론 유리병 안의 죽은 마나는 아주 소량이었다. 하
지만 소량이라도 그 대상이 드래곤이다. 알베르는 최소한 지금보다
몇 단계는 성장할 것이다.

아무리 대가를 받는다지만 이런 귀한 것을 넘겨준다는 게 알베르

는 이해가 되지 않았다. 자신과 비슷한 놈인 줄 알았더니, 더 이해하기 힘든 녀석이었다.

"당연한 걸 왜 묻습니까?"

당연하다는 대답에 알베르는 할 말을 잃었다. 하지만 케일로서는 당연한 일이었다.

'로운 왕국이 강해져야 돼.'

현재 왕국 간의 전력을 보면 가장 떨어지는 곳이 브렉 왕국과 로운 왕국이었다. 위퍼 왕국이야 툰카와 함께 망국으로 가는 지옥행 열차에 탔다고 할 수 있으나, 왕가가 건재한 로운과 브렉은 확실히 힘이 달렸다.

그런 상황에서 정글 남부는 애초보다 일찍 불을 진압하고 더 똘똘 뭉치게 되었다. 이런 과정에서 케일을 찾아 데려온 정글의 지배자 리타나에 대한 정글인들의 신뢰가 더 커졌을 것이다.

거기에 북쪽 연합 3왕국이 내려올 준비를 하고 있다. 알베르는 그걸 알고서, 자신의 권력을 강화하고 더불어 침입을 대비하기 위해 위퍼 왕국의 마법사들을 끌어모으고 있었다.

하지만 그걸로 부족했다.

'와이번 기사단과 제국이 있으니까.'

케일은 5권 뒤의 내용은 모른다. 하지만 인간에게는 상상이라는 보물이 존재했다.

'뻔하지.'

와이번 기사단이 상공을 점령하고, 황태자가 제대로 된 야욕을 드러내며 서대륙에 손길을 뻗기 시작하는 순간, 브렉 왕국과 로운 왕국은 바람 앞의 촛불이나 다름없었다.

그렇기에 케일은 자신의 안락한 삶을 위해 로운 왕국이 강해져서 전쟁을 버티도록 해야 했다. 이를 위해선 가장 먼저 강한 지도자가 생겨야 했다.

'어차피 나한테 독인 힘이라면 든든한 배경으로 만드는 게 나아.'

물론 너무 강해져도 곤란했다.

왕세자는 본래의 책 내용보다 권력이 탄탄해지고 강해질 조건들이 지금 더 많았다. 스텐 후작가는 이제 테일러의 손에 들어가 왕세자의 밑으로 갈 것이고.

그리고 여기에 하나 더.

케일은 알베르에게 하나를 더 말했다.

"마탑이 필요해지셨습니까?"

"다 알고 말을 하는 것도 참 힘들어."

왕세자에게로 모이는 마법사들이 더 많아졌고, 그 속도도 증가했다.

"자네가 준 마탑주의 호출기. 그게 참 유용하더군."

케일은 알베르에게 마탑주의 비밀 방, 21층. 사실은 0층이었던 곳에서 찾은 물건을 하나 건넸다. 대대로 마탑주만이 소유하는 것으로, 위퍼 왕국 내의 모든 마법사들에게 한 줄의 연락을 여러 차례 보낼 수 있는 물건이었다.

마탑주. 위퍼 왕국 마법사들의 최정점이자 마탑을 관리하는 이로서, 자국 내 마법사들에게 연락할 수단 하나 없다는 게 말이 되겠는가?

다만 0층에 숨겨져 있어 툰카 측이 찾아도 찾아도 발견을 못 했을 뿐이었다.

케일은 이를 빌로스를 통해 알베르에게 넘겼고, 알베르는 단 한 줄의 문구를 위퍼 왕국 내 살아 있는 마법사들에게 지속적으로 전했다.

[바위의 나라. 그곳의 미래 지도자는 그대들을 지켜줄 것이다.]

그 덕을 상당히 많이 본 왕세자는 이왕이면 케일이 마탑을 로운 왕국 어딘가로 옮기든, 아니면 복구를 하길 바랐다. 하지만 이제는 그런 말을 할 처지가 되지 못했다.

"앞으로 자네한테 지시나 명령은 힘들겠군. 부탁이면 몰라도."

"마탑은 세울 생각이 없습니다."

왕세자는 그럴 줄 알고 케일을 살살 구슬리려고 했다. 이 녀석은 귀찮은 걸 싫어했으니까.

"하지만 후에 마탑 설계도를 일부분 드릴 순 있습니다."

알베르는 두 손으로 제 얼굴을 쓸어내렸다.

"뭘 원하지?"

왕세자는 더 이상 쓸데없는 소리를 할 필요가 없다는 것을 깨달았다. 지금 주도권은 자신에게 있는 것이 아니었다.

"지금부터 제가 내거는 조건은 지금이 아닌 2년 후에 실행되었으면 하는 바입니다."

케일은 평온하고 안전한 자신의 삶을 위해, 백수 라이프를 위해 돈 다음으로 구해야 할 것이 주도권이라 생각했다.

백수가 왜 좋은가? 가족 빼고는 눈치 볼 상사도, 고객도, 거래처도 없다는 점이 좋은 점이었다. 케일은 눈치 보면서 살고 싶지 않았다. 망나니라도 좋으니, 제 하고 싶은 대로 살고 싶었다. 먹고 자고 뒹굴고. 얼마나 좋은가.

케일은 자신이 건넨 문서를 살피는 알베르의 표정 변화를 모두 볼 수 있었다. 그는 의아한 표정으로 보다가 곧 미간을 찌푸렸고, 마침내 기가 찬 표정으로 케일을 쳐다봤다.

"……이게 도대체 뭔 소린가?"

케일은 산뜻하게 답했다.

"그건 저하께서 판단하실 문제라고 생각합니다."

하. 기가 찬 심경을 담은 탄식이 알베르의 입에서 흘러나왔다.

하지만 잠시 뒤, 케일은 왕세자의 직인이 찍힌 계약서를 들고서 가벼워진 발걸음으로 집무실을 나섰다.

"나 원 참. 이득인데도 이렇게 찝찝한 건 처음이군."

"서로에게 좋은 일이니 즐기면 좋을 것 같습니다, 저하."

왕세자에겐 분명 이득이었다. 자신의 정체에 대한 비밀 보장에, 유리병에 담긴 드래곤의 죽은 마나, 더불어 몇 년 후에 일부분이지만 마탑 설계도를 받을 예정이었다.

그 어마어마한 보상을, 돈으로 추정할 수 없는 보상을 손에 넣었음에도 그는 찝찝했다. 케일의 표정이 너무나도 환했기 때문이다.

혼자 꽃밭에 있는 놈 같았다.

"그럼 가보겠습니다."

"얼른 가."

왕세자는 얼른 가라고 했지만 케일을 떠나보내기 싫었다. 붙잡고 무슨 생각인지 탈탈 털어내듯 묻고 싶었다. 하지만 물을 수 없었다.

'어둠의 숲과 서북부 대로, 그리고 해상이라.'

돈도 물질도 아닌, 다른 것을 원하는 케일의 속셈을 알베르는 끝끝내 알 수 없었다.

반면 케일은 왕세자가 알든 말든 관심이 없었다. 수도로 온 목적을 이룬 그는 곧바로 마차에 올라탔다. 수도에 더 있을 이유가 없었다.

"바로 영지로 갈까요?"

"그래."

케일의 대답에 비크로스는 마차 문을 닫고는 곧 영지로 마차를 출발시켰다.

"인간, 이제 우리 집 가서 쉬나?"

"그래. 당분간은 푹 쉴 생각이다."

라온의 물음에 대충 답하며 케일은 좌석에 등을 편히 댔다. 이제 당분간은, 최소한 육 개월, 길면 일 년은 편안히 뒹굴면서 살 수 있을 것이다.

그 뒤에 전쟁을 무사히 넘기면 남은 것은 만사 편한 백수 라이프였다.

그러나 영지로 돌아온 케일은 평소와 다른 백작가의 분위기를 감지할 수 있었다.

"무슨 일이지?"

"그게, 공자님."

케일을 마중 나온 이는 당연히 부집사 한스였다.

그런데 이상했다. 한스의 표정이 좋지 못했다.

"빨리 말해."

케일은 제 뒤로 다가오는 최한과 비크로스, 온, 홍에게 시선을 두지 않고 부집사 한스만을 직시했다. 감이 좋지 못했다. 알 수 없는 불안감이 밀려왔다.

'또 못 쉬나?'

뭐가 터진 건가?

문제는 한스뿐만이 아니라, 그 곁의 고용인들과 기사들의 표정도 좋지 못했다. 5초도 걸리지 않은 짧은 시간 동안 케일은 머릿속이 복잡해졌다.

"공자님, 론 씨가 돌아왔습니다."

"론이?"

"아버지가요?"

케일뿐만 아니라 암살자 론의 아들 비크로스도 놀란 얼굴로 한스를 바라봤다. 론은 몇 달은 더 있어야 돌아올 예정이었다.

한스는 눈을 질끈 감았다. 그 모습에 케일은 불안감이 더욱더 커졌다. 한스는 다시 눈을 뜨고는 비크로스 쪽은 보지도 못하고 케일을 보며 말했다.

"론 씨가 다쳐서 오셨습니다."

"안내해."

케일의 굳은 표정을 본 한스는 곧바로 뒤돌아 빠른 걸음으로 저택 안을 향해 걸어갔다. 케일은 그 뒤를 따랐다. 케일 옆을 비크로스가 따라붙었다.

한스는 최대한 빠르게 케일을 안내했고, 한 방 앞에서 멈췄다. 시종인 론이 사용하는 곳이 아닌, 꽤 이름 있는 손님들이 오셨을 때 내어주는 고급스러운 침실이었다.

"열어."

"네."

단호한 명에 한스는 침실 문을 열었다.

끼이이익.

문이 열렸다.

지독한 냄새가, 썩은 내가 케일의 코를 찔러왔다.

"도련님."

케일은 이 세상에 온 뒤, 처음으로 굳어버렸다.

"……론."

암살자 론. 그 음흉한 노인네가 침대 위에 누워 있었다.

"아, 아버지!"

비크로스가 케일을 지나쳐 침실 안으로 뛰어갔다. 케일은 저를 바라보는 론의 눈동자를 보며 그에게 물었다.

"……자네, 팔이 왜 그래?"

론은 예정보다 일찍 돌아왔다.

그리고 그의 한쪽 팔이 잘려 있었다.

"어쩌다 보니 이렇게 되었습니다."

론의 인자한 척하는 미소는 그대로였다. 하지만 안색이 창백하고 얼굴에 자잘한 상처가 가득했다. 그리고 그의 곁으로 다가갈수록 썩은 내가 진동했다.

왼쪽 어깨 일부분과 왼팔이 있어야 할 자리가 휑했다.

"한스."

"네."

"나가."

"네?"

케일은 한스뿐만 아니라 론의 주위에 있던 백작가의 고용인들, 그리고 아버지 데르트 백작의 수하를 보며 말했다.

"다 나가도록. 비크로스, 최한은 남고."

한스는 잠시 망설였지만 케일의 표정을 보고는 이내 그가 지목한 이들을 두고 나머지 사람들을 챙겨 밖으로 나갔다. 케일의 시선을 받은 온과 홍도 살며시 뒤로 빠졌다.

냐아아옹.

냐아옹.

아기 고양이 온과 홍이 굉장히 혼란스러운 표정으로 론을 몇 번이고 쳐다보며 침실 밖으로 나갔다.

사람들이 빠져나가자 넓은 침실이 더 넓어 보였다.

"말할 힘은 있나?"

케일의 차분한 물음이 론에게로 향했다. 론은 부드러운 미소를 입가에 걸었다. 전혀 아픈 이로 보이지 않았다.

"있습니다, 도련님."

"그럼 설명해. 왜 여우 사냥을 하러 간다는 이가 이런 꼴로 왔는지."

론은 케일에게서 시선을 돌려 제 아들 비크로스를 바라봤다. 비크로스는 무릎을 꿇은 채로 침대 맡에 와 론의 빈 왼쪽 어깨를 바라보고 있었다.

'그냥 오지 말 걸 그랬나.'

그럼에도 론은 생각난 곳이 여기뿐이었다. 어차피 죽는다면, 아들과 몇 사람 얼굴은 보고 죽고 싶었다.

"저는 동대륙에서 건너왔습니다. 비크로스가 아주 어렸을 때지요."

론은 자신의 이야기를 시작했다. 아들을 맡길 곳이 필요했다.

"아시다시피 저는 암살자입니다. 동대륙의 뒷세계에서 유명한 5대

암살 가문이 있습니다. 그중 몰란 가문의 후계자가 저였습니다."

"아버지."

비크로스가 론을 불렀다.

"우리 가문은 '암'이라는 단체에 의해 망하고 말았습니다. 그들을 피해 저는 아들을 데리고 이 서대륙으로 건너오게 되었지요. 그리고 숨어 살았습니다."

하아. 론은 깊은숨을 들이쉬었다. 그의 안색은 창백했다.

"왜냐하면 암이라는 단체는 뒷세계를 지배하지만 하위 단체일 뿐, 진짜 그들의 중심은 따로 있더군요. 그 파악도 할 수 없는 힘의 크기에 두려움을 느꼈습니다. 그래서 되지도 않는 시종 노릇을 하였지요."

론의 미간에 깊은 주름이 파였다.

"그러다가 그들의 냄새를 십몇 년 만에 맡게 됐습니다."

비크로스가 흠칫했다. 론의 시선이 케일의 뒤편으로 향했다. 믿을 수 없다는 얼굴로 서 있는, 비틀어졌지만 선한 놈. 최한에게 닿아 있었다.

"최한이 이 영주성에 왔을 때. 그에게서 '암'의 냄새가 났습니다."

최한이 해리스 마을 사건을 겪고 영주성에 왔을 때, 비크로스와 론이 그에게 검을 내민 이유. 그에게서 '암'의 냄새가 났다.

최한의 눈동자가 흔들렸다.

"……설마 해리스 마을에서 내가 죽였던 이들이?"

"그래, 암일 확률이 높았어."

최한은 케일을 바라봤다. 론은 말을 이었다.

"수도에 가서 조사해 보니 그들이 이 서대륙에도 힘을 뻗치고 있음을 파악할 수 있었고, 저는 움직이기로 하였습니다. 사실 여우 사냥이 아니라 들개 한 마리가 호랑이 굴에 들어가는 꼴이었습니다.”

무슨 자신감으로 덤볐던 것일까. 론은 그런 생각이 들면서도, 다시 그 순간이 되면 똑같이 움직였을 것이었다. 알아내야 했다. 그자들이 무슨 짓을 하려고 하는지.

“그러다가 그 암의 공격대 중에 하나와 부딪쳤고, 그들이 하는 짓을 알게 되었습니다.”

결국 공격조 중 하나를 없애고 작은 성과를 얻었다.

“하지만 어쩌다 보니 왼팔을 잘리게 되었고, 겨우 살아서 도망쳤네요.”

론은 씁쓸한 웃음을 흘렸다. 다 늙어서 이게 무슨 꼬라지인가 싶었다. 한 손을 잃는 것. 그것은 양손 단도를 주무기로 쓰던 그에겐 큰 부상이었다.

가만히 듣고만 있던 케일의 입이 열렸다.

“아직 그 암이라는 단체의 진짜 정체는 찾지 못했나?”

“네. 아쉽게도.”

론은 여전히 실체에 다가가지 못했다.

“론.”

론은 케일을 바라봤다. 못 본 새에 케일의 분위기는 한층 더 성장해 있었다. 저절로 그의 앞에서 고개를 숙일 것 같은 위압감이 느껴졌다.

“네 팔을 자른 자는 누구지?”

“……젊은 마법사였습니다. 누구든 보는 이들마다 팔을 자르더군요.”

최한이 흠칫 어깨를 떨며 케일을 쳐다봤다.

"미친 새끼."

케일의 입에서 거친 말이 흘러나왔다.

암. 그 단체는 케일이 아는 그 비밀 단체일 것이다.

해리스 마을, 후작가에게 라온을 넘겨준 일, 수도 광장 테러 사건, 푸른 늑대족 습격. 그 모든 것들을 행한 곳.

더불어 론의 팔을 자른 이도 알 것 같았다. 최한도 마찬가지일 터.

수도 광장 테러 사건을 지휘하던 마법사. 피에 미친 마법사 레디카일 확률이 높았다.

최한에 의해 왼쪽 눈과 왼팔을 잃어버린 레디카. 그가 어떻게 한 손으로 캐스팅을 하며 다른 이들의 팔을 잘랐는지 알 수 없다. 하지만 레디카일 확률이 높았다.

"어, 어떻게 이런, 이런 일이."

최한이 두 주먹을 꽉 쥔 채 혼란스러워하고 있었다. 하지만 케일은 하나 더 확인할 것이 있었다. 론은 강하고, 특성이 암살과 은신이다. 레디카보다 강했다. 그가 팔이 잘려서 도망쳐야 했던 이유가 분명히 있을 것이다.

"이 썩은 내는 뭐지?"

침실 안을 가득 채운 이 썩은 내. 그 냄새의 정체를 알아야 했다.

살이 썩는 냄새였다.

론은 대답 대신 인자한 미소를 지었다. 케일은 그 미소에 짜증이 솟구쳐 올랐다. 곧바로 다가가 론의 몸을 덮고 있는 이불을 치워 버렸다.

"아."

최한의 탄식이 들려왔고, 비크로스의 얼굴이 형편없이 일그러졌다.

"제가 독에 조금 당해서."

론의 허벅지와 옆구리 일부분이 독에 중독되어 살이 까맣게 변해가고 있었다. 그 부위에 진득한 액체가 달라붙어 있었다. 포션액과 뒤섞인 끈적한 액체. 최한은 처음 보는 것이었다.

하지만 케일은 아니었다.

"인어 독이군."

론은 케일을 쳐다봤다.

"……인어를 돕는 이들이 그들이었어."

케일의 입에서 말과 함께 탄식이 흘러나왔다. 그는 한 손으로 제 눈가를 가렸다.

사실, 정말 사실 짐작했었다.

처음 고래족을 만나 그들에게서 어둠의 숲 이야기가 나왔을 때. 그리고 그 어둠의 숲속 늪에서 발견된 재료로 인어가 강해졌다고 했을 때부터.

어쩌면 비밀 단체가 인어족과 연관되어 있지 않을까. 그런 의심을 했다.

하지만 생각하지 않았다.

귀찮았으니까.

그리고 엮이기 싫었으니까. 혹 정체를 알아버리기라도 하면 최한에게 알려야 해 복잡해질 것이 뻔했다. 그래서 그냥 넘어갔다. 제 안위와는 상관없는 일이니까.

"개같네."

하지만 그게 제 범위 안, 영역 안을 침범해도 된다는 것은 아니었다.

암살자 론. 이 음흉한 노인네가 꺼림칙했다. 그렇지만 이 꼴을 보니 깨달았다. 론은 제 밑에 있는 사람이다.

케일은, 김록수는 자신과 제 범위 안 존재들의 안위에 대해서는 집착이 강했다. 그렇기에 그는 버티며 살아올 수 있었다.

처음 보는 케일의 표정에 비크로스도, 론도, 최한도 입을 열지 못했다. 케일은 들고 있던 이불을 다시 론의 몸 위에 덮어주었다.

"바다인가?"

"섬입니다."

동대륙과 서대륙. 그 사이에 섬 하나 없겠는가. 섬이 많았다. 아주 작은 섬들이 존재했다.

"최한."

"네."

케일은 최한을 쳐다봤다. 최한은 론의 팔에서 시선을 못 떼고 있었다. 피에 미친 마법사 레디카가 한 짓이란 생각과, 레디카가 팔을 자르게 된 이유가 자신이 그에게 한 짓 때문이란 생각에. 최한은 괴로웠다.

"뭐 해?"

그런 그에게 담담히 묻는 목소리가 있었다. 최한은 그 목소리에 시선을 돌렸다. 케일이 그에게 말했다.

"쓸데없는 생각 하지 말고. 당장 뮐러 데리고 와."

쓸데없는 생각. 최한은 케일이 자신이 무슨 생각을 했는지 눈치채고 있음을 깨닫고 입술을 꾹 깨물었다.

"뮐러 씨를 데리고 오면 됩니까?"

"어. 배 설계도 들고 당장 오라고 해."

케일은 전혀 화를 내지 않고 있었다. 고저 없이 지시만을 내렸을 뿐이었다. 하지만 최한은 어느 때보다도 빠르게, 그리고 숨죽인 채 침실을 벗어났다.

론은 갑자기 배 이야기를 하는 케일이 의아했다.

"도련님?"

케일은 자신을 쳐다보는 론에게 무심히 말했다.

"자네도 나와 같이 갈 거니까. 그렇게 알고 있어."

담담한 얼굴로 그는 투덜거렸다.

"암살자가 다쳐서 오면 어쩌자는 건가?"

"아직 살아는 있습니다만."

케일은 론이 늘 보냈던 서신의 내용을 떠올렸다.

**아직 살아 있습니다. 아직 살아 계시지요?**

케일은 실소를 흘렸다.

"확실히 입은 안 죽었네. 비크로스."

"……네."

케일은 힘없이 대답하는 비크로스의 어깨를 힘주어 잡았다.

"빨리 가서 도로 짐 다시 싸도록. 일행 다 불러오고."

뒤이은 말에 비크로스는 황급히 고개를 돌려 케일을 바라봤다.

"인어 독은 지워야 할 거 아닌가?"

어둠의 속성. 인간에게 가장 치명적인 인어 독. 그 해독법은 알려진 것이 없었다. 이 사실을 고문과 암살에 정통한 비크로스는 누구보다도 잘 알고 있었다.

론도 마찬가지였다. 그가 왜 아들의 얼굴을 보러 왔겠는가. 죽기 전에 한 번 보고 싶어서, 집으로, 제2의 고향으로 왔다.

그나마 론이 가진 독 내성과, 백작가에서 그가 독에 당한 부위에 최상급 포션을 끊임없이 마르지 않게 부어주어 독이 퍼져 나가는 것을 막을 수 있었다. 최상급 포션 덕분에 통증도 줄었고 기력 유지는 가능한 상태였다. 부자인 혜니투스 가문이어서 가능한 방법이었다.

"해, 해독 방법이?"

비크로스답지 않게 말을 더듬었다. 케일은 그런 그에게 명확히 지시를 내렸다.

"빨리 움직여."

원래는 마법사 로잘린이 발견한 방법이지만 이미 케일이 한 번 써먹은 방법이 있었다. 고래족 혼혈을 구하는 데 썼던 방법.

"걱정 마라. 네 아버지는 장수할 상이거든."

한없이 가볍게 들리는 말이었지만 전혀 그렇게 느껴지지 않았다. 말과 달리 케일의 표정은 어느 때보다도 굳어 있었다.

'제길.'

편히 쉬려고 했는데, 그게 문제가 아니었다. 케일은 전혀 예상하지 못한 상황에 직면했다. 이야기가 예측하지 못한 방향으로 틀어졌다.

비크로스마저 나가고 론과 케일만이 남게 된 순간.

"도련님."

"그래."

"그자들은, 암은 인어와 함께 해상로를 노리는 것 같습니다."

론이 겨우 알아냈던 중요한 정보를 케일에게 말했다. 케일은 그 말에 바로 답했다.

"알아."

"네?"

"뻔하지."

뻔했다. 그놈들이 동대륙에서 서대륙으로 넘어왔다고 하니, 더욱 더 뻔히 보였다.

"론, 힘들겠지만 한 가지만 더 물어도 되겠나?"

"네, 됩니다."

"네 모습을 본 이가 있나?"

"……그 마법사만 제 얼굴을 봤습니다."

암살자로서의 큰 실책을 말하는 론의 표정은 좋지 못했다. 반면 케일의 눈동자엔 이채가 감돌았다.

"도련님."

"그래."

"그 단체와 전면전을 벌이거나 하실 것은 아니겠지요?"

"어떨 것 같아?"

론은 독으로 힘겨웠지만 입꼬리를 위로 올렸다. 케일이 어떨 것 같은지는 뻔히 보였다.

"어찌 되든 잘되겠지요. 도련님에게 득이 되게."

"자네는 나를 잘 알아."

케일은 결코 부담스러운, 버거운 일은 만들 생각이 없었다. 필요한 목표를 달성하고 재빠르게 빠질 생각이다. 물론 덤으로 뒤통수도 거하게 치고 올 생각이다.

케일의 머릿속으로 라온의 목소리가 들려왔다. 비장했다.

—약한 인간, 걱정하지 마라.

케일은 자신이 차원 이동한 고등학생이 깽판 치는, 그런 상황을 만들 만큼의 힘을 지니지 못했음을 잘 알고 있었다.

'짜증 나는 새끼들.'

비밀 단체이건, 암이건, 인어건 간에.

그들은 아주 강하겠지만. 그들과 전면전을 벌이는 것은 힘들겠지만.

―나 위대한 라온도 함께한다.

케일은 적어도 검은 용, 최한, 로잘린 등 제 주위 사람들의 능력 하나는 잘 파악하고 있었다.

그는 계획을 세웠다. 자신과 자신의 테두리 안에 있는 존재들의 안위를 지킬 방법을.

그것이 그의 몸뿐만 아니라 마음도 편안한 삶을 위해 필요한 일이었다.

"떠나기 전까지 쉬고 있어."

케일은 론의 침실을 빠져나와 곧바로 영상통신실로 향했다. 우바르 영지. 동북부 해안에 가야 했다.

20장
이왕 움직인다면

## 20장
### 이왕 움직인다면

며칠 뒤, 케일은 짭쪼름한 냄새를 맡으며 마차에서 내렸다. 그의
눈에 여전히 몇 개의 소용돌이가 휘몰아치는 바다가 담겼다.

"공자님, 처음 뵙겠습니다."

"자네가 여기 담당인가?"

"네."

헤니투스 백작가의 관리가 케일에게 인사했다. 그는 현재 해군 기
지 건설에 참가한 인원들 중 헤니투스 측의 대표 관리자였다.

왕실, 우바르 영지, 헤니투스 가문. 이렇게 세 곳의 각 대표 관리
자들이 해안가에 상주하고 있었다.

"소용돌이 몇 개가 사라지면서 이용 가능한 섬들도 늘었고 해안가
도 안정이 되어서 건설에 박차를 가하고 있어요."

"그래?"

"네. 그 덕에 저희도 배를 빨리 축조할 수 있게 되었습니다."

해군 기지 건설. 헤니투스 백작가는 왕실의 힘을 최소화하길 원하는 우바르 영지 측의 마음을 충분히 대변해 거금의 투자를 했다. 대신 그에 상응하는 이익을 원했고, 그 조건 중에 하나가 헤니투스 백작가에서 이 해안가 일부분을 무상으로 대여한다는 것이었다.

"그럼 숙소로 먼저 안내해 드릴까요?"

"아니. 그 전에 잠시."

케일은 본인이 내린 마차 창문을 보며 손가락을 까딱거렸다.

끼이익. 마차 문이 열렸다. 창백한 안색의 소인이 마차에서 내려섰다.

"빨리 오지?"

"네, 네!"

드워프 혼혈 뮐러가 허겁지겁 달려와 케일과 관리 사이에 섰다. 그는 살이 통통하게 올랐고, 아주 휘황찬란하게 차려입은 채였다. 바이올란 백작 부인은 뮐러를 사치품으로 잘 관리하고 있었다. 케일은 그의 어깨 위에 손을 올렸다.

"일단 1차 외부 설계도 보여 드리지?"

"허억. 네, 네!"

뮐러는 숨을 들이마시며 황급히 설계도를 관리에게 건넸다. 관리는 해군 기지 건설을 맡은 만큼 건축과 해안에 대해 해박한 이였다.

"……어?"

관리는 손에 들린 배 설계도를 보다가 창백한 안색의 뮐러를 지나쳐, 뮐러가 힐끗 눈치를 보는 케일을 쳐다봤다.

"공자님, 이게?"

"그래. 그거다."

"이런 배 모양은 처음 봅니다만?"

그 말에 잠시 케일은 멈칫했다. 그리고 뮐러를 내려다봤다. 케일도 처음에 배 모양을 보고 상당히 당황했었다.

'이 자식도 사실 알고 보면 한국인 환생이거나 그런 건 아니겠지?'

뮐러는 케일의 눈빛이 매섭게 느껴져 정신적 스승인 백작 부인이 준 금반지를 꽉 쥐었다. 그 행태에 케일은 한숨을 삼키며 관리와 시선을 마주했다.

"그래도 완성되면 좋을 것 같지 않나?"

"좋다를 떠나-"

관리는 말을 흐렸다. 이건 좋다 싫다를 떠나 엄청났다.

케일은 대답을 제대로 못 하는 관리를 보며 태연하게 질문을 이어 갔다.

"튼튼하기는 할 거 아냐?"

"네. 아주 튼튼하기는 하겠지만-"

튼튼한 정도를 넘어선 수준이었다.

관리는 묻고 싶었다.

'정말 이동용 배가 맞습니까? 대해상전 전투용 배 같은데요?'

하지만 관리가 묻기 전에 케일은 결론을 냈다.

"그럼 됐지."

차마 관리는 뒷말을 잇지 못했다. 그래, 아주 튼튼한 이동용 배를 찾는 것이겠지. 그렇게 관리는 납득했다. 대신 다른 문제를 언급했다.

"그런데 돈이 상당히 들 것 같습니다. 특히, 황금 거북이 부분이-"

"뭘 걱정해?"

하지만 그 문제도 케일에게는 별것 아니었다.

"있는 게 돈이야."

부유함을 가득 담은 미소가 케일의 입가에 지어져 있었다.

"정말, 한번 역작을 만들어보겠습니다!"

케일은 이상하게 열정적으로 변한 관리의 감탄과 비장함이 담긴 얼굴을 외면하며 마차에 올라탔다.

"숙소 길은 자네 수하를 통해서 갈 테니, 자네는 뮐러와 이야기를 나누게."

"네, 알겠습니다."

"공자님, 잘 들어가십시오!"

뮐러가 허리를 90도로 숙이며 인사하는 것을 마지막으로 케일은 마차 문을 닫았다. 곧 마차는 숙소로 출발했고, 관리는 뮐러의 어깨가 쫙 펴지는 것을 볼 수 있었다.

"크흠, 이 배는 말이지요. 마법 폭탄 하나는 맞아도 부서지지 않을 겁니다."

"네. 그럴 것 같더군요. 그런데 여러 대를 만들 순 없을 것 같은데."

"네. 목표는 한 대입니다."

뮐러는 헛기침을 해댔다. 그는 영주성은 물론이거니와 이 배도 자신이 타게 될 것이라 예상할 수 있었다. 죽기 싫은 그는 모든 혼신의 힘을 설계에 다 쏟아붓고 있었다.

"사실 2차 내부 설계도도 거의 완성되어 갑니다."

어깨를 으쓱이며 뮐러의 몸이 뒤로 젖혀졌다. 아주 거만함이 물씬 풍겼다.

"오, 내부 설계도요?"

"네. 아직 공자님께 보여 드리진 못했지만, 콘셉트를 정해서 했지요."

"콘셉트가 무엇입니까?"

뮐러는 당당하게 말했다.

"최고의 방어는 폭격이다!"

맞기 전에 때리는 선빵이 최고인 법이었다.

물론 아직 케일은 동의하지 않은, 케일의 허락이 필요한 뮐러 혼자만의 생각이었다.

케일은 숙소에 도착한 후, 집무실로 사용되는 곳에 정렬한 인원들을 가만히 응시했다.

"이번에는 쉽지 않을 거야."

침실에 보낸 론과 간병 중인 비크로스를 제외한 모든 이들이 모였다.

평균 7세의 세 아이, 최한의 일행인 로잘린과 라크, 더불어 부단장 힐스만과 늑대족 아이들 10명까지. 케일은 있는 대로 싸그리 다 모아서 데리고 왔다.

'왕국을 부수러 가는 것도 아니고.'

조금 과하다는 생각도 들었지만 자신은 적의 규모에 대해서 아는 게 부족했으니까. 있는 대로 긁어오는 게 맞았다.

마법사 로잘린이 입을 열었다.

"케일 공자, 그러면 우리는 배를 타고 하이스섬까지 가는 건가요?"

"네. 하이스섬5 근처로 갈 것 같습니다."

하이스섬.

동대륙과 서대륙 사이에 있는 크고 작은 섬들을 통칭해 하이스섬이라고 불렀다. 그리고 그 섬들은 발견된 순서대로 숫자가 붙여졌다. 케일의 목적지는 하이스섬5. 다섯 번째로 발견된 곳이자, 가장 큰 섬이었다. 또한 서대륙과 그나마 제일 가까이에 존재해, 배로 충분히 갈 수 있는 곳이었다. 그래서 론도 배를 조종해 갈 수 있었다.

"그곳에 인어족의 기지가 있다는군요."

"섬 위에 기지가 있다니. 이상하네요."

"그러니 그곳은 '암'의 기지일 겁니다. 그래서 우리는 1차로—"

케일의 배가 당도할 곳은 정해져 있었다.

"하이스섬12로 향합니다."

12번째로 발견된 아주 작은 섬. 하이스섬5와 최단 거리로 가까웠다.

"저, 그런데 공자님."

부단장 힐스만이 조심스레 입을 열었다. 케일은 말해보라는 듯 그에게 눈짓했다.

"인어족과 싸우게 될 것이라고 하셨잖습니까? 현재 고래족과 인어족이 싸운다고."

"그래."

힐스만은 평소의 띨한 모습과 달리 진지했다. 론의 목숨이 걸렸음을 알고 있기 때문이다. 그 모습을 보며 케일은 아버지 데르트의 말을 떠올렸다.

'암살자든 뭐든, 일단 내 테두리 안의 사람이다. 살려라. 살리고

나서 고민해도 늦지 않다.'

데르트 백작은 따지고 보면 다른 이들 눈에는 고작 시종에 지나지 않는 론을 살리기로 마음먹었다. 가족들과 서먹한 케일의 곁을 십여 년간 지켜온 이였기 때문이다. 백작보다는 아버지의 마음이었다.

"공자님, 그런데 괜찮을까요? 인어족은 어둠 속성이고, 죽은 마나와 독으로 강해진 상태라 들었습니다만."

어둠 속성, 거기다가 죽은 마나. 힐스만은 그 두 가지를 걱정했다. 그 문제에 대한 답은 로잘린이 대신했다.

"괜찮아요. 인어 독 해결법은 케일 공자께서 알고 있고, 어둠 속성에 죽은 마나라고 해도 더 강한 힘으로 누르면 됩니다."

보통 죽은 마나를 사용하는 어둠의 속성과 싸울 때 가장 많이 사용하는 방법은 그들과 접촉하는 전투 시간을 최소한으로 줄이고 한 번에 억누르는 쪽이었다. 더 강한 마나와 오러, 혹은 공격력으로 적의 죽은 마나를 억누르는 것이다.

하지만 죽은 마나에 무엇보다도 강한 반대편 힘이 있었다. 케일은 그 힘을 알고 있었다.

생명력.

'무식하지만 직빵인 게 하나 있지.'

간단한 이치다.

결국 죽은 것보다 살아 있는 것이 강한 법. 생명체의 살아 있음을 가장 확실히 증명하는 것.

로잘린의 입이 열렸다.

"물론 생명체들이 죽은 마나를 섭취한 어둠의 종족과 싸울 때는 피를 사용하는 게 가장 효과적이지만, 그건 위험해요."

그래, 피.

그것도 꽤 많은 피가 필요했다.

아무리 약한 인간이라도, 죽은 마나를 섭취한 어둠의 속성과 싸울 때 자신의 피를 뿌리면 짧은 시간이지만 어느 정도 접근을 막는 게 가능했다.

물론 과다 출혈로 죽을 확률이 훨씬 더 높았다. 조금의 피로는 강한 어둠의 속성 종족과 싸울 수 없었다.

'다크엘프나 뱀파이어는 피를 사용해도 소용없지만.'

다크엘프는 자연에 속한 존재라, 죽은 마나를 섭취해도 피에 내성이 있었고, 뱀파이어는 피를 먹고 사니 논외였다.

아무튼 고대 문헌을 보면 마족들은 살아 있는 인간의 심장을 죽은 마나로 물들여 죽은 상태로 뛰는 심장을 만들길 즐겼다고 한다.

'미친 소리지.'

케일에게는 아주 미친 소리였다. 동시에 떠오른 생각이 하나 있었다. 그는 그 생각을 무심코 내뱉었다.

"내 피가 아주 효과적일 텐데."

심장의 활력이 새겨진 심장에서 흘러나오는 피. 재생력을 가진, 그 어떤 피보다 생명력이 질긴 피였다. 그리고 재생력 덕분에 끊임없이 피가 생성됐다. 이보다 어둠의 속성에 강한 피가 있을까?

문득 든 생각이었다.

실험을 해봐야 알겠지만. 그냥 인어에게는 힘을 못 써도, 죽은 마나를 섭취한 인어를 상대로는 꽤 버틸 터. 무엇보다도 고대의 힘은 자연계에 속한 자연과 인간들이 타고난 힘이다. 그건 생명력과 자연의 순리를 담은 힘. 어둠의 속성에 상당히 강할 확률이 높았다.

케일은 상상했다.

"음, 내 피를 뿌리면-"

피 칠갑을 하고 피를 뿌리면서 싸우면.

케일은 실소를 흘렸다.

'영 보기 징그럽겠는데?'

아주 징그러울 것 같았다.

케일은 조용해진 집무실 분위기를 느끼고 일행을 바라봤다. 그때 정적이 내린 공간에 역정이 울려 퍼졌다.

"미친 생각이다! 약한 주제에 무슨 해괴한 생각이냐! 약한 너의 피는 필요 없다!"

라온이 상당히 화를 내고 있었다.

"이상한 생각하지 않았으면 하는데."

"이상한데. 아주 이상한 생각인데."

온과 홍이 케일을 미친 사람 보듯 쳐다봤다. 그 반응에 케일은 뭔가 싶어 로잘린을 바라봤다. 드물게 로잘린이 흐린 눈동자로 케일에게 고개를 가로저어 보였다. 턱도 없는 소리를 했다는 표정이었다.

"굳이 그러실 필요까지는 없어요."

케일은 일행을 훑어보았다. 마지막으로 이유는 알 수 없지만 감동한 힐스만의 표정을 본 후, 케일은 황당함을 담은 목소리로 툭 내뱉었다.

"당연히 그럴 생각이 없다만?"

내 귀한 피를 왜 쓰나?

피 말고 쓸 게 많은데.

그리고 그런 일이 일어나겠는가?

케일은 아픈 것이 싫었다. 그럴 바에는 그냥 도망치는 게 나았다. 인어 시체 하나만 들고 도망치면 론은 해독시킬 수 있었다.

라온이 케일이 앉아 있는 소파 근처까지 날아와 매섭게 말했다.

"내가 감시한다."

그러나 아무도 케일의 말을 믿지 않았다.

케일은 그 반응에 허탈했지만 곧 신경을 껐다. 그럴 일은 없을 테니까. 그래서 더 이상 신경 쓰지 않았다. 대신 그는 자리에서 일어섰다.

"어딜 가나?"

용의 물음에 케일은 답했다.

"바람의 절벽."

이 해안가에 존재하는 가장 가파른 절벽으로, 아래에는 소용돌이가 휘몰아치고 있었다. 케일이 향한 곳은 바로 그 절벽이었다.

케일은 바람의 절벽 위에 서서 아래를 내려다봤다. 해안가는 해군 기지 건설로 한창 바빴다. 하지만 그의 시선은 곧 해안가가 아닌 바다의 수평선 너머로 향했다.

"무엇을 하시려는 겁니까?"

따라온 최한의 물음에 케일은 어깨를 으쓱이며 마법 주머니에서 뿔피리 모양의 소라 껍데기를 하나 꺼냈다. 최한은 그 물건을 본 적이 있었다.

위퍼 왕국으로 가는 바다 위, 고래왕을 만났을 때 케일이 위티라에게서 받았던 세 개의 물건 중 하나였다.

"……설마?"

최한은 설마 싶었다. 그때, 케일은 소라 껍데기의 큰 입구 대신 뿔피리처럼 좁게 파인 입구로 입을 가져다 댔다. 그리고 불었다.

끼이이이이이이이–

아주 작은, 그러면서도 높은 소리가 바람의 절벽 위에서 울려 퍼졌다. 소라 껍데기에서 푸른빛이 일렁이고 있었다. 워낙 작은 소리라 해안가에 있는 이들은 그 소리를 듣지 못했다. 하지만 멀리 있는 이들은 그 소리를 들었다.

이틀 뒤 늦은 저녁. 케일은 바람의 절벽에 서서 밤을 데리고 오는 노을을 바라봤다. 수평선 너머로 붉은 해가 사라지고 있었다. 그는 갑자기 푸른빛이 일렁이는 소라 껍데기에 귀를 가져다 대었다.

기이이이–

얕고 높은 소리가 들려왔다.

"왔네."

케일이 말했고.

"왔다!"

라온이 앞발로 수평선 너머를 가리켰다.

"하."

"······세상에."

예상했지만 최한은 탄식을 흘렸고, 영문을 모르고 따라왔던 로잘린은 탄성을 터뜨렸다.

촤아악, 촤악.

수평선 너머로 바다가 일렁이고 있었다. 그 사이로 거대한 고래 두 마리와 작은 고래 한 마리가 다가오고 있었다. 케일은 절벽 끄트 머리에 서 있던 몸을 돌려 일행과 마주했다. 일행은 노을보다 붉은 머리칼의 케일이 짓는 미소를 볼 수 있었다.

"이제 출항이다."

길잡이가 왔다.

이왕 가는 거 고래를 타고 가야 하지 않겠는가.

수평선을 넘어 바다를 가로지르던 거대한 고래들의 모습이 사라 졌다. 대신 한 인간이 케일의 앞에 나타났다.

"공자님, 오랜만입니다."

"파세톤, 반갑네."

혼혈 고래족 파세톤. 작은 혹등고래가 인간화하여 케일 일행 앞에 나타났다. 절벽 위 하늘은 이미 밤이 되어 있었고, 라온과 최한, 로 잘린만이 케일과 함께했다.

"갑자기 왜 부르셨습니까?"

파세톤은 케일의 손에 들린 소라 껍데기에 시선을 두었다. 인어족 과 한창 싸우는 와중이었지만, 이 소리를 듣고 올 수밖에 없었다. 케 일이 보낸 신호는 '긴급' 신호였으니까. 오로지 고래족 수인만이 들 을 수 있는 소리였다.

"벌써 저희의 힘이 필요해지신 겁니까?"

케일과 고래족의 거래 중 하나. 케일은 고래족의 힘을 사용할 수 있었다. 이를 묻는 파세톤에게 케일은 바로 본론에 들어갔다.

"인어족을 돕는 무리의 정보를 알았다."

"……네?"

생각지도 못한 말에 파세톤의 표정이 굳어버렸다.

안 그래도 고래족은 하이스섬5를 점거한 채 인어족을 돕는 의문의 인간들 때문에 머리가 아팠다. 그들이 특출하게 강한 것은 아니었지만, 인어족에게 조력자가 있다는 점은 거슬렸다.

"내 수하가 그걸 확인하다가 크게 다친 상태지. 인어 독이라 치료도 시급하고, 정보도 말해주어야 할 것 같아서 연락했네."

하지만 파세톤은 케일의 말에 제일 먼저 의문이 생겼다.

"왜 그걸 공자께서 알아보셨습니까?"

잠시 케일의 입이 닫혔다. 드물게 그의 입가에 어색한 미소가 걸렸다.

"그냥 신경 쓰여서."

라온이 모습을 드러낸 상태에서도 케일의 머릿속으로 말했다.

─또 저런다.

하지만 케일은 가볍게 흘려들으며, 특유의 조금 짜증 난 표정을 지었다.

"어쨌든 우리 영지 근처 어둠의 숲을 통해 인어가 강해지지 않았나? 고래족이 워낙 강하니 잘해내겠지만, 나도 뭔가를 해보고 싶었어."

파세톤은 짜증을 내는 저 표정이 쑥스러워하는 표정 같아 보였다. 제 다리의 인어 독을 없애줄 때도 딱 저런 얼굴이었다. 미남자의 눈동자에 수많은 감정이 스쳐 지나갔다. 밤하늘 아래에서도 그 아름다운 눈동자는 잘 보였다.

케일은 고개를 돌려버렸다.

"그러셨군요."

"딱히 우리가 모르는 사이도 아니잖아."

그는 파세톤의 말에 대충 답하다 일행과 눈이 마주쳤다. 로잘린과 최한. 두 사람이 케일을 빤히 바라봤다. 그들의 눈동자는 말하고 있었다.

'묘하게 사실과 다르지 않습니까?'

그때 파세톤의 목소리가 들려왔다.

"공자님, 감사합니다. 저번에 제 목숨도 살려주셨는데."

여전히 케일은 파세톤을 쳐다보지 않았다. 다만 로잘린과 최한의 눈빛이 물었다.

'저자는 또 언제 구했습니까?'

케일은 그 눈빛을 무시했다. 그리고 당연하게도, 로잘린과 최한도 입 밖으로 질문을 던지지 않았다. 오히려 로잘린은 입을 열어 다른 말을 했다.

"케일 공자는 정보를 알아내자마자 바로 여기로 오셨습니다. 인어 독 치료도 시급하지만, 바로 고래족분들께 알려야 한다고 하셨죠."

케일은 눈빛으로 고마움을 전했다. 자신이 이런 짓을 할 때 돕는 이는 처음이었다. 최한은 입을 꾹 다문 채 뒤로 물러섰다.

"그러셨군요. 인어 독에 중독된 분을 치료하려면 인어 시체를 가져와야 할 텐데."

"직접 갈 걸세."

"네?"

케일은 다시 파세톤을 바라봤다.

"우리도 갈 거야."

해야 할 일이 있었다. 물론 포장하는 말은 속마음과 달랐다.

"미약한 힘이라 전투에 참가는 못 하겠지만. 그래도 조금이라도 돕고 싶네."

돕기는, 치고 빠질 거다. 그 정도만 해도 충분했다.

파세톤의 눈동자가 일렁였다. 안 그래도 고래족은 인어족과 힘겨운 싸움을 진행 중이었다. 물론 독과 죽은 마나에 대해 미리 알았기 때문에 어느 정도 방비를 했고 유리한 편이었지만, 인어족은 상당히 많았고 약한 바다 생물들을 지키며 싸워야 하는 고래족에겐 어려운 점이 많았다.

그래서 압도적인 힘이 필요했다.

'공자님은 미약하다고 했지만.'

파세톤의 시선이 살짝 검은 용에게로 향했다.

해수면 위든, 섬이든, 바닷속이든. 저 용과 함께라면.

"작은 고래, 뭘 보나?"

귀엽고 짜리몽땅하게 생긴 용이 코를 찡긋거리며 나름 위엄 있는 포즈를 취했다. 파세톤은 용의 힘을 보았다. 그 압도적이고 경이로웠던 힘.

"아닙니다, 드래곤님."

"흥, 나도 갈 거다."

공손한 파세톤의 모습에 라온은 콧방귀를 뀌며 고개를 돌렸다. 그리고 동시에 케일의 머릿속으로 말했다.

―이러면 되나, 인간? 나 위대했나?

케일은 슬쩍 라온에게 고개를 끄덕여 보였다. 라온치고는 잘했다. 케일은 용이 뿌듯해하거나 말거나 파세톤에게 말했다.

"정보는 가면서 말해주겠네. 빨리 갔으면 하는데 어떤가?"

파세톤은 당연히 답했다.

"바로 가죠."

"그래."

늦은 밤. 케일은 아주 조용한 출항 준비를 했다. 당연히 해안가에서 하는 출항 준비는 아니었다. 해안가와 마을 내에는 현재 우바르 영지의 병사들과 왕실 측 병사들이 순찰을 돌고 있었다.

케일이 있는 곳은 해안가 앞에 위치한 수많은 작은 섬들 중 가장 외곽에 있는 섬이었다. 이미 그는 낮 동안 일행을 이곳으로 이동시켰다.

"오."

"우아."

파세톤은 감탄을 하는 이들을 보며 당황했다. 온과 홍까지는 예상을 했으나, 생각보다 인원이 많았다. 무엇보다도 그들에게서 강자의 기세가 느껴졌다. 파세톤은 고래족 중 약한 편인 자신이 착각을 한 것인가 싶었지만, 함께 온 범고래 두 명의 반응을 보면 적절한 듯싶었다.

"아치, 오랜만이군."

케일의 인사에, 범고래이자 고래왕 시켈러의 호위인 아치가 비딱한 얼굴로 꾸벅 인사했다. 그리고 슬쩍 케일에게서 시선을 돌렸다. 케일의 눈빛과 그 뒤에서 빤히 쳐다보는 검은 용의 눈빛이 찝찝했다.

그때 라온이 말했다.

"우리는 얘, 범고래 타나?"

"아마."

아치의 얼굴이 구겨졌다.

'지금 제대로 들은 게 맞나? 탄다고? 뭘? 날?'

아치는 파세톤을 쳐다봤다. 그 눈빛에 파세톤이 허공을 보며 답했다.

"크흠, 아무래도 큰 배는 눈에 띌 테니 일단 최대한 작은 중형 배로 일행분들이 해안가에서 멀어지고, 환자분도 있는지라 배 크기가 좁아서 케일 님과 드래곤님–"

"난 이제 라온이다!"

"네. 라온 님, 그리고 다른 몇 분이 비행 마법으로 뒤따라오시다가, 크흠, 두 분의 등 위에 타는 걸로."

허!

아치의 입에서 탄식이 흘러나왔다. 그때 라온이 말했다.

"그런데 범고래는 혹등고래보다 작다. 비좁으면 안 되는데."

범고래는 혹등고래에 비해서 작았지만, 그래도 7~10m는 되었다. 아치의 얼굴이 구겨졌고, 함께 온 전투 요원의 얼굴엔 의아함이 커져만 갔다.

"아치, 잘 부탁해."

툭, 툭. 케일이 어깨를 두드리며 씩 웃어 보였다. 아치는 그게 왜 비웃음 같을까. 그의 귓가로 파세톤의 목소리가 들렸다.

"아, 참고로 두 분이서 중형 배도 끌고 가셔야 할 것 같습니다. 마법 동력은 있는 배이니, 그냥 길잡이 개념으로 묶고 가면 될 겁니다. 선원을 일부러 태우지 않았거든요."

"……무슨 내가 이따위 자잘한 일을 하는!"

"아바마마가 다 하라고 하셨잖습니까."

아치는 파세톤의 말에 입을 꾹 다물었다. 요즘 인어족과 싸우느라

고래왕은 극도로 날카로워져 있었다. 잘못 까불면 얻어터지다 죽을
지도 몰랐다.

"제기랄!"

아치가 하늘을 보며 욕을 내뱉었다. 케일은 그런 그의 등을 토닥
였다.

"나는 자네 등 위에 타지. 그러니 안전한 운행 부탁하네."

수상 택시가 된 범고래 아치였다.

촤아아악- 촤악-

수면을 가르는 소리를 들으며 케일은 밤바다를 감상했다. 범고래
의 등은 편했다.

툭. 툭. 라온이 범고래의 등을 쳤다. 온과 홍은 물이 무섭다고 배
의 가장 안쪽, 론의 옆에 붙어 있었다. 물도 무섭지만, 은근히 론 걱
정을 케일보다 온과 홍이 더 했다.

"인간, 고래 등은 미끌미끌하다."

"원래 그래."

"그렇구나."

멍한 얼굴로 라온도 케일을 따라 고래 등 위에 드러누웠다. 아치
는 범고래 중에서 가장 강하다는 말에 어울리게 덩치가 보통의 범고
래보다 컸다. 대략 12m 정도 되는 덩치라 웬만한 건물이 한 채 움직

이는 기분이었다.

케일은 옆의 고래를 바라봤다. 똑같은 속도로 오는 범고래. 아치와 그 범고래 사이에는 중형의 배가 마나 줄로 묶여서 운반되고 있었다. 물론 파세톤이 제일 앞에서 길잡이를 자처했다.

'초고속 택시네.'

아주 빨랐다. 케일은 다른 범고래 등 위를 바라봤다. 로잘린과 최한이 묘한 표정으로, 그리고 뱃멀미가 심한 힐스만이 입을 틀어막은 채 복잡한 얼굴로 앉아 있었다. 상당히 불편하게 앉아 있는 그들에게서 시선을 돌려, 케일은 바다 위의 밤하늘과 빛나는 별들을 감상했다. 그리고 생각했다.

'섬 하나쯤은 부숴도 되겠지?'

평화로운 분위기를 만끽하던 케일은 마침내 하이스섬1에 당도했다. 하이스섬12는 하이스섬5에 있는 '암'의 기지와 가까워 고래들이 보일 염려가 있었기 때문에, 일단 하이스섬1에 내려 섬12로 이동 예정이었다.

"누님을 데려오겠습니다."

파세톤은 굳은 표정으로 케일에게 누나 위티라를 데려오겠다고 말했다. 이동하는 동안 케일은 파세톤에게 인어족을 돕는 이들이 꽤 큰 단체이며, 로운 왕국에 수도 테러 사건을 일으킬 만큼 대담한 존재임을 알려주었다.

"그래. 얼른 갔다 와."

"네. 하이스섬1은 저희 바다 영역 안이니, 인어족들은 안 올 겁니다."

"그래."

파세톤은 인사를 하고는 곧바로 섬에서 멀어졌다. 아치와 그의 부하는 뒤도 돌아보지 않고 파세톤을 따라 떠났다.

"공자님, 천막을 칠까요?"

"어. 천막을 설치하고 난 뒤에 론을 옮겨."

"알겠습니다."

늑대족 메스가 의젓하게 대답하고는 곧바로 라크와 힐스만의 근처로 갔다. 늑대왕 후계자 라크는 토하고 있는 힐스만의 등을 토닥이고 있었다.

이내 로잘린과 메스의 주도로 일행은 하이스섬1 해안가에 천막을 몇 개 설치했다. 당연히 케일은 그 일에 참여하지 않고 구경 중이었다. 그 앞에는 드물게 최한이 있었다. 케일이 그를 따로 불렀다.

"최한."

"네."

"나는 내가 얍삽해도, 우리가 다칠 바엔 얍삽한 게 낫다고 생각한다."

고래와 인어 싸움에 등 터질 일 없이, 조용히 빠져나오는 게 케일의 목표였다.

"그런데 이번 일에, 꼭 해야 할 일이 하나 있어."

고래족이 오기 전에 케일은 최한에게 말해둘 것이 있었다.

"수도 테러 때 마법사. 그를 기억하겠지?"

최한의 표정이 굳었다. 피에 미친 마법사 레디카. 최한이 팔을 자른 인간이었다. 케일은 낮게 속삭였다.

"론의 얼굴을 유일하게 본 인간이 그자다. 나는 이번 일에서 가장 중요시 여기는 게 두 가지다."

최한과 케일의 시선이 부딪쳤다.

"하나는 론의 언어 독을 치료하는 것이고, 다른 하나는 앞으로 론과 우리 중 어느 누구도 위험해질 만한 요소가 없게 하는 것. 내 말 알아들었나?"

최한은 망설임 없이 답했다.

"그 마법사의 하나 남은 눈을 없애거나, 죽이겠습니다."

그리고 덧붙였다.

"비크로스가 날뛰겠지만, 제가 하는 게 나을 것 같습니다. 그는 지금 이성적 판단이 흐려진 상태니까요."

최한은 자신이 할 일이 무엇인지 명확히 인식했다. 그 마법사를 놓쳐서 론이 저렇게 되었다. 최한에게 이제 사람 죽이는 것쯤이야 아무 두려움 없이 할 수 있는 일이었다. 괴롭지 않은 것은 아니었으나, 특히 그딴 놈들은 죽여도, 아니, 죽이는 게 나았다.

"아니, 무리해서 죽이는 것까지 할 필요는 없다. 나는 우리 손을 직접 더럽힐 생각이 별로 없어."

"별로 무리는 아닙니다만."

케일도 알고 있다.

최한은 선하지만 살생에 대한 경계가 희미한 자였다. 하지만 케일 자신은 최대한 제 손에 피를 묻히고 싶지 않았다. 비겁해도 그런 사람이 자신이었다.

"최한, 내 계획은-"

그 순간이었다.

촤아아악-

물길을 가르는 거대한 소리가 들려왔다. 케일은 잠시 입을 다물었다. 피비린내가 순식간에 코를 찔렀다. 그는 해안가로 고개를 돌렸다.

"이야."

진짜 저 무식한 방법으로 싸우는 사람이 있었네. 아니, 사람이 아니라 고래지.

거대한 혹등고래. 고래왕의 후계자 위티라. 그녀가 피 칠갑을 한 채로 수면 위에 모습을 드러냈다. 자신의 피를 뿌리며 인어족과 싸운 듯했다.

"케일 공자, 오랜만이네요."

하지만 흘러나온 그녀의 목소리는 태연했다. 그때 케일의 머릿속으로 라온의 목소리가 들려왔다.

—나는 위대하니까 저렇게 피를 쓰기 싫다! 특히 너는 안 된다!

라온은 강하게 주장했다.

—인간, 빨리 마정석 주라! 네 말대로 마법 폭탄을 수십 개라도 만들겠다!

그 귀하다는, 어마어마한 파괴력을 지닌 마나 응집의 결정체. 최상급 마정석 수백 개. 그리고 검은 용과 로잘린.

"최한."

케일은 위티라가 있는 해안가로 걸어가며 최한에게만 들리도록 물었다. 오직 몇 명만이 따로 할 일이었다.

"너 은신 잘하지?"

계획명은 '반사'였다.

했던 그대로 돌려주는 것. 그것만큼 짜증 나고 심적 타격이 큰 일은 없는 법이었다.

케일은 최한의 대답을 듣지 않고 피 칠갑을 한 고래 앞에 섰다.

'일부러 낸 상처네.'

큰 상처 없이 자잘한 상처가 고래의 피부에 가득했다. 이 정도는 포션을 쓰면 흔적도 없이 깔끔하게 없앨 수 있었다.

"피를 썼나 봐?"

조금의 걱정도 없는 평온한 물음에 위티라는 눈꼬리를 휘었다.

"조금이요. 제가 선두니, 그게 더 나을 것 같아서요."

위티라는 가장 호전적인 범고래들보다 앞에서 싸우는 이였다. 거기에다 몸에 상처가 나는 것을 두려워하지 않는 성정이었다. 그런 마음 자세가 어쩔 때는 전쟁에서 필요했다.

전장에서 고래족이나 그들 편의 수인, 혹은 바다 생물이 싸울 때. 후계자인 위티라가 앞장서서 바다에 자신의 피를 풀며 죽은 마나를 섭취한 인어족을 뒤로 물러나게 만든다면. 그 얼마나 감동이겠는가. 사기 하나는 증폭될 것이다.

'나는 그럴 생각이 없지만.'

케일은 사기고 나발이고 안 다치는 게 중요했다.

"일단 천막에 가서 얘기를 좀 들어볼까?"

"좋아요."

취이이익. 수증기가 피어올랐다. 곧 위티라가 사람의 모습으로 변해 해안가에 내려섰다.

'무서운데.'

피 칠갑을 한 모습 그대로 사람이 되니 상당히 무서웠다. 케일은 슬그머니 위티라에게서 한 걸음 옆으로 떨어져 천막으로 걸어갔다.

"따라와."

"네."

론이 있는 천막이 아닌 다른 천막에 들어선 케일은 곧바로 본론에 들어갔다.

"파세톤에게 대충 들었지?"

"네. 인어족을 돕는 이들이 심상치 않길래 조금 머리 아팠는데, 그렇게 큰 단체일 줄은 몰랐네요."

위티라는 포션을 꺼내 마시고는 덧붙였다. 포션을 마시자 그녀 몸의 상처가 급격하게 나아갔다.

"며칠 전부터 배를 탄 검사와 창술사가 해수면 위에서 아래로 공격을 해대니 영 거슬렸거든요. 저희 고래족과 고래들은 어쩔 수 없이 수면 위로 한 번씩 올라와야 하니까요."

음? 며칠 전?

케일은 멈칫했다. 위티라는 이를 모른 채 말을 이었다.

"불 마법을 주로 쓰는 마법사도 골치 아프지만, 우리가 해수면 위로 올라설 때마다 검사 한 명이 해수면 아래로 오러를 쏘아 보내니 영 걸리적거려요."

오러를 쏘아 보내? 그건 소드 마스터 수준 아닌가?

……이거 예상과 조금 다른데?

"그리고 창술사도 여간 거치적거리는 게 아니어서. 동대륙의 창술을 익힌 자 같아요. 오러의 강도는 소드 마스터 아래 수준이지만 굉장히 정교하게 오러를 사용하더군요. 곧 스피어 마스터가 되지 않을까 싶었어요."

……그것도 거의 소드 마스터 근접한 수준 아닌가? 예상과 많이 다른데?

케일의 동공이 살짝 흔들렸다. 생각보다 적들이 더 셌다. 케일은 태연한 고래족 위티라를 바라봤다. 하긴 고래족은 개체가 적어서 그렇지, 고래왕의 혈통인 혹등고래는 최한보다 강했고, 호전적인 범고래가 최한 정도였으며 나머지는 그 아래였다.

"상당한 자들이 지원을 나섰네."

"그렇죠. 그래도 전투 인어들만 어느 정도 처리하고 나면 편할 것 같아요."

케일은 위티라에게 현재 전투 상황에 대한 간략한 내용을 전해 들었다. 죽은 마나를 섭취한 전투 인어들은 고래족을 피해 다닌다고 했다. 대신 다른 해양 생물과 바다 수인족들을 기습한다고 한다.

"검사와 창술사, 마법사는 그럼 주로 고래들을 공격하는 건가?"

"네."

고래와 고래족은 전투 중이라도 수면 위로 솟아올라야 하는 순간이 필수적으로 생긴다. 비밀 단체에서는 그때를 놓치지 않고 공격을 감행한다고 한다.

"고래족은 아무도 다치지 않았지만, 고래들 중에 다친 아이들이 많아요."

태연하던 위티라의 얼굴에 분노가 서렸다. 수인족은 아니지만 고래는 똑똑하고 강한 생물이었다. 그들은 고래족과 함께 각각 전투 지역 최전방에서 인어와 부딪쳤다.

"……세상을 떠난 아이들도 많고요."

그래서 위티라는 그 조력자들을 죽이려고 했지만 인어족들이 자꾸 약한 해양 생물과 수인족들을 공격하는 바람에, 일부러 그러는 것임을 알면서도 함부로 조력자들이 머무는 하이스섬5까지 갈 수가 없었다.

현재 고래왕 시켈러는 조력자들이 있는 하이스섬5에 언제 쳐들어

갈지에 대해 고민 중이었다.

"그렇군."

그런 와중에 케일에게서 연락이 왔다. 그 단체에 대한 정보와 자신들을 조금이라도 돕고 싶다는 말. 그 말이 얼마나 고마웠는지 모른다. 적어도 해수면 위에서 그놈들과 케일 일행이 싸운다면, 자신들의 운신이 더 쉬울 것 같았다.

"네. 그래서 염치없지만, 공자가 조금만 도와주면 저희들 운신이 편해질 것 같아요."

위티라가 생각하는 케일의 도움은 그것이었다. 함께 싸워주는 것. 그러나 케일의 생각은 조금 달랐다. 가만히 생각에 빠져 있던 케일의 입이 천천히 열렸다.

"위티라."

"네."

"섬을 부술까 하는데."

"……뭘 부숴요?"

아직 이해가 가지 않는다는 표정으로 되묻는 위티라의 앞에 지도가 펼쳐졌다.

촤라락. 검은 용의 앞발로 펼쳐진 지도. 라온의 앞발이 한 곳을 가리켰다.

"하이스섬5를 지도에서 없앨까 해."

케일은 꽤 진지하게 말했다.

하이스섬1~15는 대부분 두세 시간 거리 안에 서로 인접해 있는 기암괴석 형태의 섬들이었다. 론의 말에 따르면 하이스섬5에는 비밀 단체를 제외하곤 생물체가 없다고 했다.

"어차피 배는 조금 더 몰아서 하이스섬7에 정박하면 되니까."

해상로를 이용하는 이들에게는 하이스섬5 대신에 하이스섬7이 대안이 될 것이다.

"아니, 그게 가능한지- 아."

위티라는 말을 하다 말고 떠오른 생각에 저도 모르게 입을 다물었다. 검은 용이 자신을 빤히 바라보고 있었다.

"가능하다, 고래야!"

"네, 드래곤님 말씀대로 가능하겠네요."

드래곤을 마주하자 위티라는 과거의 기억이 떠올랐다. 섬을 부수는 일은 불가능할 수가 없었다. 어둠의 숲의 검은 늪보다는 하이스섬5가 몇 배 더 크지만, 그저 부수는 것이니 따로 컨트롤이 필요하지 않을 터. 더 쉬울지도 몰랐다.

"그래. 대신 두 가지가 필요해."

"뭔가요?"

위티라의 자세가 조금 더 적극적으로 변했다. 케일은 그 모습에 위티라가 역시 바다의 종족임을 느낄 수 있었다. 그녀는 섬이, 땅이 부서지는 것에는 조금도 신경 쓰지 않았다. 반대로 케일은 그 섬에 비밀 단체 외의 생물이 살았다면 오랜 고민 끝에 포기했을 것이다.

"일단 그 두 가지에 앞서 전제가 하나 필요해."

"전제요?"

"그래. 우리는 최대한 정체를 드러내지 않고 싸울 생각이다. 특히 그 조력 단체를 대상으로 할 때는 말이야."

위티라는 그 말의 의미를 이해했다. 도와주다가 괜히 조력 단체와 엮여서 나중에 곤란한 일을 겪으면, 그건 그것대로 좋지 않은 결말이었다. 그리고 고래족을 대신하여 섬을 부숴주겠다는데 정체를 숨기는 게 무슨 상관인가.

"네, 알겠습니다."

"그래. 첫 번째로 우리는 탈것이 필요해."

"고래를 지원해 드리겠습니다."

"작은 애들로."

"네. 기동성에 은신도 염두에 둘게요."

늑대족 아이들이 탈 만한 작은 고래면 되었다.

"두 번째는."

케일과 위티라의 시선이 부딪쳤다.

"날뛰어줘야겠어."

"……날뛰어요?"

"고래족들이 날뛰어서 시선을 끌어주었으면 해."

케일은 태연하게 말을 이었다.

"그러면 그사이에 하이스섬과 그 섬 아래 인어들의 기지를 모두 날려주지."

"시선을 끌어달라는 말씀이시군요. 검사와 창술사, 마법사를 모두 끌어내면 될까요?"

"그래."

"아!"

위티라는 뭔가 떠올랐다는 듯 말을 이었다.

"그런데 마법사는 검사와 창술사가 온 뒤로 섬 근처에만 있는 것 같아요. 섬 근처로 다가갈 때 빼고는 나오지 않더군요."

"그래?"

잘됐다.

섬과 함께 그 피에 미친 레디카를 날려 버린다면 더할 나위 없이 좋았다.

"네. 조금…… 정신이 이상한 자 같더군요."

위티라의 표정이 말 그대로 썩어들어 갔다. 케일은 그 이유를 알 것 같았다.

"네가 피를 뿌리면서 싸우니까 미친 듯이 웃으면서 달려들었지?"

"어떻게 아셨어요?"

"우리가 알아낸 정보로, 걔는 빨간색에 환장하거든."

"아."

위티라가 염려 가득한 표정으로 케일을 바라봤다. 검은 용이 휙 소리가 날 정도로 고개를 돌려 케일을 응시했다. 그 시선을 받은 케일이 제 붉은 머리칼을 쓸어 넘기고는 태연히 말했다.

"그러니까, 내가 들키면 곤란하다는 거지."

"그러하구나, 인간!"

"그렇군요."

고래와 용이 납득했다. 위티라가 중얼거렸다.

"그 검사도 이상하던데."

"검사?"

"네. 그 여자는 마법사랑 비슷한 성향 같더군요. 뭐, 그래도 마주칠 일이 없을 테니 걱정 안 하셔도 될 것 같아요."

위티라가 싱긋 웃었고 검은 용이 결연한 표정을 지었다.

"뭐, 그렇겠지."

케일은 대충 넘겼다. 그는 위티라와 앞으로의 계획에 대한 일정을 간단히 논의한 후 헤어졌다.

다음 날이 되자 늑대족 아이들과 힐스만을 배웅했다.

"고래가 잘 안내해 줄 테니까 하이스섬12에서 쥐 죽은 듯이 가만히 있어. 내가 준 옷도 잘 챙겼지?"

"네! 공자님! 챙겼습니다. 아이들은 제가 잘 인솔하겠습니다!"

케일은 부단장 힐스만의 말을 한 귀로 듣고 한 귀로 흘려보내며 라크와 메스를 바라봤다. 두 소년은 믿음직한 얼굴로 고개를 끄덕였다. 라크는 조금 소심한 편이었지만 제 동생들과 있을 때는 의젓해졌다. 아무래도 책임감 때문인 듯했다.

"그럼 가 있어. 문제 생기면 신호탄 쏘아 올려."

"네."

4m 내외의 청소년 고래와 아기 고래를 탄 12명의 무리가 각자의 무기를 챙겨 들고서 하이스섬12로 향했다. 이를 지켜보던 케일은 옆에 서 있는 비크로스에게 말했다.

"속상해도 참아. 아버지 곁에는 네가 있어야 돼."

"압니다. 공자님."

"어."

"부탁드립니다."

케일은 본인이 싸우고 싶지만 참고 있는 비크로스의 마음을 충분히 이해했다.

"걱정 마라."

그는 비크로스의 어깨를 두드리며 나머지 일행을 바라봤다. 로잘린, 최한, 온, 홍, 그리고 라온. 케일과 함께할 이들이었다. 케일은 마법 주머니에서 여러 개의 검은 옷을 꺼내 들었다.

"자, 입자고."

최한의 표정이 요상해졌다.

"……이걸 또 입습니까?"

하얀 별 하나에 붉은색 별 다섯 개가 심장 근처에 새겨진 검은색 전투복과 검은색 복면. 과거 라온을 구하러 갈 때 입었던 비밀 단체 복장이었다. 물론 이번에도 진짜와 다른 조잡한 옷이었다.

"어."

간단한 대답에 최한은 옷을 갈아입었다. 인간 셋만 옷을 갈아입었고 라온과 로잘린이 마나를 모았다.

"자, 비행한다."

라온의 말을 신호로 케일 일행은 하늘로 솟구쳐 올랐다. 그들은 하이스섬5로 향했다.

빠르게 비행하여 순식간에 하이스섬5 근처에 당도한 케일의 귓가로 거대한 울음소리와 명령이 들려왔다.

우워어어어!

싸워라!

케일은 아래를 내려다봤다. 바다가 거칠게 일렁였다.

촤아아악!

등에 엑스 자 흉터가 있는 혹등고래 하나가 해수면 위로 솟구쳐 올랐다가 다시 바닷속으로 사라졌다. 해수면이 크게 요동쳤다.

고래족과 고래들이 날뛰기 시작했다.

"어우, 장난 아닌데?"

아주 바다 한가운데가 휘몰아치고 있었다.

우워어어!

고래 한 마리가 해수면 위로 솟구쳤다. 범고래의 입에는 인어족이 물려 있었다. 인어족은 이미 죽어 있었다.

"인간, 너는 절대 저기로 가지 마라."

"맞습니다, 케일 님. 가지 마십시오."

"막내 말이 맞는데! 가도 혼자 가면 안 되는데."

케일은 일행의 말에 코웃음을 쳤다.

"내가 미쳤다고 가겠어?"

그때였다.

"음?"

최한이 아래로 고개를 숙였다. 그 행동에 케일도 따라 아래를 내려다봤다.

'절대 가면 안 되겠네.'

배 두 대가 고래에게 접근하고 있었다. 마법 실드가 둘린 배의 선미에는 각각 한 사람이 서 있었다. 그중 검사로 보이는 금발의 여성은 검을 바다로 겨누고 있었다. 그 검에는 황금빛 오러가 둘러진 채 빛을 뿜어냈다. 검사는 검을 허공에 휘두르며 뭐라 외쳤다.

"뭐라는 거지?"

케일의 물음에 역시나 라온이 답해주었다.

"피바다는 얼마나 아름다울까, 라고 했다."

미친.

케일은 제 검은 복면을 깊이 눌러썼다.

'위티라가 비밀 단체 일원을 하이스섬5에서 바다로 최대한 끌어들여야 할 텐데.'

그래야 안전히, 편하게 도망칠 수 있었다. 그러나 케일은 멈칫 어깨를 떨었다. 고래들이 날뛰며 인어와 비밀 단체 일당을 데리고 섬으로부터 멀어지길 바라는 마음으로 지켜보던 케일. 그의 눈동자에 한 장면이 들어왔다.

콰아아앙!

검사의 검에서 쏟아져 나온 황금빛 오러가 바다와 부딪치며, 바다가 몇 미터 갈라졌다.

"라온."

"왜 그러나, 인간?"

"빨리 가자."

케일은 심장이 후들거렸다. 적의 저런 힘을 보는 것은 꽤나 심신에 좋지 못했다.

비행 속도가 조금 더 빨라짐과 동시에 케일의 귓가로 라온의 목소리가 들려왔다.

"저 고래도 썩 잘한다."

저 고래? 케일의 시선이 다시 아래로 향했다. 갈라진 바닷물, 그 사이로 솟구치는 여인과 그 뒤를 따르는 남자가 있었다.

"작은 고래도 조금 잘한다."

위티라와 파세톤, 남매는 각자 채찍과 검을 들고서 위티라는 검사에게, 그리고 파세톤은 창술사에게로 달려갔다. 역시나 둘은 제 피를 흩뿌리며 달리고 있었다. 그들은 해수면을 가볍게 박차며 앞으로 뛰어갔다.

"최한."

"네."

"저들을 잘 봐둬."

최한은 대답 대신 아래 전투에 시선을 계속 두고 있었다.

촤르르르!

위티라의 채찍이 황금빛 오러에 둘러싸인 검사의 검과 부딪쳤다.

콰앙!

위티라의 채찍에 푸른빛이 맴돌고 있었다. 고래족 고유의 힘, 바다의 힘이 담긴 푸른빛을 두른 채찍은 툰카와 싸울 때는 장난이었다는 듯 오러에 지지 않았다.

"걱정 마라. 최한은 안 진다. 그리고 로잘린 마법사도 안 진다."

라온이 그리 평을 하며 비행 속도를 더 높였다. 케일은 최한과 로잘린을 바라봤다. 둘은 미소를 띠며 케일에게 말했다.

"걱정 마세요. 계획이 어그러져도 저와 최한이 다칠 일은 없을 거예요."

계획이 어그러져 적들과 싸우는 상황이 되어도, 최대한 케일 일행 중 복면을 쓴 사람들 선에서 전투를 정리할 예정이었다. 케일의 목표에는 앞으로 위험해질 만한 요소를 없애는 것도 있었다.

'라온의 모습을 보이는 순간, 복잡해져.'

실체를 몰라 한 번에 저 단체의 모든 것을 쓸어버릴 수 없는 상황에서, 용의 모습을 본 이들 중 한 명이라도 혹시 살아버린다면 일이 아주 복잡해졌다.

하지만 로잘린과 최한은 케일의 눈빛을 잘못 이해했다.

"맞습니다, 케일 님. 저는 안 다칠 겁니다."

……난 내가 다칠까 봐 걱정이다만?

케일은 아무 말도 못 했다. 다만 케일의 품에 있던 온이 최한과 로잘린의 말이 틀렸다는 듯 고개를 가로저었다. 온은 케일의 팔을 툭 툭 두드렸다.

"다칠 일 없을 것 같은데. 안심해도 될 것 같은데."

온은 정확히 파악하고 있었다. 하지만 열 살짜리의 안쓰러워하는 눈빛 또한 별로였다. 케일은 모른 척하며 라온을 재촉했다.

"더 속도 내."

"알았다, 인간."

그리고 잠시 뒤, 케일 일행은 하이스섬5 상공에 떠 있었다. 로잘린의 입이 열렸다.

"론 씨가 말했던 대로, 함정 마법과 알람 마법이 주로 해안가 근처에 형성되어 있어요. 마나 기운도 그쪽에 집중되어 있고요."

"하늘은 없다."

라온이 로잘린을 거들었다. 검은 용은 꽤 흐뭇한 표정으로 로잘린을 마치 똑똑한 인간 마법사라는 듯 쳐다봤다. 하지만 인간 마법을 로잘린에게 배운 라온이었다.

"마법을 뚫고 중앙 건물에 침투 가능할까?"

케일은 론이 말해준 대로 그린 지도를 펼쳐 들며 물었다. 침상에 누운 론은 지도를 그릴 수 없어서, 그가 알아낸 정보를 토대로 케일이 지도를 그리면 론이 이를 보고 확인하는 식으로 지도를 완성했다.

"조금 까다로울 것 같아요."

"그 마법사 놈이 아주 덕지덕지 마법으로 도배를 해놨다."

크흠. 최한이 헛기침을 했다. 아마 레디카는 이전에 은신처를 한 번 들켜 죽을 뻔했기에, 그 압박으로 더 철저히 안전에 신경 쓰고 있는 것이리라.

"그래?"

그럼 간단한 문제였다.

"그럼 원안대로 중앙 기지를 건드는 건 하지 말고, 마법 폭탄을 설치하도록 하죠."

마법 폭탄은 라온이 제작했다. 라온의 마나가 신호 장치라서, 터뜨릴 때 라온은 그 마법 폭탄 10개에 온전히 집중해야 했다.

물론 검은 늪을 없앨 때는 폭탄과 함께 마법도 컨트롤했지만 그때는 신경 쓸 게 두 가지뿐이라 그랬고, 이번에는 최상급 마정석을 담은 무시무시한 폭탄이 10개라 컨트롤할 것이 꽤 많았다. 급하게 만들어서 그렇기도 했고.

"그럼 10개 다 어디다가 설치할 건가?"

라온의 물음에 케일은 일행에게 지도를 보여주었다. 총 10개의 지점이 지도 위에 그려져 있었다.

"여기에 하나씩 심어두고 오면 돼."

로잘린은 10개의 점을 보며 잠시 입을 열었다가 다시 닫았다. 케일과 라온을 바라보는 그녀의 눈동자가 깊어졌다.

'최상급 마정석이라니.'

라온이 만든 마법 폭탄은 현재 나온 폭탄에 비하면 몇 배 이상 폭발력이 증대한 무시무시한 전쟁 무기였다. 그 원동력은 마정석이었는데, 그것도 최상급 마정석이었다.

예전에 왕위 계승자 1순위였을 때, 로잘린은 왕궁에 설치된 최상급 마정석 하나를 보며 그 마나 응집력에 감탄했었다.

'도대체 케일 공자는 이런 물건을 어디서.'

하지만 케일은 그 정도로 귀한 물건들을 쏟아내며 별다른 말도 없이 라온에게 건네주었다. 저 마정석 10개만으로도 부자 소리를 들을 수 있을 것인데.

로잘린은 케일의 그 대담함이 놀라웠다. 하지만 그녀는 케일에게 수백 개의 마정석이 있음을 몰랐다. 케일은 아마 웬만한 대상단보다 돈이 많을 것이다.

"그럼 일단 둘로 나뉘어서 움직이도록 하지."

찌이익. 지도가 반으로 찢겼다. 케일은 반을 로잘린에게 넘겼다.

"반은 두 사람이."

최한과 로잘린은 고개를 끄덕였다.

케일이 라온에게 눈짓했다. 곧 그들은 현재 고래족들이 날뛰는 해안가의 반대편에 있는, 비교적 조용한 해안 절벽에 내려섰다. 뒤에 낭떠러지를 등진 케일의 앞에 울창한 숲이 자리해 있었다.

바스락. 작은 소리와 함께 한 발 앞으로 내디딘 케일은 복면을 깊이 눌러썼다. 보이는 건 그의 눈동자뿐이었다. 일행도 마찬가지였다.

"여기서 다시 모인다."

케일 일행은 하이스섬5로 흩어졌다.

-주변에 없다.

사사사삭.

케일은 동물의 발길이 닿지 않아 이리저리 기괴하게 자란 나무와 수풀 사이를 헤치며 달렸다.

타닥, 탁. 탁.

케일의 속도에 맞춰 온과 홍이 나무 사이를 뛰어넘으며 뒤따라왔다. 온은 혹시 모를 사태를 대비해 이미 사방에 안개를 뿌리고 있었다.

-여기다.

라온의 말에 케일은 걸음을 멈췄다. 하이스섬5 중앙 건물을 기점으로 동쪽이 케일의 담당이었다. 케일은 품에서 마법 폭탄을 꺼내 땅에 심었다. 그 손길은 지극히 조심스러웠다.

'이게 터지면 그냥 세상 하직이야.'

이전 검은 늪에서 사용했던, 폭발력을 극대화시킨 마법 폭탄. 그 것을 한층 개량하고 재료도 몇 배나 좋은 것으로 만들었다. 그러니 꽤 큰 하이스섬5와 인근 바닷속을 뒤흔들 계획을 세울 수가 있었다.

'담이 작은 인간은 할 게 못 되는군.'

케일은 폭탄을 옮기고 있으려니, 역시 이런 전쟁 통에는 오지 않는 게 정답이란 생각이 들었다.

－빨리 서두르자, 인간!

머릿속으로 라온이 다그쳤다. 하지만 케일은 꼼꼼하게 마법 폭탄을 설치했다.

그리고 다시 이동을 시작했다. 그의 발에는 바람의 소용돌이가 맴돌고 있었다.

－주위에 인간 있다.

케일의 걸음이 멈췄다. 그는 온과 홍에게 손짓했다. 온이 안개를 더 짙게 뿌렸다. 동시에 케일은 가볍게 땅을 박차며 가장 큰 나무 위로 솟구쳤다. 그리고 주위를 둘러보았다.

"웬 안개지?"

"모르지. 바닷가라서 날씨가 왔다 갔다 하잖아."

현재 케일이 있는 곳은 기지의 식량 창고 근처였다. 비밀 단체 단원 두 명은 한가하게 말하는 것과 달리 자세에 긴장감을 품고 있었다. 그들의 눈동자는 계속 주위를 주시했다. 적의 침입을 늘 대비하고 있는 자세였다.

-싸울까? 인간, 싸울까?

라온이 물어봤지만 케일은 고개를 가로저었다.

'굳이 뭐 하러 싸워?'

꼭 이렇게 적과 마주하면 싸우려고 들더라. 케일은 전혀 그러고 싶지 않았다. 적의 관심은 절대로 받고 싶지 않았다. 케일은 조심조심 소리 나지 않게 나무에서 내려와, 투명화 마법 장치를 꺼내 들었다.

-어휴. 약한 인간, 참 어렵게 산다.

라온이 뭐라거나 말거나 케일은 나무 아래 일정 영역에 투명화 장치를 설치하고서 조심히 호미로 땅을 팠다. 그 옆에서 온과 홍이 한숨을 내쉬며 같이 땅을 파주었다.

그 순간, 예상치 못한 소리가 들려왔다.

삐이이이이이이-

삐이이익-

요란한 알람 소리였다.

"뭐야? 이거 1급 구조 신호 아냐? 누가 침입한 건가?"

"정신 놓지 말고, 가봐. 나는 여기 있어야 돼."

"그래!"

하아.

케일은 깊은 한숨을 속으로 삼켰다.

'그래, 적과 부딪치면 일단 어떻게든 싸우는 상황이 만들어지는 게 주인공의 인생이지.'

케일은 주인공 최한의 인생에 격려를 보내며 폭탄을 설치했다.

-로잘린과 최한이 들킨 건가?

두말하면 잔소리다. 당연한 말이었다.

흙을 파는 온과 홍의 발길질이 빨라졌다. 반면 케일은 느릿느릿했다.

'지들 알아서 잘 하겠지.'

서쪽에 관심이 쏠리면 케일이야 일하기 편했다.

─서둘러라, 인간! 우리도 들킬지도 모른다!

라온이 자꾸 재촉했지만 케일은 살금살금 아주 느긋하게 폭탄을 모두 다 설치했다. 모두 난리를 피워준 최한과 로잘린 덕분이었다. 물론 로잘린보다는 왠지 최한이 일을 저질렀을 것 같다.

'정체만 안 들키면 상관없지.'

둘은 알아서 잘할 것이다.

케일은 마지막 폭탄을 심고 처음의 장소로 돌아왔다. 반대편 모래 사장과 달리 가파른 절벽이 케일을 반겼다. 그 절벽 아래에 반가운 이가 있었다.

"오랜만이네, 아치."

범고래 아치가 흠칫했다. 그는 케일의 복장을 보고 놀랐다. 인어들의 조력자와 비슷한 옷을 입고 있었기 때문이다.

"무슨 그런 복장을. 일단 타시죠."

케일은 가볍게 절벽 아래로 뛰어내렸다.

라온은 마법 폭탄 10개와 더불어 다른 이들에게 피해가 가지 않도록 폭발의 범위를 컨트롤해야 했다. 아무리 라온이라도 세 명의 비행 마법까지 같이 하기는 집중도 어렵고 힘들었다. 그래서 케일은 초고속 택시를 불렀다.

"곧 나머지 애들도 올 거야."

아치는 대답 대신 케일을 미심쩍게 바라봤다. '정말 섬을 부수나?'

하는 눈빛이었다. 하지만 그는 이에 대해 물을 틈이 없었다.

"잡아! 죽여야 돼!"

누군가의 처절한 외침이, 분노에 가득 찬 외침이 울려 퍼졌다. 익숙한 목소리에 케일은 흠칫하며 꽁꽁 숨긴 제 머리칼을 한 번 더 다듬었다.

"안 돼! 못 뛰어내리게 해!"

그 순간, 절벽 아래로 검은 복면과 검은 옷으로 도배한 두 사람이 뛰어내렸다. 뒤이어 그들과 비슷한 복장의 이들이 절벽에 나타났다. 진짜 비밀 단체 단원들이었다. 그중 피에 미친 마법사 레디카도 있었다.

"한 건 했네."

케일의 말에 최한은 어색한 미소를 지어 보였다. 레디카는 부하의 부축을 받고 있었다. 그는 왼쪽 눈에 안대를 차고 있었으며 오른쪽 눈에선 피가 흐르고 있었다.

"폭탄을 설치하다가 마주쳐서―"

"나중에 듣지."

케일은 최한의 입을 막고 아치에게 말했다.

"빨리 움직여."

아치는 레디카와 다친 비밀 단체 단원들을 보더니 아주 빠르게 움직였다. 적들의 다친 모습에 아주 신이 나 보였다. 케일은 더 다그쳤다.

"더 빨리. 최대한 멀리 가."

최소한 하이스섬12가 보이는 곳까지는 가야 했다. 하이스섬5와 가장 가까운 섬이지만 꽤 떨어진 곳. 그 순간, 라온의 목소리가 들렸다.

"누가 폭탄을 발견한 것 같은데."

그 말에 최한이 멈칫하더니 고개를 더 푹 숙였다. 아마 소란으로 인해 비밀 단체 단원들이 섬을 한차례 뒤지다가 발견한 것일 터. 케일은 최한의 어깨를 두드리며 말했다.

"시작해."

"알았다."

라온의 앞발에 검은 마나가 모이기 시작했다.

"로잘린 씨, 실드 최대한 중첩시켜요. 아치까지 같이해서."

"네."

로잘린이 실드를 펼치기 시작했다. 총 두 겹의 실드가 생겼다. 동쪽으로 향하던 케일은 동북 방향의 위티라를 필두로 꾸준히 공격을 감행하던 고래족들이 물러서는 것을 보았다. 저 멀리 있음에도 케일은 위티라와 눈이 마주쳤다는 생각이 들었다.

촤르르륵!

위티라는 채찍을 해수면에 강하게 휘둘렀다. 바다가 요동쳤고, 그녀는 그사이에 더 뒤로 물러섰다. 날뛰던 고래들이 완전히 도망쳤다. 드디어 모든 이들이 폭탄 범위 밖에 도착했다.

"준비 끝났다."

케일은 라온과 눈을 마주했다. 그는 자신의 말을 기다리는 용에게 지시했다.

"폭발."

우우우웅.

용의 앞발 끝에 터질 듯 맴돌던 검은 마나가 화살처럼 날아갔다. 열 개로 갈라진 마나들은 빛처럼 쏘아져 갔다. 케일은 곧바로 귀를 막았다.

콰아아앙!

콰아앙, 콰아아앙–!

쿠우우우–

바다가 흔들리기 시작했다. 거센 파도가 휘몰아쳤다.

"크윽! 다들 내 몸 잡아요!"

아치가 다급하게 외쳤다. 폭발 범위 밖임에도 그 여파는 거셌다. 케일은 물론이거니와 일행 모두 납작 엎드렸다. 케일은 요동치는 아치의 몸 위에 납작 엎드린 채, 높이 솟아오른 파도 너머 거대한 굉음이 들리는 곳을 바라봤다.

콰앙–

쿠우우우–

촤아아아.

수많은 소리들이 뒤섞였고 눈앞을 멀게 하는 밝은 빛이 섬에서 터져 나왔다. 뒤이어 그 자리를 검은 연기가 가득 채웠다. 검은 연기 사이로 정체를 알 수 없는 잔해들이 공중에 흩어졌다.

"……이건."

섬이 실시간으로 날아가고 있었다. 먼지처럼 부서져 갔다.

"……예상보다 너무 강한데?"

아무리 마법 폭탄의 폭발력이 증가했다고 해도 상상 이상이었다. 섬을 부순다고 말은 했지만, 주위 바다에 여파를 줄 정도로 폭발력은 예상보다 더 어마어마했다.

다른 이들과 달리 여유로이 아치의 등 위에 앉아 있던 라온이 고개를 갸웃거렸다.

"이 정도 아닌가, 인간? 나는 날려 버린다길래 진짜 저 정도로 날린다는 줄 알았다. 그래서 강화를 몇 번 더 시켰다.”

의사소통의 실패였다.

‘강화까지 할 필요는 없었는데.’

케일은 아치의 등에 바짝 달라붙어 부서진 섬의 근방을 바라봤다. 섬이 있던 자리는 검은 연기로 뒤덮여 있었다.

“더 뒤로 가라.”

라온이 말했고, 아치는 흠칫하더니 군말 없이 더 뒤로 물러났다. 케일은 바다 위에서 시선을 떼지 못했다. 검은 연기가 조금씩 걷히며 섬의 모습이 드러났다.

쿠쿠쿠궁-

하이스섬5의 해안 절벽이 무너져 내리고 있었다. 그것을 시작으로, 서서히 해안선을 따라 지반이 바닷속에 가라앉았다.

으아악!

키이이이-!

멀리서 들려 희미한 소리였지만, 분명 파도 소리 사이로 들리는 것은 인간과 인어족들의 목소리였다. 동시에 바다 해수면이 갈라지며 위티라가 솟구쳐 올랐다.

“공격하라!”

거대한 혹등고래가 명령을 내리자마자, 고래족과 고래, 바다 수인족들이 일제히 섬으로 달려들었다. 섬으로부터 도망쳐 오는 자들은 위티라의 채찍을 마주해야 했다.

“……썩 보기 좋지는 않네.”

케일은 이기적인 생각이지만, 자신이 한 짓이기는 했지만, 이런 광경을 볼 때면 속이 불편했다. 이래서 평온한 삶을 찾는 것이지만.

바다를 바라보는 케일의 눈동자가 깊어졌다. 침중한 표정으로 바다를 바라보는 그의 모습은 복잡한 심경을 품은 것처럼 보였다. 그때 라온의 목소리가 들려왔다.

"마음이 약해서 문제지만 장점이다."

뭐래? 약하다고?

케일은 황당했다. 약한 사람이 섬을 부술 생각을 해?

라온은 말을 이었다.

"그 늙은 인간을 위해, 그리고 내 복수를 도와주던 비크로스를 위해 우리는 알맞은 일을 한 거다."

알맞더라도 올바른 것은 아니지.

하지만 케일은 매번 올바르게만 살고 싶지 않은 인간이었다.

—그리고 저놈들은 날 후작가에 넘긴 놈들이 속한 단체라고 하지 않았나? 당사자는 아니지만.

살벌한 라온의 말에 케일은 저 멀리 하늘을 바라봤다. 그리고 범고래의 등을 두드렸다.

"얼른 가."

아치는 아무 말 없이 하이스섬12로 향했다.

"라크와 아이들은 나설 필요가 없겠군요."

"그렇지."

최한의 말에 답하던 케일은 이내 하이스섬12의 해안가가 시야에 들어왔다. 그곳에는 늑대족 아이들이 고래들과 함께 대기 중이었다. 케일과 함께 아이들의 모습을 보던 최한의 표정이 묘해졌다.

"케일 님이 애들보고 저러고 있으라고 명령하신 겁니까?"

"어."

최한은 케일의 단호한 답에 입을 다물었다. 다만 쟤들이 나설 일이 없어 다행이란 생각이 들었다.

하이스섬12. 섬5에 비하면 세 배는 작은 섬. 그 작은 해안가에 거대한 범고래가 다가갔다.

'이제 인어 시체를 위티라가 가져오면 끝이군.'

케일은 섬도 날려 버렸겠다, 이번 계획의 결과에 그럭저럭 만족했다. 그 순간이었다.

"죽인다!"

음?

케일은 고개를 돌렸고, 동시에 라온이 곧바로 케일에게 말했다.

—나 투명화한다.

갑자기?

"저 새끼가."

음?

최한의 거친 목소리가 들려왔다. 케일의 시야에 새로운 광경이 보였다.

"······미친."

케일의 입에서 탄식이 흘러나왔다. 비행 마법을 써서 이곳으로 날아오는 시뻘건 물체.

"죽인다, 죽인다! 죽여 버린다고!"

레디카였다. 피에 미친 마법사 놈이 정확히 범고래 아치가 있는 방향으로 날아왔다. 오른쪽 눈에 상처가 있었지만 실명 정도는 아닌 듯했다. 피에 미친 놈은 본인이 좋아하는 피를 온몸에 두른 채 이곳으로 날아오고 있었다.

하지만 그 비행은 굉장히 불안정했다. 아마 마나를 한 손으로만 다뤄서 그럴 것이다. 로잘린이 침음을 흘렸다.

"음, 마나 폭주 상태네요."

"뭐?"

마나 폭주. 마나를 다루는 자들이 자신의 목숨을 내놓고 하는 짓이었다. 현재 레디카는 눈에 뵈는 게 없는 것 같았다.

"내 눈과 팔로도 모자라! 저 미친 새끼! 죽여 버릴 거야!"

레디카는 최한만을 보고 있었다. 눈가에 핏물을 흘리면서 날아오고 있었다.

"하, 같잖네."

최한이 실소와 함께 아치의 등에 엎드려 있던 몸을 일으켜 그 위에 섰다.

'무슨 이런 상황이 다 있지?'

케일은 한숨을 내쉬었다. 그는 레디카는 겁나지 않았다. 마나 폭주든 말든, 드래곤 마나 폭주도 막아낸 최한이 있는데 무슨 걱정이겠는가. 오히려 이참에 제대로 처리하는 게 나았다. 하지만 케일은 하늘의 레디카가 아니라 바다 위를 바라봤다.

"저거는 왜 이리로 와?"

여기저기 부서진 배가 섬12로 다가오고 있었다. 정확히 말해 범고래 아치 위의 케일 일행을 향해서 다가왔다.

황금빛 오러를 휘두르던 검사. 그녀가 탄 배가 이쪽으로 오고 있었다.

'지금 네 부하들이, 단원들이 섬에서 도망치거나 죽는 중인데. 그리로 가야 하지 않아?'

케일은 그렇게 묻고 싶었다.

"너희들은 누구냐!"

검사가 물었지만 케일은 답하지 않았다. 대답할 이유가 없었다. 케일은 주위를 둘러보았다. 다가오는 다른 이들은 더 이상 없었다. 고래들은 인어족을 몰아붙이느라 정신이 없어 보였다.

"……제가 싸울까요?"

왠지 모르게 공손하게 들리는 아치의 물음에 케일은 됐다는 듯 그 등을 두드렸다.

"제가 나서죠."

로잘린이 일어섰다. 그녀의 손안에 붉은 마나가 맴돌고 있었다. 최한은 날아오는 레디카를 보다가 검사를 보며 입술을 깨물었다. 소드 마스터인 검사. 자신이 싸워야 할 것 같았다. 그때 로잘린이 이어 말했다.

"최한, 저 마법사는 네가 처리해. 검사는 내가 맡을게."

그녀도 최상급에 가까운 천재 마법사였다.

"물론 완전히 이기기는 힘들 것 같지만. 버티는 건 될 거야."

로잘린은 최한의 눈빛을 모른 척하며 케일을 바라봤다.

"공자, 그러면 되지 않을까요?"

로잘린은 검은 용이 투명화한 것으로 보아, 용이 나서기 힘든 상황임을 알아챘다. 그렇다면 자신이 나서면 되는 일이었다.

"음, 로잘린 씨. 같이 싸우죠."

"네?"

케일 공자도?

로잘린이 놀란 얼굴로 케일을 바라봤다. 하지만 케일은 로잘린이 아닌 하이스섬12의 해안가를 보고 있었다. 그녀는 케일의 말을 잘못 해석했다. 케일은 자신이 같이 싸운다는 말은 안 했다. 그는 해안가를 향해 외쳤다.

"출발해!"

"네!"

해안가에서 씩씩한 목소리들이 울려 퍼졌다. 곧 작은 고래를 탄 12명의 사람들이 바다로 나섰다. 그 뒤로 하이스섬에 대기하고 있던 조금 큰 고래 두 마리가 뒤를 이었다. 그들은 케일이 타고 있는 아치를 지나쳐 배로 향했다.

"이, 미친 것들!"

배의 갑판에 서 있던 단원 중 하나가 그 광경을 보며 경악을 감추지 못하고 외쳤다. 케일은 자신을 쳐다보는 최한에게 어깨를 으쓱이며 답했다.

"쟤네만 비밀 단체냐? 우리도 비밀 단체야, 지금부터."

검은 복면에, 하얀 별 하나와 붉은 별 다섯 개를 가슴팍에 새긴 검은 옷을 입은 늑대족 아이들이 배를 향해 달려들었다. 아이들은 언제 적응한 것인지 달리는 고래 위에서 운신이 자유로워 보였다. 역시 신체 능력이 탁월한 늑대족다웠다.

"너도 가. 로잘린 씨도."

최한과 로잘린은 서로를 바라보다가 이내 케일에게 한마디씩 남기고 떠났다.

"다녀오겠습니다. 잘 숨어 계세요."

"공자, 조심해요."

범고래 아치는 그 말에 기가 차다는 듯 그들을 바라봤지만 아무

말 없이 입을 꾹 다물었다.

최한은 아이들이 타지 않은 조금 큰 고래 위로 내려서며 레디카에게로 향했다. 그리고 로잘린은 비행 마법을 써서 배로 바로 향했다.

"죽여, 죽여 버린다고! 네놈, 네놈 때문에! 도대체 누구야!"

레디카가 흔들리는 몸 상태로, 핏줄이 다 불거진 얼굴을 한 채 마법을 쏘아 보내며 외쳤다. 하지만 최한은 마법이 주위에 닿기도 전에 제 오러로 허공에서 마법을 베어버렸다.

"너희는 누구지?"

검사의 목소리가 최한의 귓가에 닿았다. 순간 검사는 검을 내리그었고, 그 방향을 따라 부메랑과 같은 오러가 로잘린에게로 향했다.

"실드. 블링크."

가볍게 이를 피한 로잘린은 손안의 응축된 불의 마나구를 적에게 날려 보냈다. 검사는 이를 피했지만, 배의 갑판에 마나구가 박혔다.

콰앙!

배의 선수 일부분이 부서졌다. 로잘린은 다시 황금빛 오러를 검에 두르는 검사에게 도로 물었다.

"글쎄, 우리가 누굴까? 모르겠어?"

로잘린이 약을 올리듯 말했다. 최한은 그 대화를 다 듣다가, 케일 쪽을 보지도 못하고 눈을 질끈 감았다 뜨며 레디카를 향해 말했다.

"우리는 비밀 단체다!"

어이구야. 케일은 그 우렁찬 목소리에 한숨을 내쉬었다. 저렇게 대놓고 말하자는 소리는 아니었는데. 어쨌거나 정체를 숨기면 그만이었다.

"아치, 해안가로 조금 더 다가가자."

"……네."

아치는 최한과 로잘린, 그리고 고래를 탄 이들이 싸우는 광경을 보며 천천히 해안가로 다가갔다. 그는 생각했다.

'이들은 강하다.'

콰앙!

크아악!

부서지는 소리와 누군가의 비명이 들렸지만, 케일의 일행은 아니었다.

'도대체 이렇게 강한 자들이 어떻게 한 사람 밑에 있지?'

아치는 강한 의문이 드는 것을 표정에 숨길 수가 없었다.

"너도 피를 흘리게 해주마! 크억, 죽인다!"

비행 마법 컨트롤이 힘들었는지, 레디카는 더 이상 이동은 하지 않은 채 해수면 근처에서 떠오른 상태로 최한에게 쉴 새 없이 마법을 쏘아붙였다. 하지만 최한은 이를 오러로 간단히 없앴다.

"더 해봐. 놀아주지."

최한은 담담히 말하며 서서히 레디카에게 다가갔다. 피 칠갑을 한데다 마나 폭주로 이성을 잃어가는 존재에게, 최한은 구석으로 몰듯 천천히 다가갔다.

"크으윽, 죽여!"

레디카의 마나가 폭주하듯이 쏟아졌다. 최한은 가볍게 고래 등을 박차고 뛰어올라 이를 피했다.

콰아앙! 하이스섬12에 마나구가 부딪쳤고 돌들이 비산했다. 하지만 최한은 이미 레디카에게로 쏘아져 가고 있었다.

로잘린도 비슷했다.

"이야, 이 언니 너무 강한데?"

"그렇지? 내가 조금 강한 마법사란다."

검사와 로잘린, 둘은 여유만만하게 싸웠다. 그럴수록 배가 부서지고, 바다가 뒤집혔다. 지켜보던 아치는 이런 사람들이 모인 게 신기했다. 하지만 이내 범고래의 얼굴 위로 황당함이 나타났다.

"······뭐 하십니까?"

케일은 아치의 말을 못 들은 척하며 엉금엉금 범고래의 등에서 내려왔다. 찰랑찰랑. 해안가에 가까워져서인지, 가슴팍까지 물이 차올랐다.

케일은 거대한 범고래 뒤에 숨었다. 그런 케일의 등에 투명화한 라온이 매달려 있었다.

—인간, 굳이 이렇게 이 고래 뒤에 숨어야 할 필요가 있나?

그럼. 커다란 놈 뒤에 숨어 있으면 눈에 띌 일은 없을 것이다. 케일은 라온의 질문에 굳이 답하지 않으며 제 할 말만 했다.

"부수자."

그 태연한 목소리에 범고래의 등이 흠칫했다.

'또? 또 부순다고?'

그러거나 말거나 라온은 태연했다.

"알았다, 인간."

아치는 한 번 더 흠칫했다. 투명화해서 보이지 않는 용의 음성. 자그마치 용이 제 입으로 부순다고 했다. 아치는 하고 싶은 말이 많았지만 그냥 입을 다물었다.

"맛보기다."

그렇게 말한 검은 용은 직접적으로 학대를 하지는 않았지만 그 동기를 제공한, 알이었을 때 자신을 빼돌린 저 단체에 소속된 놈들에게 맛보기를 보여주기로 했다.

우우우웅―

"와씨."

입을 다물고 있기로 했던 아치의 입에서 비속어가 튀어나왔다. 그의 눈동자에 무수히 많은 화살이 담겼다.

가늘고 작지만 셀 수 없이 많은 마나 화살이 하늘을 수놓았다.

"크아아악!"

그때, 레디카의 오른쪽 팔이 잘려 바다 해수면 아래로 떨어졌다. 금발의 검사는 하늘을 올려다봤다.

"……언니 말고 마법사가 또 있나 봐?"

"우린 비밀 단체라니까?"

검사는 황금빛 오러를 최대치로 늘였다. 그 늘어나는 오러를 보던 로잘린은 일부러 비웃음을 날리며 한마디를 외쳤다.

"후퇴!"

고래들이 재빠르게 뒤로 물러섰다. 하지만 그럴 필요 없었다.

"쏴."

케일이 말한 순간, 검사가 타고 있는 거대한 배, 오로지 그 배만을 향해 수많은 마나 화살이 벼락처럼 내리꽂혔다.

"후퇴해!"

금발의 검사, 그녀가 외침과 동시에 황금빛 오러가 화살들을 향해 날아갔다. 하지만 그 황금빛 오러는 수백 개의 화살을 모두 막을 수 없었다.

"역시 용은 위대해."

케일은 그 광경을 보며 감탄했다. 곧 살아남은 마나 화살들이 배에 닿았다.

쾅! 쾅, 콰아앙!

수많은 작은 폭음이 귓가에 때려 박혔다.

"맞다. 나는 대단하다."

라온이 말했고.

"미친."

범고래 아치는 여전히 욕을 감탄처럼 내뱉었다.

당연히 배는 부서졌다. 물론 완전히 부서진 것은 아니었다.

"저 검사 대단하다."

라온의 평이 정확했다. 검사는 대단했다. 그녀는 짧은 찰나에 한 번 더 부메랑 모양의 황금빛 오러를 쏘아 날렸고, 그 덕에 마나 화살이 상당수 파괴되었다. 그래도 배를 부수기에는 충분한 숫자였다.

"크윽, 으으윽!"

레디카가 몸을 부들부들 떨고 있었고 최한은 양팔을 잃은 그를 가만히 바라봤다.

"죽겠군."

케일은 마나 폭주가 극에 달한 레디카의 상태를 확인하며 최한이 더 이상 손을 쓰지 않을 것이라 생각했다. 곧 죽을 녀석이었으니까.

"으아악!"

하지만 착각이었다.

촤악!

피가 흩뿌려졌다. 최한은 레디카의 오른쪽 눈에 한 번 더 검을 휘둘렀다. 케일은 시선을 돌렸다. 굳이 저런 광경을 애써서 보고 싶지 않았다. 그러자 무너지는 배가 보였다.

쿠구쿵. 배가 선미부터 천천히 부서졌다. 하지만 케일은 그 광경을 보며 혀를 찼다.

"역시 한 명이 더 남아 있었네."

동시에 케일은 감탄했다.

"마창사였어."

"몰랐나, 인간?"

"어. 몰랐어."

"그렇구나."

마창사. 마법과 창술을 동시에 쓰는 자. 창술사는 스피어 마스터 급은 아니었지만 마법을 쓸 줄 아는 이였다. 그간 쓰지 않았던 마법을 사용한 창술사는 비행 마법으로 날아와 한 명만을 구했다.

금발의 검사. 그녀만이 무너지는 배에서 하늘로 날아올랐다.

"으아아악!"

"저희도 살려, 주―"

폭발하는 배에서 떨어지는, 혹은 마나 화살로 부상을 입은 단원들이 창술사를 보며 외쳤지만 창술사는 시선 한 번 두지 않았다. 다만 레디카의 상태를 주시할 뿐이었다.

"강한데."

케일은 새삼 저 단체의 강함이 느껴졌다. 동시에 두 명에게 비행 마법을 펼칠 수준이면 저 마창사의 마법 실력은 최소 중상급이었다. 중상급 마법사에, 스피어 마스터에 근접한 창술 실력이라. 저 마창사도 상당한 실력자다.

"걱정 마라. 그래도 최한보다 약하다."

"알아. 나보다 강해서 그렇지."

잠시 정적이 내려앉았다. 라온이 한참 만에 말했다.

"너보다, 으음, 너보다 강한 자는 많은 게 당연, 음, 조금 당연하다. 그러니 크게 상심하지 마라."

케일은 라온의 말에 뭐라 답하고 싶었다. 하지만 그럴 수 없었다.

쾅!

황금빛 오러가 레디카의 몸에 쏘아졌고, 레디카의 몸은 베이는 수준을 넘어 폭발했다.

"……무섭네."

케일은 최한이 고래와 함께 뒤로 물러서며 검은 오러를 날리는 것을 볼 수 있었다. 방향은 두 명의 적이 있는 허공이었다. 하지만 오러는 공중의 마창사와 검사에게는 닿지 않았다.

굳은 표정의 최한이 검을 들어 올렸고, 로잘린이 공중으로 날아올랐다. 두 사람은 케일이 있는 쪽을 스치듯 바라보았지만 고래 뒤에 숨은 케일을 부르지 못했다.

말 없는 대치가 이어졌다. 아니, 단원들의 비명 소리는 여전했고, 불타오르는 배에서 나는 소리들로 시끄러웠다.

네 사람은 각기 적을 바라보며 또다시 시작될 전투의 순간을 준비하였다. 그 시간은 찰나였지만, 당사자에게는 기나긴 시간이었다.

그 순간이었다.

촤아아—

해수면이 갈라지는 소리가 들려왔다. 위티라를 비롯한 고래족들 몇몇이 이쪽으로 오고 있었다. 네 사람 간의 날카로운 대치가 순간 팍 사그라들어 버렸다.

"아쉽네."

검사의 입이 열렸다.

"그러게 그냥 도망가자니까."

창술사는 귀찮음이 한가득 담긴 목소리로 답하며 복면을 쓴 최한과 로잘린, 그리고 늑대족을 바라봤다.

"누군지 모르겠네."

"누군지 궁금하면 싸워볼래?"

로잘린의 말에도 창술사는 그녀의 손아귀에서 소용돌이치는 붉은 마나를 보며 고개를 가로저었다.

"잘해도 비길 텐데 뭣 하러."

촤르르륵! 쾅!

그때, 거대한 푸른 채찍이 바다를 내려쳤다. 동시에 위티라가 그 힘의 반동으로 하늘로 솟구쳤다. 창술사의 손아귀에 마법 스크롤이 나타났다. 최상급 마정석 가루를 뿌린 것이 확실시되는, 오색 빛을 뿜어내는 마법 스크롤이었다.

"안 돼!"

로잘린이 위티라를 따라 그들에게로 향했다. 최한의 검은 오러가 총알처럼 그들에게로 날아갔다.

쫘아악-!

그 순간, 마법 스크롤이 찢어졌고, 마창사와 검사가 흐릿해져 갔다. 최장거리 텔레포트였다. 금발의 여인은 살짝 미간을 찌푸리며 최한의 오러를 자신의 오러로 상쇄시켰다. 작은 폭발이 일어났고, 그 사이로 그녀는 최한과 로잘린을 보며 손을 흔들었다.

"안녕. 모르는 분들."

그리고 살벌한 표정으로 솟구친 위티라를 보며 미소 지었다.

"불쌍해."

위티라의 얼굴이 더 일그러졌다.

지지직.

마법 스크롤이 실행될 때 특유의 잡음이 흘러나오며, 두 사람의 신형은 이제 거의 흐릿해져 사라질 듯했다. 케일은 그 광경에 할 말을 잃었다.

이 무슨 전형적인 악당의 퇴장 장면이란 말인가.

하지만 모두가 간과한 것이 있었다.

"윽!"

마창사의 입에서 피가 흘러나왔다. 그의 등에 화살이 박혀 있었다. 뒤에서 은밀히 날아온 작은 마나 화살이 마창사의 등을 꿰뚫으며 회전하고 있었다. 회전이 심해질수록 마창사는 점점 상처가 커져 갔다.

"오빠! 이, 이것들이!"

태연하던 금발 여인의 눈동자에 분노가 어렸다.

지지지지ㅡ

하지만 이내 마법 스크롤이 실행되었고, 그들은 사라졌다. 더 이상 스크롤의 잡음은 들리지 않았다.

"아."

로잘린이 탄식을 흘렸고, 위티라의 채찍이 그들이 사라진 자리를 스쳐 지나갔다. 최한은 입술을 깨문 채 죽은 살덩이만이 남은 레디카가 있던 곳을 바라봤다.

범고래 아치의 뒤에서 살짝 고개만 내밀고 있던 케일은 등 뒤에서 목소리가 들려왔다.

"내가 했다."

마나 화살을 날린 라온이 태연히 말했다.

"저 마창사는 치료를 해도 그 몸에 내 마나 흔적이 남아 있을 것이다. 용 아니면 발견 못 한다. 다음에 근처에 오면 나한테 죽는다."

다들 라온을 간과했다. 범고래 아치의 등이 떨렸다. 케일은 박수를 쳤다.

"정말 라온은 대단하구나!"

근처에 왔을 때 탐지가 가능하다면, 비밀 단체가 접근해 와도 대비할 수단이 생긴다. 물론 저들이 이쪽의 정체를 모르니 더 엮일 일은 없겠지만, 미리 알 수 있는 방법은 많을수록 좋은 법이었다.

"맞다. 나는 대단하다."

라온은 아무렇지 않은 표정으로 어깨를 으쓱였다.

사실 라온이 마나 흔적을 남겨둔 이유가 있었다. 지금 저 두 명만 봐도, 저들이 소속된 단체에는 강자들이 아주 많을 터. 용은 압도적인 싸움이 좋았다.

"……내가 조금 더 클 때까지 기다린다."

"음? 뭐라고?"

"아니다, 인간."

케일은 제대로 못 들었지만, 전후 사정을 모르는 범고래 아치는 그 말을 똑똑히 들었다.

아치는 알 수 없는 불안감이 몰려왔다. 아직 눈앞의 검은 용은 어렸지만, 아치는 예전에 들었던 브레스를 사용할 줄 아는 성룡들의 이야기가 떠올랐다. 성룡이 눈이 돌아버릴 정도로 화나면 대륙 역사가 바뀐다는 유명한 이야기가 고래족 대대로 내려왔다.

케일은 천천히 해안가로 걸어갔다. 찰랑, 찰랑. 해수면의 물이 발목까지로 내려갔을 때, 케일에게 위티라가 다가왔다. 물론 수하 둘이 그녀의 뒤를 따랐다.

"미안해요, 공자. 인어족들 해치운다고 저 단체 쪽은 미처 신경 쓰지 못했어요."

"괜찮아. 어차피 우리가 못 막을 정도도 아니고."

"나머지 뒤처리는 저희가 할게요."

"그래."

케일은 고개를 끄덕이면서도 한 걸음 더 해안가로 다가갔다. 위티라는 살짝 표정이 좋지 못한 케일에게 미안함이 밀려왔다. 괜한 일에 휘말리게 한 것 같았다. 그래서 수하들에게 얼른 그가 부탁한 것을 내밀도록 했다.

"공자, 구해 왔어요."

"어, 음. 그래."

인어 시체였다. 그것도 살아 있는 듯 아주 깨끗했다. 케일은 위티라에게 죽은 마나를 섭취한 인어들 중 강한 자를 데려와 달라고 했다.

"누구지?"

"왕족입니다."

왕족 인어를 데려올 줄은 몰랐다. 그것도 시체로.

"그래. 해독을 바로 하면 되겠어."

어느 인어의 피라도 독을 해독할 수 있지만, 이왕이면 인어 특성이 강한 피가 독 해소는 물론 차후 치료에도 도움이 되었다.

론은 독이 진전되지는 않았지만 꽤 오랫동안 몸에 독을 달고 있었다. 케일은 최대한 흠 없이 깨끗하게 없애주고 싶었다. 그래서 정체를 숨기며 싸워야 하는 자신들이 움직이기보다는, 위티라에게 부탁했다.

'론의 팔은 일단 답이 없으니까, 독이라도 제대로 치료해야지.'

팔이 잘려도 그 팔이 있으면 치료가 가능했다. 하지만 론은 팔을 가져오지 못했고, 찾는다고 해도 이미 시일이 지나 썩어 있을 테니 그것도 요원했다.

'……방법이 하나 있기는 한데.'

진짜 팔은 불가능하지만, 얼추 비슷한 팔은 가능했다.

네크로맨서. 죽은 시체를 다루는 자들. 그들은 해박한 해부학자이자 동시에 기술자이다. 시체를 조립해서 쓰니, 기술자가 아니면 이상했다. 분명 사라졌다고 전해진 네크로맨서는 서대륙 안에 있었다.

'문제는 어디 있는지를 모르니.'

지금 이맘때쯤 네크로맨서가 어디 있는지 케일은 알 수 없었다. 그는 일단 그 부분은 뒤로 미뤘다.

"아치 전투 대장님과 고래들이 여러분을 하이스섬1로 데려다 드릴 겁니다."

"그래. 너희는 아직 더 하지?"

조력자들이 없어진 인어족. 그 시기를 고래족은 놓치고 싶지 않았다. 그래서 고래왕 시켈러는 이쪽에 오지도 않고 한창 인어족 뒤를 쫓고 있었다.

"네, 동쪽으로 도망가더군요. 쫓아가야죠. 끝까지."

끝까지. 그 단어가 참 살벌했다. 케일은 별생각 없이 물었다.

"인어족을 다 없앨 건가?"

"아뇨. 우스운 이야기지만, 그들이 모두 없어져도 생태계가 무너집니다. 살려두고 제어해야죠."

"……고래족은 참 무서운 종족이군."

위티라는 다른 대답 없이 그저 미소를 지어 보였다. 그 미소가 케일은 썩 꺼림칙했다. 고래족을 도와 섬을 폭파시킨 자신이 할 말은 아니었지만, 고래족은 명백히 자신들을 상위족이라 생각하는 경향이 강했다. 인어족 입장에서는 그동안 평화를 위한다며 바다를 지배하던 고래족이 싫었을 것이다.

늘 느끼는 것이지만, 뭐든 보는 방향에 따라 보이는 게 달라지는 법이었다.

'내 알 바는 아니지.'

케일은 자신의 이득에 따라 움직이는 사람이었다. 자신이 신경 쓸 이야기가 아니었다.

"그럼 이만 가보지. 급해서."

재료를 찾았으니, 론의 치료를 바로 해야 했다.

하이스섬1에 도착한 케일은 곧바로 천막 입구 천을 걷어내며 안으로 들어섰다.

"론."

"공자님."

론 대신 비크로스가 일어서며 케일을 바라봤다. 그는 케일 뒤로 최한과 힐스만이 들고 오는 인어 시체를 확인하고는, 열었던 입을 꾹 다물었다.

론은 잠들어 있었다. 암살자가 사람의 기척을 못 느끼고 있었다.

하아. 깊은 한숨이 케일의 입에서 흘러나왔다. 론의 침상 옆에는 최상급 포션이 산처럼 쌓여 있었다.

"비크로스, 이불 걷어."

"네."

"장갑 하나 빌려줬으면 하는데."

이불을 걷어내고 독에 중독된 부위를 드러내고 있던 비크로스는 멈칫했다. 그는 케일을 보지 않고 입을 열었다.

"……직접 하실 겁니까?"

비크로스는 아버지 론의 얼굴을 가만히 응시했다. 론이 해준 이야기가 귓가에 맴돌았다. '암'이 얼마나 강한 단체인지, 아버지는 깨어 있을 때마다 비크로스에게 말해주었다. 그의 귓가로 케일의 담담한 답이 들려왔다.

"그래. 내가 해야지."

비크로스는 품에서 흰 장갑을 꺼내 케일에게 넘겼다. 케일은 장갑을 끼고는 론의 중독된 부위를 살폈다. 최상급 포션을 쏟아부어서 그런지 이전보다 미세하게만 진행된 상태였다.

케일은 최한에게 손짓했고, 최한은 시체를 가까이 가져왔다. 론의 몸 위로 시체의 그림자가 드리워졌다. 케일은 단검을 하나 꺼내서 왕족 인어 시체에 흠집을 냈다.

투둑. 툭.

인어 피가 한두 방울 나오더니, 이내 쏟아져 나왔다. 케일은 그 피가 론의 옆구리와 허벅지에 닿도록, 최한이 잡고 있는 시체 위치를 잘 조절했다. 그리고 다른 부위에도 상처를 내어 인어 피를 론의 중독 부위 인근에 발랐다.

"비크로스, 최상급 포션도 부어."

"네."

치이이익.

포션과 인어 피, 그리고 인어 독. 이 세 가지가 섞여들며 타는 소리를 냈다. 하지만 눈에 보이는 광경은 반짝이는 최상급 포션과 섞인 인어 피가 인어 독을 증발시키고 있는 것이었다.

"으으, 으윽."

론이 신음했다. 그의 눈꺼풀이 잘게 떨렸다. 질척하게 붙어 있던 인어 독이 사라져 갔기 때문이다. 론의 눈꺼풀이 서서히 열리며, 눈동자가 드러났다.

"……도련님."

"말하지 마. 바빠."

론은 케일의 대답에도 굴하지 않고 물었다.

"해독 중입니까?"

"그래."

케일은 일단 론의 몸에 붙어 있던 끈적한 인어 독이 사라진 것을 확인한 후, 론을 바라봤다.

"일단 해독은 끝났다. 이제 치료에 들어가면 돼."

"그렇군요."

케일은 인어 피로 물든 흰 장갑을 벗어서 화로에 던졌다.

"론."

"네, 도련님."

론은 케일을 바라봤다. 론뿐만 아니라 그의 아들 비크로스도 케일을 응시했다.

"거기서 이제 네 얼굴을 아는 놈은 없다. 무슨 말인지 알겠나?"

케일은 화로에서 시선을 돌려 론을 보며 말했다.

"이제 집으로 가자는 소리야."

해독도 되었고. 그의 팔을 이리 만든 이는 이 세상에 없고. 그러니 헤니투스 가문으로 돌아가자는 말이었다.

집. 그 단어에 론은 천천히 눈을 감았다.

"네, 도련님."

그 대답에 케일은 고개를 끄덕이며 비크로스의 어깨를 두드렸다. 아까부터 비크로스는 제 아버지 론의 손을 붙들고 있었다.

"집에 도착하면 곧바로 론의 치료를 시작하도록 하지."

케일은 그 말을 남기고 천막을 빠져나왔다. 드넓은 바다의 하늘이 눈에 들어왔다. 하루 종일 시달리고 나니, 어느새 밤이 되어 있었다. 바다의 밤하늘은 마음을 탁 트이게 하는 힘이 있었다.

"이제 좀 쉴 수 있겠는데."

케일의 입가에 미소가 맺혔다.

앞으로 론의 치료와 재활에 신경 써야겠지만, 어쨌든 론은 살아남았다. 케일은 생각했다.

이제 당분간은 영지에서 백수 라이프를 즐길 수 있을 것이라고.

"공자님, 오셨군요!"

"오랜만이야, 한스."

영지로 돌아온 케일을 한스가 아주 반가운 얼굴로 반겼다.

"저, 공자님. 론 씨는?"

"해독했다."

"오, 세상에. 감사합니다!"

"나한테 왜 감사해. 영지에 뭔 일 없었지?"

"네, 영지는 아무 일 없었습니다."

케일은 아무 걱정 없어 보이는 한스의 표정에, 길어봤자 1년이지만 드디어 백수 라이프가 펼쳐졌다고 믿었다.

그래, 그런 줄 알았다.

21장

감이 왔다

## 21장
감이 왔다

한 달.

딱 그 시간 동안 케일은 놀았다. 사실 그의 입장에서는 노는 것이었지만 다른 이들이 보기에는 조금 달랐다.

"지금 심심해하는 건가?"

라온은 케일을 탐색했다. 그는 멍하니 창밖을 내다보며 여름 제철 과일을 먹고 있었다. 검은 용의 얼굴은 심각했다.

그럴 수밖에 없었다.

케일은 지금 두 시간째 흔들의자에 몸을 기댄 채 하염없이 창밖을 보며 과일만 먹어댔다. 말도 없었고, 미간도 찌푸리지 않았다. 톡, 톡, 포도를 한 알씩 떼어내어 먹다가 이를 그만두고는, 그냥 눈만 뜨고 멍때리고 있었다.

"이상한데. 아주 이상한데."

이제 조금 큰 아기 고양이 홍도 라온의 옆에서 꼬리를 살랑거리며 케일을 탐색했다. 하지만 아쉽게도 둘은 침대 위에 엎드리고 있어, 꽤 떨어진 창가 앞에 앉아 있는 케일에겐 그 목소리가 들리지 않았다.

"갈수록 늦게 일어난다. 갈수록 밥도 적게 먹는다. 갈수록 일찍 잔다. 갈수록 안 움직인다."

라온은 심각하게 그간의 관찰 결과를 읊조렸다. 그러다가 표정이 더 일그러졌다.

"또 잔다!"

툭. 손에 들고 있던 포도 한 알이 바닥으로 떨어졌다. 케일은 또 그대로 흔들의자에 몸을 맡긴 채 잠에 빠져들었다.

라온은 시계를 바라봤다. 현재 시각은 오후 6시.

하루 종일 깨어 있는 시간보다 자는 시간이 많았다. 검은 용의 동공이 흔들렸다.

잠이 늘어나고, 먹는 게 줄고, 안 움직이고! 이거는!

"……아픈 건가!"

홍의 표정이 덩달아 심각해졌다. 고양이의 귀가 바짝 섰다.

"아프면 안 되는데!"

라온과 홍의 눈에 비친 케일은 한 달 사이에 안색도 창백해진 것 같았다. 물론 케일은 여름이라 얼굴이 타는 다른 이들과 달리, 햇볕을 안 쬐어서 상대적으로 그렇게 보일 뿐이었다.

"……그건 아닌 것 같은데."

오로지 은빛 고양이 온만 고개를 절레절레 가로저으며 동생들의 토론을 흘려들었다. 그녀가 보기에 케일은 그저 만사를 귀찮아할 뿐인 것 같았다.

"아니다! 얼마 전에 마법사 로잘린이 준 책을 읽었다!"

대륙의 모든 언어를 통달한 라온은 이제 로잘린이 가져다주는 동화책을 보는 중이었다.

"매일 잠만 자는 저주에 빠진 왕자 이야기도 있었다!"

"세상에!"

홍이 경악했다. 라온이 다급하게 이어 말했다. 물론 자는 케일을 생각해 목소리는 크지 않았다.

"그래서 내가 어제 저주와 독에 걸렸는지 확인해 보았다. 다행히 아니었다. 그렇다면 병일 확률이 높다."

세상에. 온은 그걸 실제로 조사한 라온에게 감탄했다. 그러거나 말거나 라온은 말을 이었다.

"그리고 어둠의 숲에, 해리스 마을에 온 이후로 더 저런다. 이건 어둠의 숲이 미치는 어떠한 설명할 수 없는 작용일 수도 있다."

현재 케일 일행은 해리스 마을에 와 있었다. 물론 케일은 백작을 비롯해 가문과 영지 관리들 눈치를 덜 봐도 되는 해리스 마을에 도착해서야 본격적으로 백수 라이프를 즐기는 중이었다.

해리스 마을에도 케일 일행 외의 사람들이 있었다. 하지만 그들은 대부분 묘지 조성과 망가진 건물을 치우고 난 후 간단하게 복구 마무리 작업을 하는 기술자들이었다. 그들과 집 안에만 있는 케일이 마주할 일은 거의 없었다.

현재 케일이 머무는 집은 저번 어둠의 숲에 왔을 때부터 짓고 있던 작은 2층 저택이었다.

'아버지. 해리스 마을 건은 제가 말한 것이니, 직접 그 과정을 보고 싶습니다.'

'……케일, 아직 네가 말한 별장은 멀었다만.'

'기술자들이 지내는 집들은 많지 않습니까. 그중 2층 저택 하나면 됩니다. 그리고 론의 요양도 최대한 시골에서 조용히 하는 게 좋을 것 같습니다.'

'그래, 네 마음 이해한다.'

데르트 백작에게 허락을 구하고 신이 나서 해리스 마을로 날아온 케일이었다. 이를 전혀 모르는 검은 용 라온은 고민했다.

똑똑똑.

그때, 누군가 케일이 있는 2층 방의 문을 두드렸다.

"공자님!"

부집사 한스의 목소리였다. 그 목소리에 온과 홍, 고양이들이 기지개를 켰다. 검은 용은 날개를 쫙 폈다가 접었다.

달칵.

"어휴."

한스의 한숨과 함께 문이 열렸다. 그러다가 부집사는 흠칫했다.

"반갑다, 한스."

"반가운데, 부집사."

"부집사, 배고픈데."

검은 용, 고양이 홍, 온이 차례대로 내뱉는 말을 듣는 한스의 얼굴이 구겨져 갔다. 그의 볼이 씰룩거렸고 콧구멍이 벌렁거렸다.

"……심장이 멈출 것 같습니다."

한스는 제 상의를 부여잡으며 고통을 호소했다. 그는 저번 호이크 마을에서 온과 홍의 정체를 알아챈 후, 해리스 마을에 도착해 라온의 정체까지 알게 되었다. 두 번의 일로 그 당시엔 충격을 받은 듯싶었지만, 이내 빠르게 극복했다.

"하아."

설핏 잠이 들었다가 깨어난 케일은 이 광경을 보며 눈뜨자마자 한숨을 내쉬었다.

한스는 그런 케일을 보며 울 것 같은 얼굴로 외쳤다.

"이렇게 사랑스럽고 은혜로운 분들이 존재하다니! 공자님을 모시길 잘한 것 같습니다!"

뭔 소리야. 케일은 가벼이 그 헛소리를 무시했다.

한스는 케일보다 저 평균 7세 아이들을 더 지극정성으로 돌봤다. 매 끼니마다 케일의 방을 찾는 것도 케일 때문이 아니라 저 아이들 때문인 것 같았다.

"부집사! 밥이 뭔가?"

"아이구, 라온 님. 라온 님이 좋아하시는 부드러운 소고기 스테이크에 로잘린 님과 비크로스가 합심하여 제작한 달콤한 바닐라 아이스크림입니다."

오.

평균 7세들의 눈이 동그래졌다. 애들이 좋아하는 것들이었다. 케일은 그 광경을 보며 슬슬 의자에서 몸을 일으켰다.

"윽."

케일의 입에서 신음이 흘러나왔다.

'스트레칭이라도 할 걸 그랬나?'

너무 흔들의자에만 있었더니, 그건 그것대로 몸이 찌뿌둥했다. 하지만 케일은 이 정도 불편함은 백수 라이프를 위해 감수할 수 있었다. 그는 심각한 라온과 홍을 별생각 없이 쳐다보다가 한스에게 말했다.

"다들 왔나?"

"네. 오늘은 일찍 훈련이 끝났나 봅니다."

케일은 그 말에 고개를 끄덕이며 1층으로 내려갔다.

1층 한쪽에 위치한 식당. 그곳에는 기다란 식탁이 존재했다.

"도련님."

"론, 이제는 아주 말짱해 보이는데?"

"그렇죠. 여기 레모네이드입니다."

케일은 자신의 자리에 다시금 놓인 레모네이드를 보며 묘한 표정을 지었다. 론은 오른팔로도 충분히 잘 적응했다. 케일은 익숙해졌다가 잠깐 잊어버리고 있던 레모네이드를 들이켰다.

탕!

그때, 거친 소리와 함께 접시가 식탁 위에 놓였다. 비크로스는 살벌한 눈빛으로 입을 열었다.

"좀 씻고 오지?"

케일은 흠칫했다가 이내 샤워를 했음을 깨닫고 제일 상석에 앉은 채로 식탁을 둘러봤다.

'좀 심각하기는 하네.'

라크를 포함한 늑대족 아이들 11명. 부단장 힐스만. 이 12명의 꼴이 좋지 못했다. 죄다 꼬질꼬질하고 땀에 절어 있었다.

"하하, 주방장. 이해 좀 해주게! 훈련하고 와 힘이 없어서 뭐부터 먹어야 할 것 같아 그래."

힐스만이 호탕한 목소리로 변명을 하고는 케일을 쳐다봤다. 그 시선에 케일은 고개를 끄덕였다.

"나 신경 쓰지 말고, 먹어."

그 말이 나오자마자, 힐스만과 늑대족 아이들이 식사를 시작했다. 최한이 이를 흐뭇하게 바라보고 있었다. 그 모습에 케일은 늘 궁금하던 것을 물었다.

"무리하지 말라고 한 말 기억하지?"

늑대족 아이들과 힐스만은 현재 어둠의 숲으로 매일 들어가 훈련 중이었다. 그들은 케일의 말에 흠칫하며 최한을 바라봤다. 부단장은 특유의 우아한 자세였지만, 그가 잡고 있던 포크 끝이 떨리고 있었다.

"네. 무리하지 않고, 차근차근 하고 있습니다."

최한이 부드러이 답했다. 선한 미소까지 덧대어 있으니 케일은 그 말에 절로 수긍하게 되었다. 그리고 더 이상 훈련이 어떨지 알고 싶지 않았다. 늑대족 아이들이 최한을 지옥의 훈련 조교 보듯 바라봤지만, 매일 아침이면 자발적으로 최한을 찾아가곤 했기 때문이다.

'사실 이제는 아이들보다는—'

기사단. 아니, 그보다는 최전방 공격대의 느낌이었다.

케일은 레모네이드를 들이켜며 쓸데없는 생각을 머릿속에서 지워 내 버렸다.

"케일 공자, 그러면 여기서 겨울까지 보내는 건가요?"

케일은 로잘린의 물음에 고개를 끄덕였다.

"아마도요. 봄이 되면 영지로 돌아갈까 합니다. 혹시 연구 때문에 필요한 일이 있으시면 자유로이 다니세요. 필요한 재료도 말씀해 주시고."

"네. 고마워요, 공자."

"별말씀을."

로잘린은 2층 저택 아래 새로이 만든 지하실에서 마법 연구와 실험을 진행 중이었다. 차후 차기 마탑주가 될 미래를 지닌 그녀였기에 케일은 최대한 지원했다.

'나중에 부탁할 사람이 많으면 많을수록 좋지.'

인맥발은 위대한 법이었다.

케일은 식사를 다 마치고 방에 들어오자마자 다시 흔들의자에 눕 듯이 앉았다.

"하아."

기쁨이 담긴 한숨이 흘러나왔다. 지는 저녁노을을 보며 케일은 이렇게 70년은 살고 싶었다. 이를 지켜보던 라온과 홍이 수군거렸다.

"엄청 심심해서 내는 한숨인가?"

"그런 것 같은데. 여행 다니고 싶은 것 같은데."

온은 고개를 가로젓다가 방구석에 놓인 물건이 반짝이는 것을 보고 입을 열었다.

"영상통신구가 반짝이는데!"

음?

케일은 의아했다.

'영상통신구? 영지인가?'

온의 목소리가 이어 들려왔다.

"빨간색인데!"

케일의 얼굴이 일그러졌다. 귀찮은 일이 발생할 확률이 매우 높은 상대의 연락일 경우, 빨간색으로 설정해 둔 케일이었다. 그리고 그 설정 대상은 단 하나였다.

알베르 크로스만. 왕세자였다.

"오! 왕세자다! 빨리 영상통신 연결해 주겠다!"

라온이 갑자기 아주 활발해져서 영상통신구 쪽으로 날아갔다.

'굳이 저러지 않아도 되는데.'

케일은 갑자기 바삐 움직이는 라온의 모습에 한숨을 내쉬며, 창쪽 방향으로 놓여 있던 흔들의자를 영상통신구 쪽으로 돌렸다.

"연결한다."

라온의 말이 끝나고, 곧 영상통신구에 푸른빛이 감돌았다. 그리고 영상통신구 위로 작은 화면이 떠오르더니, 곧 그 속에 왕세자의 얼굴이 나타났다.

왕세자 알베르는 화사한 미소를 짓고 있었다.

-우리 왕국의 보물인 케일 공자.

왜 이래?

-오늘 하루 잘 보냈는가?

"왜 이러십니까?"

-왜 이러긴, 우리 사이에.

우리 사이가 뭔데. 케일은 비로소 자신이 '왕국의 별이신 왕세자 저하'를 읊었을 때 왕세자 알베르의 마음이 이해되었다.

"뭐, 그럭저럭 좋은 사이이기는 하지요?"

내뱉는 말과 달리 케일의 표정은 여실히 떨떠름한 감정을 드러냈다. 하지만 알베르는 여전히 상냥한 미소를 짓고 있었다.

-그렇지. 그렇게 좋은 사이이니 말이야.

이상하다. 케일은 알 수 없는 불안감이 밀려왔다. 그동안 매일 비슷하게 반복되던, 자고 먹고의 반복이었던 행복한 한 달이 한 편의 영화처럼 스쳐 지나갔다.

……아니겠지?

−내 부탁 좀 하나 들어줬으면 한다만.

"힘듭니다. 저 지금 아주 힘든 상태입니다."

당연히 알베르는 그 턱도 없는 거짓말을 흘려들었다. 그는 제 할 말을 했다.

−안 그러면 나는 왕세자 위에서 폐위되고 죽게 되겠지.

케일이 멈칫했다.

결말이 조금, 상당히 극단적이었다.

왕세자는 착실히 마법사들을 끌어들이고 스스로 강해지는 중이었다. 로운 왕국을 지킬 좋은 인재가 성장 중인 셈이었다. 그리고 안전한 왕국과 자신의 스위트홈을 위해 그를 돕고 있던 케일이었다.

케일은 왕세자의 얼굴을 관찰했다. 그제야 환한 미소와 달리 걱정 가득한 눈빛을 볼 수 있었다. 케일에게 정체를 들켰을 때도 이런 눈빛이 아니었다. 케일은 흔들의자에 기대고 있던 등을 떼며 자세를 바로 했다.

"일단 들어보죠. 뭡니까?"

케일은 뒤통수가 서늘해져 왔다. 오랜만에 느끼는 사건 사고의 기운이었다.

영상통신구 시야 범위 밖으로 검은 용 라온과 붉은 고양이 홍이 옹기종기 붙어 반짝이는 눈으로 두 사람을 바라보고 있었다.

왕세자의 입이 열렸다.

−다크엘프.

역시.

역시 저 단어가 나올 줄 알았다.

케일은 눈을 감았다. 눈을 감자, 백수 라이프가 안녕 손을 흔들며 멀어져 갔다.

다크엘프 쿼터인 왕세자 알베르는 말을 이었다.

-다크엘프 마을에 가줄 수 있겠나?

케일은 감은 눈을 뜨지 않았다. 하지만 알베르는 그에 대해 타박하지 않았다. 그냥 다크엘프를 만나는 것도 아니고 다크엘프의 마을에 가야 했으니까.

-그 마을에서 받아 올 물건이 있네. 나와 나를 돕는 다크엘프들이 지금 하는 일이 있어서 당장은 움직이는 게 힘들어.

알베르는 죽은 마나를 이용해 강해지는 중이었다. 그리고 그를 돕는 다크엘프들은 현재 변장을 한 채로 음지에서 활동 중이었다.

-그리고 인간이 한 명은 가야 돼.

다크엘프 마을에서 받아와야 할 물건은 자격이 있는 기술자가 만든 물건이지만 우습게도 일회용이었다. 따라서 다른 다크엘프 피가 섞인 이의 손을 타면 물건이 바로 작동되기 때문에, 어둠 속성 외의 다른 종족, 혹은 동물만이 운반 가능했다.

케일은 천천히 눈을 떴다. 그는 다시 흔들의자에 몸을 기댔다.

"무슨 물건인데요?"

아주 삐딱하다 못해 국왕이 봤으면 오만방자하다고 할 만한 자세였다. 하지만 알베르는 얼굴을 구길 뿐 욕도 하지 못했다.

-하, 내 옆엔 왜 이런 자식만.

"뭐라고요?"

-왜 내 옆에는 이런 멋진 자식만 있나 생각했다네.

알베르 왕세자는 제 말이 웃긴지 허탈한 웃음을 흘렸다. 어째 점점 갈수록 케일에겐 다크엘프들과 함께할 때의 자신이 튀어나왔다.

'약점이 잡혔는데.'

역설적이게도 그래서 믿을 만한 이가 케일 헤니투스뿐이었다. 케일은 적어도 두 달이 다 되어가는 기간 동안 비밀을 지켰다.

"그런데 지금 운신이 힘드시면 다음에 수하를 시켜서 받아 오면 되는 일 아닙니까?"

케일은 그리 말하면서도 알베르를 돕는 다크엘프 무리가 있음을 기억해 두었다.

-그러고 싶지.

알베르의 입에서 얕은 한숨이 흘러나왔다. 지금 그는 영상통신도 왕궁 소속 마법사가 아닌 다크엘프 마법사를 통해 비밀리에 하고 있는 중이었다.

-제국에 갈 일이 생겼어.

제국? 로운 왕국의 왕세자가?

케일과 알베르의 시선이 부딪쳤다.

-황태자와 태양신 쌍둥이가 주관하는 축제 개막식에 초대를 받았어.

축제?

'영웅의 탄생' 5권까지 등장하지 않았던 사건이었다. 케일이 모르는 일이었다. 하지만 케일은 알베르의 상황을 단박에 이해했다.

태양신의 쌍둥이. 이란성 쌍둥이로, 그들은 각자 태양신의 현신이라 불리는 성녀와 성자였다. 판타지 세상에서 꼭 빠지지 않고 등장하는 그 성녀와 그 성자였다.

"음."

케일은 순간 말문이 막혔다.

그거 아는가?

성녀와 성자. 세상을 아름답게 만들 것 같고, 한없이 착할 것만 같은, 희생의 상징처럼 여겨지는 그들은 이 '영웅의 탄생'에선 조금 특이했다. 그들은 선하고 악함의 기준이 자신이 대표하는 신의 기준에 의거했다.

─아무래도 태양신 교단은 다크엘프와 상극이니까. 내가 쿼터라도 들킬 확률이 높을 것 같아. 그러면, 음.

"끔찍한 상황이 벌어지겠군요."

─그렇지.

서대륙에서 지탄하는, 혐오하는 종족인 다크엘프. 그 종족의 피를 이어받은 왕세자. 이 사실이 밝혀지면 알베르는 왕세자 위에서 폐위당할 것이다. 더 나아가 그가 죽을지도 모를 일이었다. 케일은 알베르가 한 말이 비로소 이해되었다.

─그 쌍둥이는 나를 죽이려고 들겠지.

케일은 그 말에 반박하지 못했다.

태양신. 태양은 빛의 상징으로서 어둠의 속성을 싫어했다. 자신이 없는 어둠에서 활개를 치는 존재들이기 때문이다. 그리고 태양신은 싫어하는 존재들을 태워버리는 것을, 죽이는 것을 목표로 한다.

그런 태양신의 특성을 이어받은 쌍둥이는 왕세자 알베르의 정체를 아는 순간, 앞뒤 안 가리고 죽이려고 들 것이다. 그들에겐 그것이 정의였다.

'감이 안 좋은데.'

다크엘프라는 단어를 들었을 때 뒤통수가 서늘하던 것과 차원이 다른, 온몸에 서늘함이 휘감겼다. 케일은 저도 모르게 입을 열었다.

"잘 다녀오세요."

알베르는 여유로이 웃음을 터뜨렸다.

-안 그래도 자네 빼고 제국에 다녀올 생각이야.

"그런데 왜 황태자는 갑자기 그런 축제를 열고, 오라고 하는 겁니까? 분명 다른 왕국에도 연락을 했을 것 아닙니까?"

-미쳤는가 보지.

알베르가 툭 내뱉는 말에 케일은 순간 말문이 막혔다.

"……이제 제 앞에서 너무 막말을 하시는 것 아닙니까?"

왕세자는 어깨를 으쓱이며 말을 이었다.

-나도 이상하게 생각해. 내가 알고 있는 정보로, 현 황제와 황태자는 종교를 밀어내려고 했는데 말이야.

그렇다.

케일이 감이 안 좋았던 이유는 황태자가 종교를 싫어하기 때문이었다. 컨트롤 타워가 되길 원하는 황태자는 연금술을 앞세워 힘을 키웠다. 그런 그가 컨트롤이 되지 않는 종교를 좋아할 리가 있겠는가?

태양신 교단도 현 황제와 황태자가 자신들을 밀어내려 하고 있음을 인지하고 있었다.

-그런 황태자가 갑자기 태양신이 제국의 주 종교가 된 지 150년 된 날을 축하한다? 그게 말이 된다고 생각하나?

"아뇨."

-더 웃긴 게 뭔 줄 알아?

"뭡니까?"

-연금술 종탑이 생긴 지 500년이 되었다고, 그 해를 축하하는 행사도 함께 한다는군.

허. 케일의 입에서 탄식이 흘러나왔다.

"태양신 교단은 연금술 행사를 같이해도 된다고 합니까?"

─된다고 하니 대륙 각국에 연락을 했겠지?

케일과 알베르의 시선이 부딪쳤다.

"수상합니다."

─수상하지.

왕세자의 입꼬리가 올라갔다.

─왠지 그 행사 때 뭔가 터질 것 같지 않아?

터질 것 같았다. 아니면 알 수 없는 꿍꿍이가 있을 것 같았다.

"모르겠습니다."

그러나 케일은 발뺌했다.

판타지 세상에서 주로 등장하는 테마 중 종교가 있었다. 케일은 종교에 관심이 없었고, 별생각도 없었다.

'다만 엮이고 싶지 않고, 귀찮은 건 싫지.'

이리저리 휘둘리는 상황만 생기지 않으면 되었다. 케일의 시선이 영상통신구 범위 밖으로 향했다. 라온이 왜 쳐다보냐는 듯 고개를 갸웃거렸다.

'종교든 뭐든, 휘두르려고 하면. 아니, 휘둘리는 상황이 불가능하겠네.'

라온과 최한, 로잘린만 데리고 다니면 휘둘릴 일은 없을 것이다. 정 안 되면 바다 위에서 했듯 다 때려 부수면 되니까. 전보다 담이 조금 더 커진 케일이었다.

─모르긴.

하지만 그런 모른 척이 왕세자에게는 씨알도 먹히지 않았다.

─어쨌든 부탁하네. 내가 상응하는 보상은 꼭 내리도록 하지.

케일은 알베르의 진지한 부탁에 곧바로 입을 열지 않았다. 알베르성정상 제국에 2, 3왕자를 보낼 수 없는 상황이라 자신이 가기로 한것일 터. 케일은 한참 만에 입을 열었다.

"왕국민들 마음속 별이신 저하."

알베르는 그 말에 한숨을 속으로 삼켰다. 저러는 걸로 봐서 케일은 거절하려는 것이리라. 하지만 이어진 말에 알베르의 한쪽 입꼬리가 위로 올라갔다.

"어딥니까?"

케일은 아무리 생각해도 지금 왕세자 옆에 있는 이들 중 음지에서왕세자를 돕는 수하 외에, 그나마 딴짓을 안 할 것이라 생각되는 인간이 자신뿐이었다.

별수 있나.

왕세자가 죽게 둘 수도 없는 노릇이었다. 왕세자 알베르는 작게웃음을 흘리더니 입을 열었다.

－서부. 대륙의 서부로 가줘야겠어.

그 순간 케일의 머릿속에 떠오른 장소가 있었다.

5대 불가사의 중 하나.

"죽음의 땅에 다크엘프들이 삽니까?"

－자넨, 꽤 영리해.

죽음의 땅. 그곳은 '죽음의 협곡'과 이름이 비슷했지만 자연적으로 생긴 다른 불가사의 장소와 조금 달랐다.

죽음의 땅은 역사의 결과였다.

과거 최후의 네크로맨서가 수많은 시체를 이끌고, 최후의 결전을벌였던 장소. 그곳은 사막이었다. 낮에는 피를 닮은 새빨간 모래로,

밤에는 밤을 닮은 새까만 모래로. 매일 새로운 모래 산을 쌓는 곳.

─그곳에 가면 다크엘프 마을이 있어. 도시지. 그 도시의 수장에게서 물건을 받아 오면 돼.

"음, 저하."

사막인 죽음의 땅은 몹시 덥다고 들었다. 다 말라비틀어진다고 했다. 그리고 지금은 여름이다.

─왜 그러나?

사뭇 다정한 목소리가 알베르의 입에서 흘러나왔다. 가식도 연기도 아닌, 조금의 진심이 담긴 목소리였다. 그런 그에게 케일은 조심스레 물었다.

"안 가면 안 될까요?"

잠깐 정적이 내려앉았다.

케일은 이내 고개를 끄덕였다.

"가야죠. 간다고 했으니."

─음. 길잡이를 한 명 붙여주겠네. 아무래도 사막이라, 길을 아는 자와 함께 가야 돼.

길잡이. 다크엘프 마을로 가는 길을 아는 이라면 뻔했다.

─내 어머니의 자매분이 계신다. 이모님이지. 현재 다크엘프 중에서 이모님만이 여유가 되어 함께 이동하는 게 가능해.

알베르는 덧붙였다.

─한 분이지만, 현재 내 밑의 다크엘프들을 통솔하는 분이야. 실력은 믿어도 되네.

케일은 심각한 얼굴로 고개를 끄덕였다. 그 모습이 어찌나 진중한지 알베르는 미안한 마음이 솟아올랐다.

"저하."

-그래, 케일 공자.

"경비는 저하께 청구하면 되죠? 마법 얼음 좀 많이 사도 될까요? 더운 건 딱 질색인데. 그리고 보상은 또 제가 정해서 합니다? 이번에는 돈으로 할게요."

여러 물음이 한꺼번에 쏟아졌다. 알베르는 가만히 케일을 바라보다가 답했다.

-그래. 다 네 맘대로 해라.

케일은 씩 웃으며 답했다.

"아시겠지만. 전 임무 달성률이 120%이고 보상은 그 이상으로 바랍니다."

-알아. 그러니 내키는 대로 하라는 것이지.

"네. 걱정 마십시오."

-그래. 믿지.

케일과 알베르는 몇 가지 더 이야기를 나눈 후, 영상통신을 종료했다. 영상통신구의 빛이 사라졌고 그제야 라온과 홍이 케일에게 다가왔다.

"인간, 우리 또 여행 가나?"

"사막은 엄청 더운 곳인데! 쓰러지면 안 되는데!"

홍의 말에 라온이 심각한 표정으로 케일을 위아래로 훑어보았다. 그러거나 말거나 케일은 라온에게 영상통신구를 가리키며 말했다.

"영상통신 다시 연결해."

"다시?"

"그래. 다른 곳으로."

"어디?"

검은 용 라온은 제 물음에 미소를 띠는 케일을 볼 수 있었다.

태양신 교단보다 강한 교단이 하나 있었다. 상극, 이런 것을 떠나 명백하게 강한 교단이었다.

달? 어둠?

아니다.

영원한 어둠.

인간이 태양을 볼 수 없게 만드는 존재.

죽음.

죽음은 태양보다 강했다.

"스텐 영지에 영상통신 좀 넣어."

이 사실은 왕세자도 알고 있었을 것이다. 하지만 그는 죽음의 신 교단에 차마 말을 꺼낼 수 없었다. 일단 교단을 믿을 수 없었고, 정체를 들킬 만한 상황 자체를 만들면 안 되니까.

하지만 케일은 교단도 이제는 평범한 사람이라고 생각하고 세상 사람 대부분이 모르는, 그러나 죽음의 신이 여전히 아끼는 신관을 알고 있었다. 현재 죽음의 신 교단에는 성자도, 성녀도 없었다. 왜 그럴까?

-케일 공자?

"오랜만입니다, 케이지 씨."

미친 신관 케이지.

"요즘 널널합니까?"

케이지는 케일의 물음에 잠시 그를 응시했다. 그녀는 고개를 절레절레 가로저었다.

-왠지 오늘 꿈자리가 뒤숭숭하더라고요. 꿈 내용도 기억이 안 나는데 어찌나 찜찜하던지. 이제 테일러는 제가 없어도 곧 후계자가 될 거예요.

케일도 소식을 들었다.

스텐 후작가의 장남 테일러. 버려졌던 그는 정식 후계자로 곧 공표될 예정이었다.

-그래서 전 널널합니다.

미친 신관. 그녀는 살짝 미소를 띠며 케일에게 물었다.

-제가 뭘 하면 되죠?

역시 말이 통했다. 케일은 당연하다는 듯 바로 답했다.

"죽음의 땅에 가야 합니다."

-준비하죠.

죽음의 땅. 그곳에 간다고 말했음에도 케이지는 조금의 망설임도 보이지 않았다. 역시 친우를 위해 목숨을 내놓고 싸우던 그녀다웠다. 죽음의 신이 파문되었음에도 왜 그녀에게 여전히 힘을 나눠주는지 짐작이 갔다. 그녀는 죽음 이상의 것을 추구했다.

-은혜는 갚아야 하니까요.

케일은 그 말에 미소로 답했다.

"곧 보죠, 케이지 씨."

미소와 함께 영상통신은 끝이 났다. 케일은 자리에서 일어섰다.

"인간, 그래! 움직여야 건강해진다!"

"……뭔 소리야."

케일은 별 시답잖은 소리를 하는 라온을 지나쳐 문을 열었다. 복도에 부집사 한스가 후식용 과일을 든 채 이곳으로 걸어오고 있었다.

"한스."

"네."

"늑대들 빼고 다 모이라고 해."

"론 씨와 주방장도요?"

네크로맨서가 역사 속으로 사라졌던 그 땅. 케일은 그 죽음의 땅에 다크엘프 마을이 있는지 몰랐다.

왠지 모를 촉이 왔다. 물론 50%밖에 되지 않는 촉이었다. 하지만 준비는 하는 게 좋지 않겠는가?

"그래. 떠날 것이니, 다 오라고 해."

이틀 뒤, 한 달 만에 마차를 탄 케일은 헤니투스 영지 밖으로 향했다. 두 대의 마차 바퀴는 수도 쪽을 향하고 있었다.

수도에 도착한 케일의 마차는 수도에 들어가지 않고 수도와 가장 가까운 마을에 머물러 있었다.

"죽음의 땅에, 다크엘프라."

"어떻습니까?"

케일의 물음에 미친 신관 케이지는 그를 바라봤다. 덥다며 부채를 펄럭이는 그는 아주 편해 보였다. 누가 본다면 티타임이라도 나온 줄 알았을 것이다.

"뭐, 어떻긴요. 당연히 가야죠."

그녀도 피차일반이었다.

'꿈 내용이 기억나지 않아서 뭔 큰일인가 했네.'

케일 공자에게 들은 내용은 그다지 큰일이 아니었다.

"케일 공자가 다크엘프에게서 받는 물건에 제가 축복을 내려주면 되는 건가요?"

"네. 수도에 도착할 때까지 하루에 한 번씩, 계속 죽음의 신 축복을 그 물건에 내려줬으면 합니다."

다크엘프. 죽음의 신의 축복. 두 가지로 케이지는 머릿속이 복잡했다.

다크엘프는 태양신에게 약했고, 죽음의 신은 태양신에 명백히 강했다. 물론 신도 수는 태양신이 월등히 많았지만 신격은 신도 수와 비례하지 않았다.

"공자님."

"네."

"누가 태양신 신관을 죽이러 가나요?"

"저라는 생각은 안 하나 봅니다?"

"케일 공자가 태양신 신관과 싸울 일이 없잖아요? 태양신 교단이 좋아할 분이신데. 부자에, 고대의 힘을 지니시고. 또 무엇보다 선하시잖아요?"

케일은 그녀의 말에 따로 반박하지 않았다. 선하다는 것만 빼면, 태양신 교리로 봤을 때 케일은 그들이 좋아할 인간상이었다.

그때 문을 두드리는 소리가 들렸다. 케일은 소박한 여관 방문을 두드리며 들려오는 목소리에 자리에서 일어섰다.

"갑시다! 얼른, 얼른 가자고!"

허스키하고 호탕한 목소리였다.

"케이지 씨, 소개할 사람이 있습니다."

케일은 걸음을 옮겨 문 앞으로 갔다. 그는 문고리를 잡아 돌렸다.

"오! 손님이 계셨네요?"

케일만큼의 키에, 로브를 입었음에도 날렵한 체격이 느껴지는 여자였다. 이틀 전 케일과 합류한 이였다. 케일은 케이지를 가리키며 여인에게 소개했다.

"손님이 아니라 일행이죠."

"아, 그래?"

케이지는 케일에게 존댓말과 반말을 섞어 쓰는 여인을 응시했다. 여인은 케일에게 물었다.

"다 말했죠?"

"그럼. 어디로 가는지, 무엇을 가져오는지 말했지."

여인은 그 말에 씩 웃어 보였다. 다 말한 게 아니라, 그것만 말했다는 의미였으니까.

케일도 그녀에게 존댓말과 반말의 애매한 경계선을 구사하고 있었다.

'누구지?'

케이지가 의문을 느낀 순간, 여인은 성큼성큼 들어와 케이지에게 손을 내밀었다.

"반가워요. 나는 타샤입니다."

시원시원하게 생긴 미인이었다. 케이지는 그 손을 맞잡았다. 달칵, 케일은 문을 닫았다. 케이지의 귓가로 타샤의 얼굴이 가까이 다가왔다.

"다크엘프, 안내자죠."

두 여자의 시선이 부딪쳤다.

"지금은 피부색을 바꿨답니다."

그리 말하며 타샤는 케이지를 탐색하듯 바라봤다. 그 순간, 케이지는 미소를 띠며 그녀에게 자신을 소개했다.

"반가워요, 타샤. 저는 파문당한 죽음의 신 신관 케이지예요."

죽음의 신. 그 단어에 다크엘프 타샤는 케일을 바라봤다. 케일은 고개를 가로저어 보였다. 왕세자에 대한 이야기는 하지 않았다는 의미였다.

"새 일행이 왔으니, 환영회 어때요?"

"술 있나요?"

"모든 음료가 다 있죠."

두 여자는 태연히 대화를 주고받았다. 이를 지켜보던 케일은 이제 자신이 할 말을 했다.

"타샤, 가지."

타샤와 케일의 시선이 마주쳤다. 현재 케일 일행 중에 타샤가 다크엘프임을 모르는 이는 없었다. 하지만 그녀가 왕세자의 이모임을 아는 이는 케일과 라온, 온, 홍뿐이었다.

"수도 텔레포트 사무소를 통해서 가나요?"

케이지의 물음에 타샤는 고개를 가로저었다.

"제 변장 마법이 들킬 위험이 있어서요. 마차를 타고 가야 할 것 같습니다."

"아."

"신분증은 있거든요."

국경을 넘을 신분증은 있다며, 타샤는 케이지에게 신분증을 보여
주었다.

"이름과 나이 빼면 다 가짜죠."

케이지는 시원시원하게 다 말하는 타샤가 신기하면서도 마음에
들었다. 그녀는 타샤의 신분증을 들여다보았다.

타샤. 29세.

타샤의 웃음기 가득한 목소리가 이어졌다.

"아, 물론 나이는 뒤에 0을 하나 붙여야 하지만."

290세. 케이지는 타샤를 보며 물었다.

"언니라고 불러도 될까요?"

"역시. 마음에 드는 사람이야. 인간 중에 나이 들고 할머니 아니냐
고 하지 않은 사람은 세 번째네요. 편히 불러요, 케이지."

"네, 언니."

케일은 팔짱을 낀 채 이를 지켜봤다. 미친 신관도 지금은 차분해
서 그렇지 술 좋아하고 호탕한 성격이다. 타샤도 그래 보인다.

'⋯⋯괜찮겠지?'

그는 할 말이 다 끝났는지 서로 어깨동무를 하고 자신을 바라보는
두 여인에게 말했다.

"더우니 빨리 가죠."

케일의 귓가로 라온의 목소리가 들려왔다.

─거짓말! 약한 인간, 너는 지금 체온 유지 마법으로 시원하지 않
은가! 내가 냉동 아티팩트도 만들어줬는데!

맞다. 거짓말이다. 케일은 지금 가을 한복판에 서 있는 것 같았다.

─암튼, 나는 투명화해서 따라간다. 나는 늘 네 옆에 있다.

더워지면 마법을 부탁할 존재가 상시 대기하고 있다는 소리였다.
에어컨보다 좋았다.

"카로 왕국까지 가야겠군요."

케일은 브렉 왕국 아래, 그리고 모고르 제국 서북부에 붙어 있는
나라, 죽음의 땅을 품고 있는 카로 왕국으로 향하는 마차에 올라탔
다. 그의 품에는 왕세자가 준 새로운 황금패가 고이 모셔져 있었다.

달칵. 작은 소리와 함께 마차 문이 열렸다.

"열기가 장난 아니네?"

품이 넓은 사막용 옷 안으로 메마른 바람이 통했다. 노을이 지는
저녁임에도 아직 뜨거운 공기가 가득했다.

"도련님, 시원한 레모네이드 드릴까요?"

"됐어. 자네나 시원하게 있든가."

케일의 뒤로 론과 비크로스, 온과 홍을 품에 안은 최한이 따라 내
렸다.

"타샤."

케일의 부름에 타샤가 마부석에서 가볍게 뛰어내려 다가왔다.

현재 케일 일행은 카로 왕국의 서쪽 끝, 사막이 시작되는 경계 지
점에 위치한 두보리 영지에서도 바로 죽음의 땅과 맞닿아 있는 곳에
와 있었다.

"서쪽 성문으로 빠져나가면 바로 죽음의 땅인가?"

"그렇죠."

케일의 귓가로 신이 난 검은 용의 목소리가 들려왔다.

—사막! 책 말고 처음 본다! 인간, 역시 돌아다니면서 다 실제로 봐야 하는 것 같다! 책과 실물은 다르다!

케일은 흠칫하고는, 무시무시한 소리를 하는 라온을 최대한 모른척했다. 타샤는 흠칫하는 케일을 보며 쓴웃음과 함께 물었다.

"이상하죠?"

"그렇긴 하지."

케일은 그 말에 동의했다.

죽음의 땅. 그곳에 간 인간은 돌아오지 못했다. 그래서 네크로맨서 전설과 더불어 죽음의 땅이란 이름이 붙게 되었다.

타샤의 입꼬리가 올라갔다.

"왜 돌아오지 못하는 곳으로 성문이 나 있나? 그게 이상하죠?"

그 물음에 로잘린이 마차에서 내리며 답했다.

"확실히 이상해요."

"맞아요."

케이지도 동의했다. 타샤는 그 물음에 답하기 위해 입을 열었다. 하지만 케일은 그 전에 성벽을 가리켰다.

"굳이 왜 그러는지는 알겠는데."

케일이 가리킨 성벽. 성벽이라고 하기에도 미안한 낡고 낮은 돌벽. 그곳을 기어올라 넘으려는 이들이 있었다.

"잡아!"

"잡아서 족쳐 버리자고!"

으아아악!

영지민의 외침과 함께 병사들의 낄낄거리는 웃음소리가 들려왔다.

"……저게 뭡니까?"

최한의 물음에 타샤는 쓴웃음을 지었다. 그녀는 주위를 둘러보더니 작은 목소리로 말했다.

"두보리 영주는 세금을 아주 많이 매기죠. 사막을 근처에 둔 이 마을에서는 감당하기 힘든 세금을요. 그리고 사막 너머에는 다른 왕국과 어디든 떠날 수 있는 해안가가 존재하죠."

더 설명할 필요가 없었다. 성벽을 넘으려는 이들은 딱 보기에도 가난한 영지민들 같아 보였다. 케일의 입이 열렸다.

"도망간 이들을 잡으려고 문을 만들었군."

"그 문으로 몰래 빠져나가려는 영지민들을 잡기 위해서이기도 하죠."

죽음의 땅. 폭력과도 같은 세금을 피해 그 사막으로 도망가는 영지민들.

"물론 그 수는 많지 않아요. 하지만 꾸준히 나오고 있습니다. 두보리 가문은 이 영지를 대대로 다스리며 계속 세금을 높여왔으니까요."

좋은 영지가 있으면, 좋지 않은 영지가 더 많은 법이었다.

"성문으로 가지."

케일은 성문이라고 하기에는 규모가 작은 문으로 다가갔다. 그 문 앞에는 병사들과 기사 둘이 있었다.

"뭡니까?"

기사가 삐딱하게 케일 일행을 바라봤다. 반말을 하지 않고 존댓말을 한 이유는 그들의 외양이 부유해 보였기 때문이다. 케일은 힐끗 병사들이 있는 쪽에 시선을 두었다가 다시 기사를 바라봤다.

조금 전, 돌벽을 넘어 죽음의 땅으로 도망가려던 영지민 두 명이 병사들에게 둘러싸여 맞고 있었다.

"으윽, 사, 살려주십시오!"

"간도 큰 놈들. 저녁이라고 우리가 없을 줄 알아? 밥이라도 일찍 먹으러 갔으면 도망갔겠어?! 이 무식한 놈들!"

"자, 잘못했습니다! 기사님, 잘못했습니다! 도, 돈이 없어서, 크아악!"

퍽. 퍽. 맞고 밟히는 소리가 들려왔다.

"성문 밖으로 나가려고 한다만."

케일의 입에서 자연스럽게 흘러나온 말투에 기사는 살짝 멈칫했지만, 곧 비틀린 미소를 지었다. 케일이 그에게 카로 왕국의 금화를 하나 꺼내 내밀었다. 기사는 잽싸게 금화를 품에 넣으며 성문을 지키고 있는 병사에게 외쳤다.

"문 열어라."

기사는 눈앞에 귀족으로 보이는, 최소한 부자일 것 같은 남자를 바라보며 삐뚜름한 미소를 지어 보였다.

"잘 살아서 오십시오."

죽음의 땅으로 가는 이들을 위한 최고의 인사였다.

끼이, 끼이이- 성문이 열리는 소리가 케일의 귓가에 닿았다. 열리는 성문을 바라보는 케일에게 기사의 목소리가 들려왔다.

"부디 저 붉은 모래알을 물들이는 피가 되지 않으시길 바랍니다."

열린 성문 밖, 케일은 노을보다, 제 머리칼보다 새빨간 모래들을 볼 수 있었다. 마치 피 알갱이들이 모여 만든 산 같았다.

"그러도록 하지."

케일은 기사의 말에 답했다.

"어?"

기사는 케일이 던지는 물건을 얼떨결에 받아 쥐었다. 금화였다. 케일은 기사를 보며 말했다.

"풀어주게."

"아."

기사의 입가에 다시 비틀린 미소가 걸렸다. 원래 정상적인 기사라면 이 성문을 허가서 없이 열지 않았을 것이다. 다른 병사와 기사도 마찬가지였다. 그러나 애초에 영지 법이 중요하지 않은 이들이었다. 영주가 그러면 그 밑의 자들도 그런 법이었다.

"흐흐, 착한 도련님이시군요."

"쓸데없는 참견이지."

기사의 말에 답한 케일은 영지민 두 명이 풀려나 비틀거리며 도망가는 것을 바라보다가 성문 밖으로 걸음을 옮겼다. 그는 기사에게 한마디를 더 건넸다.

"내가 살아 돌아오면 자네에게 금화를 하나 더 주지."

"크흐흐흐, 기다리고 있겠습니다."

비웃음을 숨기는 기사의 공손한 인사를 받으며 케일은 사막으로 들어섰다.

끼이이익— 쾅!

성문이 조금의 망설임도 없이, 큰 소리와 함께 닫혔다.

"뭘 그렇게 봐?"

케일은 일행을 보며 퉁명스럽게 되물었다. 그는 특히 최한의 표정이 복잡한 것을 무시했다. 안 그래도 그는 지금 자신이 한 짓이 썩 마음에 들지 않았기에, 다른 이들의 감정까지 신경 쓰고 싶지 않았다.

"타샤, 빨리 길 안내해."

차가운 목소리에 멈칫할 법도 하건만, 타샤는 시원한 미소를 입가에 매달고 케일의 옆에 섰다.

"그럼요, 그럼요. 우리 공자님이 참 착하시네."

"착하긴. 오히려 무책임한 거지."

케일은 뭐라 더 말을 하려는 타샤에게 지시했다.

"얼른 해."

"어휴, 알겠습니다."

타샤는 케일의 앞에 섰다.

"일단 조금 걷죠."

타샤는 빠르게 앞으로 쏘아갔다. 그 모습에 케일은 발로 가볍게 모래 바닥을 찼다. 타닥. 그 소리와 함께 케일의 몸이 앞으로 빠르게 움직였다. 그 뒤를 최한이 온, 홍을 데리고 따랐다. 동시에 로잘린이 헤이스트 마법을 자신과 케이지에게 사용하며 따라갔다.

"아버지, 부축해 드릴까요?"

"쓸데없는 소릴. 이 애비의 발은 아직 건재해."

마지막으로 론과 비크로스가 움직였다. 론은 이내 최한만큼의 속도를 내며 누구보다 가뿐히 사막을 가로질렀다.

"역시 저녁에 달리기가 참 좋죠? 하하하! 최대한 성벽에서 멀어집시다!"

타샤는 호탕하게 외치며 앞으로, 끊임없이 앞으로 쏘아나갔다. 케일은 이를 보며 감탄했다. 마법도, 신체의 힘도 아니다.

'정령이군.'

자연의 순리에서 어긋났음에도 자연의 순리대로 살아가는 다크엘프. 그들은 엘프이기에 정령을 다룰 수 있었다. 그랬기에 다크엘프들은 자신들이 이치에 어긋난다 해도 자연의 생명체라 칭했다.

촤악, 촤악.

모래들이 케일 일행의 움직임을 따라 공중으로 튀어 올랐다. 케일은 모래알들이 붉은 것을 보며 신기해했다. 정말로 피 같았으니까.

케일 일행은 한참 타샤를 따라 달렸다. 노을 아래를 한참 동안 달려 성문에서 꽤 멀리 떨어졌을 때 타샤는 멈췄다. 그녀는 노을을 바라보며 일행에게 말했다.

"지금부터 이 광경을 눈에 담아보세요."

이 광경?

케일이 그 말에 의문을 가지는 순간, 노을이 완전히 하늘에서 사라졌다. 태양이 사라진 순간이었다.

"와."

냐아아옹!

냐옹!

일행의 감탄이 들려왔다.

어두워지는 하늘처럼, 노을이 사라진 저 지평선 너머부터 순식간에 모래알들이 검은색으로 변해갔다. 신비롭고 경이로운 광경이었다.

"정말 불가사의군."

검은 모래알은 반짝이고 있었다.

-나랑 같은 색이다! 역시 나를 닮아 이 사막도 아름답고 멋지다!

라온도 신나 보였다. 케일도 덩달아 자신의 감상을 전했다.

"마치 밤이 땅으로 내려온 것 같군."

"맞아요."

타샤가 씩 웃어 보였다.

"밤이 땅으로 내려왔지요. 그렇다면 땅은 어디로 내려가야 할까요?"

그때, 바람이 불어왔다. 시원한 바람이었다.

사락, 사라락. 모래알들이 바람을 따라 구르기 시작했다. 사막은 몇 번이고 모래 산을 다시 쌓았다.

"하."

케일은 타샤의 말을 이해했다. 그는 서서히 바람을 따라 움직이는 검은 모래를 보며 답했다.

"밤이 땅으로 내려왔다면."

케일의 시선이 타샤에게로 향했다.

"다크엘프는 밤보다 아래로 내려갔겠군."

"정답."

타샤는 목에 걸고 있던 목걸이를 벗어 던졌다.

"아."

로잘린의 입에서 작은 감탄이 흘러나왔다.

검은 모래알들만큼 빛나는 까만 피부. 검은 눈동자. 검은 머리칼. 마치 흑진주가 사람이 된 것 같았다. 대륙 중앙인의 피부색을 지니고 있던 타샤는 자신의 본모습으로 돌아와 외쳤다.

"지금부터 다크엘프의 도시로 안내해 드리죠."

그녀의 손에서 바람이 휘몰아쳤다. 정령이리라. 그 바람은 모래들의 이동을 더 빠르게 만들었다.

성문과 떨어져 다른 이들은 볼 수 없는 사막의 한가운데. 모래 산

하나가 움직인 자리. 땅바닥에 거대한 문이 하나 나타났다. 타샤는 그 동그란 문을 힘껏 들어 올렸다. 로잘린은 감탄하듯 읊조렸다.

"……지하."

밤이 땅으로 내려왔다면, 땅은 밤보다 더 내려가면 되었다.

"저부터 가죠. 마지막에 오시는 분이 문을 잡아당기면서 내려오시길."

타샤는 가볍게 검은 구멍 속으로 몸을 내던졌다.

"제가 마지막에 문을 닫겠습니다."

최한의 말을 들으며 케일은 살짝 뒤로 물러섰다. 구멍이 어두워 안이 아무것도 보이지 않았다.

추락사할 일은 없겠지?

-인간, 가보자!

그래, 라온이 있으니 괜찮겠지.

케일은 저를 바라보는 일행의 눈빛을 받으며 구멍 안으로 뛰어들었다.

"오."

케일의 입에서 감탄이 흘러나왔다.

미끄럼틀이었다. 케일은 등 뒤에서 묵직함이 느껴졌다. 라온이 찰싹 붙어서 미끄럼틀을 타고 있었다.

-인간, 이거 재밌다! 또 하고 싶을 것 같다!

지하로 향하는 미끄럼틀을 타고 케일은 끝없이 아래로, 아래로 내려갔다. 그리고 마침내 통로의 끝에서 불빛이 나타났다. 밝은 빛이었다.

포옥. 꽤 귀여운 소리와 함께 케일은 푹신한 솜 뭉텅이 위로 내려앉았다. 그런 그의 눈앞에 다크엘프의 도시가 나타났다.

반짝이는 빛들이 천장을 수놓았고, 거대한 기둥들이 공동의 천장을 받치고 있었다. 나무, 물. 자연이 보이는 아름다운 지하 도시가 케일을 반겼다. 그런 그에게 내밀어진 손이 있었다. 타샤였다.

"죽음의 도시에 온 걸 환영해요."

죽음의 도시. 케일은 타샤의 손을 잡으며 일어섰다.

"좋네."

그의 짧은 감상에 타샤는 미소 지었다.

포옥. 폭. 폭.

연달아 솜 더미에 일행이 파묻혔다가 벌떡 일어나고를 반복했다. 그들은 일어서며 다 같은 반응을 보였다.

"와."

냐아아옹!

"이야."

감탄이 절로 입에서 흘러나왔다. 지하 도시. 이름만 들었을 때는 어둡고 침침하다는 느낌을 주었다. 하지만 실제로 마주한 도시는 반짝이고 있었다.

닿을 수 없을 듯 아주 높은 곳에 자리한 공동 천장에는 반짝이는 빛들이 돌아다니고 있었다. 한쪽에는 시냇물이 흐르고 있었고, 그 시냇물 양옆으로 밭과 논이 있었다. 나무들도 높이 자라나 숲을 이루는 곳도 있었다.

"어떻게 이런 곳이."

마법사 로잘린은 믿을 수 없다는 표정이었다. 다크엘프에 대한 선입견은 없는 편이었지만, 처음 죽음의 땅에 숨겨진 도시가 있다고 했을 때 쉽게 수긍했다. 다크엘프는 죽은 것들이 존재하는 곳에서 힘을 얻는다고 들었으니까. 자연계 마나를 사용하는 로잘린은 태생적으로 죽은 마나가 꺼림칙했다. 그때 그녀의 귓가로 케이지의 목소리가 들려왔다.

"역시 죽음도 자연이네."

그녀는 케이지를 바라봤다. 케이지는 이 광경을 당연시 여기는 듯했다. 그리고 케일에게도 당연했다.

"정령인가?"

케일은 타샤를 바라봤다.

"자연의 힘이죠."

정령의 힘이란 소리였다.

죽은 마나로 힘을 얻지만, 다크엘프는 자연계의 존재였다. 어둠의 종족이자 엘프족. 그들은 정령을 다룰 수 있으며 죽은 마나를 사용할 수 있었다.

타샤는 멀리서 케일 일행 쪽으로 다가오는 다크엘프들에게 두 팔을 벌렸다.

"오랜만!"

시원한 미소와 함께 그녀가 가볍게 건넨 말에, 다가오던 다크엘프 세 명이 뛰어왔다.

"이 자식!"

"5년 동안 편지 한 통도 없어놓고, 뭐? 오랜만?"

두 명이 타샤를 심하게 타박했다. 다른 한 명은 케일에게 정중히 인사했다.

"반갑습니다. 일단 숙소로 먼저 안내해 드리겠습니다."

"숀, 오랜만이다!"

"따라오시면 됩니다."

숀이라는 다크엘프는 타샤가 다가가 인사를 했지만 못 들은 듯했다.

"에이, 숀. 삐졌어?"

"짐이 있으신가요? 짐이 있다면 저희가 운반하도록 하죠."

아니, 못 들은 게 아니라 무시였다. 케일은 피식 웃으며 숀의 말에 답했다.

"짐은 없습니다. 안내 부탁드리죠."

숀은 부드럽게 미소 짓는 케일을 빤히 바라보다 입을 열었다.

"……귀족이라 들었는데 말씀 편히 하셔도 됩니다."

"그래. 그러도록 하지."

거절하는 법이 없는 케일이었다.

케일은 일행과 다크엘프 세 명과 함께 다크엘프의 터전, 죽음의 도시로 들어섰다. 안으로 들어서자 조금 더 도시의 풍경을 잘 볼 수 있었다. 거대한 지하 공동에 자연이 자리해 있어서 놀라웠던 것과 또 달랐다.

"웬만한 도시들보다 발달했죠?"

타샤는 자랑스러워하는 기색으로 케일에게 물었다.

지하 도시는 상당히 문물이 발달해 있었다. 로운 왕국의 웬만한 대도시들 수준이었다. 하지만 케일은 그에 대해 답하지 않았다. 그는 도시 안의 다른 광경을 먼저 보고 있었다.

"사람도 있네."

타샤의 입가에 은은한 미소가 지어졌다.

'그랬군.'

도시 안에 들어서자 다크엘프들이 다수 있었다. 그런데 사람들도 조금씩 돌아다니고 있었다. 10명 중에 1명은 사람이었다.

5대 불가사의 중 하나. 죽음의 땅. 그곳으로 간 사람은 어느 누구도 살아서 돌아오지 못했다. 그들의 죽음으로 피같이 붉은 모래알들이 만들어졌다고 알려진 곳. 어쩌면 네크로맨서의 저주가 사람들을 죽음으로 몰고 간다는 으스스한 이야기가 존재하는 땅.

케일은 입을 열었다.

"사막으로 도망간 이들이 돌아오지 못하는 이유가 있었어."

그의 말에 곁에서 호위 겸 안내하던 다크엘프들이 미소를 지어 보였다. 타샤는 어깨를 으쓱이며 답했다.

"죽게 둘 수는 없으니까요. 우리는 도망 다녀온 역사를 지닌 다크엘프니까요."

다크엘프들은 도망 다녀봤기에, 살기 위해 이 죽음의 땅이라 불리는 곳으로 도망쳐 온 사람들의 마음을 이해했다. 죽을 것을 알면서도 도망쳐야 했던 간절함. 다크엘프는 이를 알고 있었다. 케일은 진심으로 감탄했다.

"대단하군."

대단한 일이었다.

딱히 인간에게 피해를 주지 않았음에도, 다크엘프는 그들이 살아가는 장소가 죽음과 연관되어 있어 인간에게 지탄받으며 도망치던 종족이었다. 그러나 그들은 인간을 포용할 줄 알았다.

확실히 다크엘프는 인간과 섞이기 싫어하는 엘프와 달랐다. 그럼에도 이런 점을 보면 그들은 엘프다웠다. 자연이, 정령이 그들을 버리지 않는 것은 이유가 있었다.

"자연이 다크엘프를 사랑하는 이유를 알겠어."

자연친화적인 엘프와 다른 의미로, 자연은 제 품에 다크엘프의 자리를 내어주었다. 케일은 지하 공동에서 보이는 인간들의 표정이 밝은 것을 놓치지 않았다.

"뭐, 이것도 모두 이 땅의 특성 덕이죠."

케일은 숀이라는 다크엘프를 바라봤다. 그는 살짝 안경을 올리며 말을 이었다. 그의 시선이 잠깐 마법사 로잘린에게 닿았다가 떨어졌다.

"이곳은 죽음의 땅입니다. 저희도 그 이유를 알 수는 없지만 이 사막에는 죽음의 기운이 자리하고 있습니다. 그리고 일 년에 한두 번, 저 사막 모래들 사이로 소량의 죽은 마나가 피어오릅니다."

케일은 미친 신관 케이지에게 눈짓했다. 그녀는 케일에게 고개를 끄덕여 보였다.

"이 사막에는 죽음의 기운이 가득해요. 하지만 악하지는 않아요. 다만 자연의 순리대로 떠나야 할 죽음의 기운이 머물러 있을 뿐이에요."

"죽음의 신 신관님이신가 봅니다."

"파문당했어요."

숀은 말을 걸었다가 해맑은 케이지의 대답에 멈칫했다. 반면 케일은 그녀의 말에 고개를 끄덕이며 자신의 감상을 내뱉었다.

"어쩌면 죽음의 신이 내려준 땅일지도 모르겠네. 죽은 마나가 필요한 어둠의 종족이라고 해서 꼭 악한 이만 있는 것은 아닐 테니까."

케일은 저를 바라보는 다크엘프들에게 말을 이었다.

"인간 중에도 미친놈이나 악한 놈이 많거든. 비슷하지 않겠어?"

"맞습니다, 도련님."

론이 동의했다. 숀은 이를 힐끗 보았다가 인자한 척하는 론의 미소에 어색한 미소를 그려 보였다. 타샤는 그들을 모두 바라보다가 아름다운 결론을 내었다.

"여하튼, 살기 좋은 도시죠."

정답이었다.

케일 일행은 얼마 지나지 않아 숙소에 도착했다. 꽤 좋은 여관이었다.

"여기에 손님이 머무는 건 처음입니다."

"그래?"

숀은 고개를 끄덕였다.

"다른 다크엘프 마을을 찾는다면, 그들과의 교류 혹은 이주를 위해 만든 손님 전용 여관인데, 다른 다크엘프 마을을 못 찾은 상태거든요. 그리고 여기로 오는 사람들은 여관에 머물 상태가 아닌지라."

"어떤 상태인데요?"

최한이 무심코 내뱉은 물음에 숀은 담담히 답했다.

"영양실조 상태나 탈수 상태, 혹은 다크엘프와 죽음의 땅을 마주한 공포 상태가 대부분입니다. 그래서 바로 병동으로 옮기죠."

숀은 여관 주인에게 다가갔다.

"첫 손님 오셨다."

"오, 형님. 드디어 손님분을 모셔보네요."

여관 주인은 인간이었다. 70대 정도 되어 보이는 백발의 노인은 박수까지 치며 케일 일행을 반겼다.

"아이고, 반갑습니다, 손님. 제가 이래 봬도 이 마을에서 가장 오래 산 인간입니다. 제가 이곳 지리를 다크엘프 형님들만큼 잘 알지요!"

타샤가 일행에게 속삭였다.

"참고로 숀은 저와 동갑입니다."

케일은 여관 주인과 악수를 나누었다.

"머무는 동안 잘 부탁하네, 주인장."

"암요. 생명의 도시에 온 걸 환영합니다."

"생명의 도시?"

의아해하는 케일에게 노인은 밝게 웃으며 답했다.

"네. 저희는 그리 부릅니다."

"그 이름이 더 어울리네."

케일은 짧게 답하며 숀에게 물었다.

"숙소를 알았으니 바로 시장을 봤으면 하는데."

"안 그래도 기다리십니다."

시장은 3층짜리 건물에 머물고 있었다.

타샤와 숀, 둘만이 그곳으로 케일과 최한을 안내했다. 나머지 일행은 숙소에서 기다리기로 했다. 물론 투명화한 라온이 따라오고 있었다.

"이 도시의 행정을 담당하는 관리들이 일하는 건물입니다."

다크엘프는 확실히 관료도 관직도 없이 자연 속에서 도사들처럼 살아가는 엘프와는 달랐다. 인간과 상당히 비슷하게 살아가는 다크엘프들이었다.

건물 안으로 들어서자 관리들이 여기저기 돌아다니고 있었다. 관리로 일하는 이들 중에서 다크엘프와 함께 인간들도 몇 보였다. 그들 대부분은 젊었다.

타샤는 케일의 시선이 닿는 곳을 눈치챘다.

"여기에 온 인간들은 글을 모르는 이들이 대부분이었죠. 글보다는 농사나 기술을 원하는 이들이 많았어요. 하지만 이 땅에서 태어난 아이들은 다 어린 다크엘프와 같은 교육 과정을 밟아요."

케일은 서대륙에서 가장 지구와 비슷한 곳이 어디일까 생각한 적이 있었다.

'여기군.'

그나마 이 지하 도시가 가장 지구와 비슷했다. 권력의 세상에서 도망친 자들이 모여서 그럴 수도 있었다.

"시장실입니다."

숀은 평범한 나무 문을 가리키며 입을 열었다.

"저희 도시는 보통 가장 연장자분이 시장을 역임하십니다. 현재 계신 시장님은 521세로서-"

그때였다.

달칵, 달칵, 달칵.

급하게 문고리 돌리는 소리가 났다. 그리고 이내.

벌컥!

시장실 문이 다급하게 열렸다.

"시, 시장님?"

까만 피부와 달리 하얗게 센 수염과 멋들어지게 정리한 흰 머리칼이 돋보이는 늙은 다크엘프가 나타났다. 하지만 그 깔끔한 옷차림에 멋들어진 수염, 머리칼과 달리, 다크엘프의 얼굴은 하얗게 질려 있었다.

"이, 이 기운은!"

숀의 얼굴에 당황이 서렸다. 그는 케일 일행을 힐끗 보다가 시장에게 다가갔다.

"시장님, 왜 그러십니까?"

타샤도 시장에게 다가갔다. 숀과는 그 태도가 조금 달랐다.

"할아버지, 왜 그래요?"

할아버지? 그 단어에 케일은 잠시 멈칫했다. 시장이랑 친해서 할아버지라고 하는 것일까? 아니면 친족 관계일까?

친족 관계라면, 왕세자와 꽤 사이가 깊어 보이는 이 다크엘프 도시가 이해되었다.

"손녀가 오랜만에 왔는데! 왜 그렇게 놀라신 얼굴이에요?"

역시 타샤는 손녀였다.

'……역시 왕세자 정도 되면 그 배경이 약할 리가 없지.'

알고 보니 알베르 왕세자 뒷배경도 만만치 않았다.

아니, 엄청났다.

케일은 황당한 표정으로 타샤와 시장을 바라봤다. 그 순간 시장과 케일의 시선이 부딪쳤다.

시장은 아까부터 케일만 바라보는 듯했다. 시장이 입을 열었다.

"호, 혹시."

목소리가 떨리고 있었다.

이거 왠지 감이 안 좋은데?

늙은 다크엘프는 떨리는 손으로 손수건을 꺼내 제 이마를 닦으며 연신 침을 삼켜댔다.

"그, 죽은 드래곤 마나를 갖고 있으셨다고 하던데."

이상하다.

케일이 아무리 귀족이라도 도시의 수장급 인사에게 존댓말을 들을 위치는 아니었다.

"그, 혹시나 공자님이 드래곤-"

손과 타샤의 움직임이 뚝 멈췄다. 최한의 동공이 흔들렸다.

"아닙니다."

케일은 단호히 말했다.

"저 용 아닙니다."

그 태연함과 황당함까지 담긴 단호함에 손과 타샤가 그러면 그렇지, 라는 표정을 지었다. 하지만 시장은 달랐다.

"분명 드래곤님의 기운이 느껴집니다만! 공자님 근처에서 드래곤님의 힘이 느껴집니다. 그 자연을 관장하는 힘이요!"

역시 짬밥은 어디 가는 게 아닌 듯했다.

-저 늙은 다크엘프, 꽤 감이 좋다.

투명화한 채로 케일의 등 뒤에 떠 있던 라온이 흥미로워하고 있었다. 그러거나 말거나 케일은 사실을 명확히 말해주었다.

"전 드래곤 아닙니다."

"……이상하군요."

다크엘프는 이제야 조금 진정된 듯했다. 그는 연신 이마에 맺힌 땀을 닦아내며 중얼거렸다.

"제가 예전에 드래곤님을 한 번 뵌 적이 있었는데. 그때와 같은 기운입니다. 그때 드래곤님을 처음 뵈었던 제 정령도 그때와 비슷하다고 말하는데."

이번엔 케일이 멈칫했다.

'누굴 봤다고? 그것도 정령이 같이 봤다고?'

사기 치기 제일 어려운 존재가 정령이었다.

─뭐? 용?

라온이 급격히 관심을 보였다.

시장의 나이는 521세였다. 살면서 충분히 용 한 번쯤 봤을 법한 나이였다. 그때, 낯선 목소리가 들려왔다.

"시장님, 부르셔서 왔습니다."

케일은 순간 내비게이션 목소리인 줄 알았다. 등 뒤로 차분하지만 묘하게 기계 음성 같은 여성의 목소리가 들렸다.

"여기서 대기하고 있을까요?"

케일은 뒤돌아섰다. 검은 로브로 발끝부터 머리까지 모두 칭칭 휘감겨 보이지 않는 사람이 서 있었다. 그 순간 라온이 말했다.

─음? 인간인데 왜 어둠 속성이지? 저 인간은 완전한 인간인데?

역시.

인간이 백 퍼센트 어둠의 속성을 가지는 방법은 몇 없었다. 케일의 촉이 맞았다.

하지만 그에 대해 언급하기에는 먼저 해결할 것이 있었다.

"정말, 정말로 드래곤님이 아니십니까?"

"네."

케일은 진심으로 못 믿겠다는, 무엇보다도 두려움에 가득 찬 얼굴로 쳐다보는 시장을 마주하며 한숨을 내쉬었다.

케일은 시장실 안으로 들어섰다. 그 뒤를 일행이 어정쩡하게 따라왔다.

케일은 최한을 쳐다봤고, 시선을 받은 최한은 문을 닫았다.

달칵. 닫힌 문을 바라보던 케일은 조용한 시장실 안을 둘러보며 입을 열었다.

"라온."

22장
진짜다

## 22장
### 진짜다

'라온?'

다크엘프들의 얼굴 위로 의문이 나타났다. 최한이 문을 닫은 후, 케일이 꽤 진지한 얼굴로 내뱉은 말이 익숙하지 않은 단어여서였다.

"나, 나타나도 되는 건가?"

다크엘프 숀은 흠칫 어깨를 떨었다. 아무것도 없는 허공에서 어린 목소리가 들려왔다. 케일 근처였다.

"허, 허허."

그는 시장의 웃음소리에 고개를 돌렸다. 시장은 헛웃음을 연신 흘리며 손수건으로 제 손바닥의 땀을 닦아내고 있었다. 그 모습에 숀은 생각했다.

'정말인가? 정말, 용이야?'

그때 그 목소리가 한 번 더 들렸다.

"나타났다."

케일의 등 뒤.

"오, 세상에!"

타샤는 두 손으로 제 입을 막았다.

"안 나오고 뭐 해?"

다크엘프들에게 케일의 목소리는 들리지도 않았다. 다크엘프들의 시선은 케일의 등 뒤로 빼꼼 튀어나온 얼굴에 박혀 있었다.

라온은 케일의 등 뒤에서 얼굴만 슬쩍 내밀었다. 케일은 한숨을 내쉬며 옆으로 한 걸음 옮겼다. 그러자 서서히 검은 용 라온의 모습이 모두 드러났다.

"아니, 이게-"

타샤는 너무 놀라서 말이 잘 나오지 않았다. 그녀는 고개를 돌려 숀을 바라봤다. 제 친구에게 자신이 지금 제대로 보고 있는 건지 묻고 싶었기 때문이다. 하지만 숀은 이미 눈만 뜨고 있지, 굳어버렸다. 말을 걸어도 소용이 없겠다는 생각에 타샤는 자신의 할아버지에게로 시선을 돌렸다.

다크엘프 시장은 침착했다. 제일 놀랄 것 같았던 이는 연신 땀을 흘려서 그렇지 침착했다.

"할아버지-"

타샤는 입을 열려다 말고 멈췄다. 다크엘프 시장은 경건한 얼굴로 라온에게 말했다.

"이 두 다리로 선 채로 드래곤님을 뵐 수는 없습니다."

노인은 침착하게 무릎을 꿇으려고 했다. 케일은 그 난장판에 한숨을 내쉬었다. 엘프들이 드래곤에 환장하는 건 알았지만, 다크엘프들도 저럴 줄 몰랐다.

'그렇다고 정령이 봤다는데 거짓말을 할 수도 없고.'

자연 속성의 정령은 기운에 민감했고 정확했다. 다크엘프 시장의 정령이 드래곤을 봤고 케일 근처에서 드래곤 기운을 확신했다면, 다크엘프 시장은 케일이 용이 없다고 해도 평생 믿지 않았을 것이다.

그만큼 정령은 한 번 감지한 기운은 복사를 하듯 기억했다. 그것도 드래곤의 기운이니, 말 다 한 셈이었다.

케일은 문가를 쳐다봤다. 최한이 어색한 미소를 지으며 수문장처럼 문 앞에 서 있었다. 그리고 검은 로브를 써서 무슨 표정일지, 어떤 사람일지 알 수 없는 사람이 허수아비처럼 덩그러니 서 있었다.

그 순간, 라온이 다크엘프 세 명의 앞에 섰다.

'뭐 하려고 저러지?'

케일은 의아한 얼굴로 라온을 쳐다봤다.

"나는 위대한 라온 미르다!"

어이구야. 케일은 라온이 어깨를 쫙 펴는 것을 볼 수 있었다. 검은 용은 자기소개를 알아서 잘했다.

"나는 올해로 위대한 4살이다!"

굳이 나이까지 말할 필요가 있을까.

"오오, 그러시군요!"

다크엘프 시장은 벌써 무릎을 꿇고 있었다. 그리고 라온의 말 한마디 한마디에 경이롭다는 듯 반응했다.

이걸 어떻게 하면 좋을까. 케일은 머리가 아파왔다. 하지만 라온의 자기소개는 아직 끝나지 않았다.

"그리고 케일 헤니투스가 약해서 돌보고 있다!"

……그건 아닌 것 같은데. 케일은 깊은 한숨을 내쉬었다. 그는 계

속 구구절절 자기소개를 할 것 같은 라온에게로 다가가 머리를 툭툭 쓰다듬었다. 그제야 라온은 입을 다물었고 케일은 타샤에게 말했다.

"시장님 일으켜 세워야 할 것 같은데."

"아."

타샤가 정신을 차린 듯 탄성을 흘렸다. 그때, 시장이 말했다.

"아닙니다. 전에 뵈었던 드래곤님이 그러셨습니다. 자신의 앞에서 두 다리로 서 있는 것은 전투를 하자는 소리라고. 저는 싸우고 싶지 않습니다."

도대체 어떤 드래곤을 본 거야?

케일은 문득 이 시장이 드래곤에게 존경보다는 두려움을 느끼고 있는 것이 아닐까 생각했다.

"일어나도 된다. 나는 그런 거 싫다!"

하지만 라온의 말에, 시장은 2초도 안 되는 시간 만에 벌떡 일어섰다. 케일은 두 손을 들었다.

짝!

박수 소리가 울려 퍼졌다. 그는 자신에게 집중된 시선을 느끼며 입을 열었다.

"일단 진정합시다."

케일은 마치 제 집무실인 양 소파를 가리켰다.

"앉아요, 다들."

시장을 위한 상석을 제외하고, 케일은 소파가 있는 곳으로 걸어가 3인용 소파 하나에 자리를 잡고 앉았다. 시장은 차분한 얼굴로 뒤따라왔다. 그는 이제 땀을 안 흘리고 있었다. 시장은 라온에게 말했다.

"드래곤님, 여기 앉으십시오."

케일이 시장을 위해 비워뒀던 상석이었다. 케일은 기가 찬 얼굴로 시장을 바라봤다. 하지만 라온은 시장에게 말했다.

"싫다. 너나 앉아라!"

라온은 케일의 옆으로 날아가 앉았다. 그리고 제 얼굴을 케일의 무릎 위에 떡하니 올려놨다. 시장은 드래곤의 말을 따르기 위해 잽싸게 상석에 앉았다. 케일은 이제야 분위기가 진정되는 것 같아 숀에게 물었다.

"물 한 잔 마실 수 있을까? 목이 타는데."

"내어 오겠습니다."

숀도 목이 탔다. 가장 차분한 얼굴이었지만 가장 창백했다. 케일은 나가는 숀의 등 뒤에 대고 말했다.

"용 본 건 비밀이야."

"비밀이다."

라온이 뒤이어 낮게 읊조렸다. 숀은 고개를 끄덕이며 답했다.

"정령과의 인연을 걸고 비밀로 하겠습니다."

다크엘프가 정령과의 인연을 건다는 소리는 죽음의 맹세와 비슷했다. 정령과의 인연이 끊긴 엘프는 깊은 절망감으로 평생 괴로워하며 살게 된다. 라온이 시장과 타샤도 쳐다봤다. 그 시선에 둘도 정령을 걸었다.

"정령과의 연을 걸고 비밀로 하겠습니다, 드래곤님."

"……저도 제 정령과의 인연을 걸고 비밀로 할게요."

케일은 그 답에 그제야 마음이 편안해져 느긋하게 소파에 몸을 파묻었다. 곧 숀이 물 한 잔 수준이 아닌 초호화 다과상을 빠른 속도로 준비해 왔다. 차를 한 모금 마신 시장은 입을 열었다.

"저는 오반테라고 합니다."

"전 케일 헤니투스입니다."

시장은 케일에게 말을 놓지 못하고 있었다. 그럴 수밖에 없었다. 용과 함께하는 이였으니까. 거기에다 용과 상당히 친밀한 관계로 보였다.

시장 오반테가 아는 용은 경이로운 존재인 것과 별개로 순식간에 극과 극을 오고 가는 변덕을 지녔다. 세상에 그런 이기주의자는 없을 것이다. 그런 용만 아는 오반테였다.

"케일 공자, 알베르가 압니까?"

알베르. 왕세자의 이름을 편히 부르는 시장의 모습에, 케일은 역시나 친족관계라는 쪽에 생각의 추가 기울었다.

"저하는 모르십니다."

"허— 알베르가 저도 모르는 새에 이런 귀한 분을 알고 계셨군요. 알베르에게도 말하면 안 되겠지요?"

"제가 알아서 하겠습니다."

알아서 할 테니 정령의 맹세를 지키란 소리였다. 시장 오반테는 아쉬워하면서도 비장한 표정으로 고개를 끄덕이며 말을 이었다.

"네. 반드시 맹세를 지키겠습니다. 공자, 물건은 무엇인지 자세히 듣지 못하고 오셨다고 들었습니다."

"네."

"참고로 형태는 팔찌입니다."

역시 521세의 관록은 어디 가는 게 아닌지 아직까지 라온의 눈치를 보는 타샤, 숀과 달리 시장은 본론에 들어갔다. 하지만 아쉽게도 케일은 팔찌에 대해 자세히 알 생각이 없었다.

"시장님, 전 몰라도 됩니다."

물건에 대해 전혀 알고 싶어 하지 않는, 궁금해하지 않는 얼굴이었다. 그 표정에 순간 오반테는 말문이 막혔다. 케일은 그런 그에게 물었다.

"그럼 인간은 여러 명 손을 대어도 됩니까?"

"……그걸 왜 묻습니까?"

경계심이 오반테의 얼굴에서 피어올랐다.

"제 일행 중 죽음의 신 축복을 행할 줄 아는 이가 있습니다."

시장 오반테의 얼굴이 대번에 밝아졌다. 이를 눈치챈 케일은 씩 웃으며 덧붙였다.

"왕세자 저하께 전해 드리기 전까지 그 팔찌에 죽음의 신 축복을 매일 중첩으로 내렸으면 합니다. 그래서 저와 그 신관 두 사람만 팔찌에 손을 대고자 합니다."

"그런 이유라면 저야 감사하지요. 알베르가 들킬 일이 더 줄어들 겁니다. 그리고 혹시 위험한 상황이 닥쳐도 피할 수 있는 기회가 생길 테니까요."

파문당했지만 미친 신관 케이지, 그녀의 축복은 결코 약하지 않았다. 성자와 성녀가 없는 죽음의 신 교단. 케일의 예상으로 그녀는 태양신 쌍둥이만큼의 축복이 가능할 것이다.

"이왕 하는 거 제대로 준비해야 하지 않겠습니까."

"그렇죠. 케일 공자, 부탁드립니다."

시장 오반테는 케일에게 일정에 대해서 말해주었다.

"물건은 내일이면 가공이 모두 끝납니다."

"내일 이후 언제든 떠나면 되겠군요."

"그건 곤란할 것 같습니다."

오반테는 난감한 표정을 지었다.

"음? 할아버지, 무슨 일이 있어요?"

최대한 빨리 떠나길 원하는 타샤는 가만히 있다가 의문을 드러냈다.

"케일 공자가 설명을 들었는지 모르겠지만, 이 사막에는 일 년에 한두 번 불규칙적으로 죽은 마나가 모래알들 사이에서 소량으로 피어오릅니다. 그리고 그 시기는 저희도 가까워져야 알게 되죠."

지하 공동의 천장. 사막을 받치고 있는 지반의 기운을 통해 다크 엘프들은 며칠 전에야 그 시기를 알아챌 수 있었다.

"그 시기입니까?"

케일의 물음에 시장은 고개를 끄덕였다.

"앞으로 2일 뒤, 3일간 일어날 것으로 예상됩니다."

그 시기 동안 인간이 사막을 이동하는 것은 위험했다. 타샤야 사막을 건너도 되지만 케일 일행은 일주일 정도 뒤에 떠나는 게 건강에 좋았다.

"액체 형태입니까?"

"연기입니다."

그러면 더 난감했다. 액체에서 흘러나오는 죽은 마나 향이 아니라, 죽은 마나 자체가 연기처럼 떠돈다는 소리였다. 건강에 안 좋은 정도가 아니라, 혈액에 바로 죽은 마나가 유입되어 심각한 상황이 될 수도 있었다.

"음."

케일은 침음을 흘리며 고민에 빠진 듯했다. 그 표정에 오반테는 미안함과 난감함을 얼굴에 드러냈다. 그때 케일의 입이 열렸다.

"그럼 일주일 동안 놀아야겠군요."

"네, 상심이 크시- 네?"

"지하 도시의 관광 지도 있습니까?"

태연한 케일을 보며 오반테는 한참 뒤에 고개를 끄덕였다.

"……있습니다. 손에게 가이드를 하라고 하지요."

여관을 만들며 관광 지도를 만들어둔 다크엘프들이었다. 케일은 고개를 끄덕이고는 테이블을 둘러싼 소파 한쪽 구석을 바라보며 물었다.

"그런데 저분은 누구십니까?"

"아, 저 아이는-"

차분히 앉아 있는 검은 로브 인간.

"이번에 보내는 팔찌 가공 작업을 수행하고 있는 아이입니다."

어둠 속성과 관련된 물건을 만드는 인간. 케일은 올라가려는 입꼬리를 꾹 눌렀다.

찾았다.

신체에 대해, 죽음에 대해 가장 해박한 인간.

"물건에 대한 설명을 하려고 불렀는데."

오반테는 말을 잇지 못하고 뒷말을 흐렸다. 그에게서 망설임이 보였다. 그는 슬쩍 타샤를 쳐다보았다. 그 행동에 케일은 시장이 타샤에게 무언가 볼일이 있음을 깨달았다.

"무엇이 문젠가?"

케일은 순간 들려온 목소리에 신이, 황제가 말하는 줄 알았다. 딱 그 어조였다. 케일은 고개를 아래로 내렸다. 용이 아주 목을 **빳빳**하게 세우고 한껏 미간을 찌푸린 채 위엄 있는 표정을 짓고 있었다. 그래 봤자 짜리몽땅해서 하나도 위엄 있어 보이지 않았다.

"그, 드래곤님. 그게 말이지요."

그럼에도 오반테는 함부로 입을 열지 못했다. 그 순간, 다른 이가 입을 열었다.

"세상이 궁금합니다."

무미건조한 어조. 조금의 감정도 느껴지지 않는, 마치 내비게이션 같은 목소리였다. 목소리의 주인공은 검은 로브를 뒤집어쓴 사람이 었다. 케일의 시선이 자연히 그쪽으로 향했다.

"세상 밖으로 나가고 싶습니다."

"……뭐?"

그 말에 숀과 타샤가 눈을 크게 뜨며 놀랐다.

"하아."

오반테는 한숨을 내쉬며 손수건으로 눈가를 닦아댔다. 521세의 나이가 순간 600세로 보일 만큼 더 늙어 보였다. 타샤가 입을 열었 다. 그녀는 저 검은 로브를 아는 것 같았다.

"메리, 그게 무슨 소리야?"

메리. 검은 로브 여성의 이름인 듯했다. 타샤는 이내 화난 얼굴로 오반테를 바라봤다.

"할아버지."

책망과 화가 뒤섞인 목소리였다. 그러면서도 타샤는 케일과 라온 을 보며 멈칫했다. 그녀는 입술을 깨물었다. 남들이 본다면 세상 밖 으로 나가고 싶다는 사람에게 화내는 것처럼, 안 된다는 것처럼 말 하는 것같이 보일 테니까. 그리고 그게 사실이기도 했다. 타샤가 말 을 멈춘 사이, 숀의 입이 열렸다.

"메리, 위험해. 알잖니?"

검은 로브는 답했다.

"그래서 저 혼자 나갈 겁니다."

"혼자는 더 안 돼!"

타샤가 벌떡 일어나 목소리를 높였다.

"나와 함께 다니는 것도 위험해질 수 있어서 안 되는데, 혼자라니! 그건 더 안 돼."

그녀의 외침 뒤에 정적이 내려앉았다. 누구 하나 섣불리 입을 열지 못하고 있었다. 하지만 그 순간, 의문이 가득한 목소리가 들려왔다.

"왜 안 되나? 저 인간은 아주 강한데? 내가 아는 마법사보다 강하다."

호오. 케일은 티 나지 않게 감탄을 삼켰다.

'로잘린보다 강하다 이 말이지?'

검은 로브가 고개를 들었다. 물론 고개를 든다고 해도 검은 후드로 가려져 있어 얼굴은 조금도 보이지 않았다. 검은 로브, 메리의 고개가 케일과 라온 쪽에서 멈췄다. 검은 로브가 움직였다.

"메리!"

숀이 놀라서 손을 뻗었다. 하지만 검은 로브가 조금 더 빨랐다. 검은 로브, 메리는 자신의 한쪽 팔을 걷어냈다. 그녀의 팔이 빛 아래에 드러났다.

"음."

문 앞에 서 있던 최한이 침음을 흘렸다.

"하."

숀은 뻗었던 손으로 그대로 자신의 머리를 짚었다. 타샤는 당황한 얼굴로 케일과 최한을 번갈아 쳐다봤다. 그리고 케일은 드러난 팔과 손을 보며 눈동자에 이채를 띠었다.

검은 로브 밖으로 드러난 팔과 손.

화상, 혹은 거미줄처럼 검은 선들이 기괴한 형태로 피부를 끝없이 뒤덮고 있었다. 처음 보는 이는 저도 모르게 미간을 찌푸릴 만큼 흉한 상처였다.

케일은 그 상처를 빤히 바라봤다.

저자는 진짜다.

론에게 팔을 만들어줄 수 있게 되었다.

진짜, 네크로맨서다.

'검은 거미줄 인간.'

과거 적들이 네크로맨서를 부를 때 쓰는 말이었다.

"메리, 이렇게 모르는 인간들 앞에서 드러내면! 하아."

타샤가 한숨을 내쉬며 메리의 팔을 잡았다. 그리고 조심스럽게 로브를 내려 팔을 가렸다. 그러면서도 그녀는 연신 케일과 최한의 눈치를 살폈다. 타샤는 메리의 손을 꼭 잡고 있었다.

"그, 이게 말이죠."

타샤는 보기 드물게 케일을 보며 당황을 숨기지 못했다. 아니, 라온이 등장한 뒤로 그녀는 계속 놀란 상태였지만 지금은 놀람보다 절박함에 가까웠다.

"타샤."

케일은 그녀의 눈동자를 보며 확실히 인지시켜 주었다.

"어디 말할 생각 없으니, 신경 쓰지 말도록. 난 이미 한배를 탄 사이니."

타샤는 몇 번이나 열었다 닫았다를 반복했던 입을 꾹 다물었다. 왕세자가 말한 케일이 떠올랐다.

'이모, 건방져도 말하는 건 지키는 녀석이야. 믿을 수는 없어도 신뢰하는 놈이지.'

결국 믿는다는 소리였다. 그리고 타샤도 케일을 지켜보며 그 말에 점점 동의하게 되었다. 메리의 목소리가 방 안에 퍼졌다.

"저도 드래곤님에 대해서 말하지 않습니다. 정령의 맹세를 못 하니, 제 정체로 맹세를 합니다."

케일의 입가에 살짝 미소가 나타났다가 사라졌다. 제 목숨을 걸었으니, 라온에 대한 비밀은 걱정하지 않아도 될 것 같았다. 케일의 귓가로 시장이자 할아버지 오반테의 목소리가 들려왔다.

"케일 공자, 네크로맨서에 대해서 아십니까?"

"남들 아는 만큼 압니다."

물론 거기에, '영웅의 탄생'에 나온 내용만큼 더 알았다.

네크로맨서는 죽은 마나를 사용해 죽은 생명체를 조종하며 싸우는 이를 가리켰다. 그들은 변장 마법이 먹히지 않는 흉터를 지녔다. 바로 조금 전에 본 검은 로브 메리의 팔처럼, 온몸에 흉측한 핏줄이 불거진 듯한 검은 거미줄이 그려져 있었다.

검은 거미줄 인간.

살아 있는 인간이 사용해서는 안 되는 죽은 마나를 사용한 부작용이었다. 어쩌면 네크로맨서는 시체를 사용한 전투 방식뿐만 아니라, 그런 외양 때문에 더 몰살을 당했을지도 모른다.

'유용한 면은 외면했지.'

세상에 필요 없는 직업은 없다. 어딘가 꼭 도움이 되기에 존재하는 법이었다.

"제 이름은 메리입니다."

검은 로브 메리가 다시 입을 열었다.

"저는 올해로 스물다섯입니다."

꼭 라온처럼 자기소개를 했다. 케일은 이를 가만히 들었다. 라온이 상당히 흥미진진한 눈빛으로 검은 로브를 바라보고 있었다.

"15년 동안 이 생명의 도시에서 살았습니다. 10살 때 가족들과 사막으로 도망쳤던 기억이 있습니다."

네크로맨서 메리도 역시나 마을에서 도망친 사람들 중 하나였다.

"그 기억만 있습니다."

음?

케일은 그 말의 의미를 바로 알아채기 힘들었다.

"메리는 15년 전, 사막에 죽은 마나가 피어오른 날 발견되었습니다."

케일은 고개를 돌렸다. 다크엘프 숀이 굳은 얼굴로 말을 이었다.

"제가 발견했죠."

숀은 15년 전을 떠올렸다.

"앞서 말씀드렸듯 죽음의 땅에서 죽은 마나는 소량으로 피어오릅니다. 그 시기가 가까워지면 저희는 밤마다 지상 위로 올라가 도망쳐 오는 인간들을 최대한 빨리 도시로 데리고 옵니다. 왜냐면 그들은 영양실조 상태인 경우가 대부분이라 죽은 마나를 소량만 접해도 치명적일 확률이 높거든요."

"하지만 모두 구할 수는 없었지."

타샤가 얼굴을 일그러뜨리며 낮게 읊조렸다. 숀과 함께 메리를 발견한 건 타샤였다.

"지금으로부터 15년 전. 죽은 마나가 근 몇백 년 만에 가장 많은 양이 피어올랐습니다. 평소의 거의 20배였죠."

음. 케일은 어떤 상황인지 예상이 되었다. 동시에 왜 메리가 네크로맨서가 된 것인지 알 수 있었다.

"메리 씨가 거기서 발견되었나 보군."

소량도 인간에게 해로운 죽은 마나가 평소보다 20배 많이 피어오르는 사막에서 발견된 그녀.

"네. 죽은 마나를 상당량, 솔직히 말해서 아주 많이 흡수한 상태로 발견되었습니다."

"그리고 살아남았고?"

케일의 물음에 숀이 답하려 했지만 먼저 답한 이가 있었다. 메리였다.

"네. 그때 살아남았습니다. 정말 아팠습니다."

아프다고 말하는 어조는 무미건조했다. 감정이 느껴지지 않았다.

"온몸의 핏줄이 터지는 것 같았습니다. 그렇게 아픈 와중에, 살려면 죽은 마나를 다룰 줄 알아야 했습니다. 그래서 흑마법사와 네크로맨서 중 네크로맨서를 택했습니다."

10살의 메리는 살기 위해 네크로맨서가 되어야 했다.

"그래서 아프지 않아서 좋습니다. 지금은 덜 아픕니다."

타샤는 더는 듣기 힘든지 고개를 숙였다.

덜 아프다.

네크로맨서는 신이 인간에게는 허락하지 않은 죽은 마나를 섭취한 죄로 평생 자잘한 통증을 달고 살아야 했다.

"그런데 기억이 없습니다."

케일은 그제야 도망쳤던 기억만 있다는 말이 무슨 뜻인지 이해했다.

"저는 사막을 달리고 있었습니다. 뒤에 가족들이 쓰러지는데 계속 사막을 달렸습니다. 그것만 기억납니다. 가족 얼굴도, 그리고 그 전에 살았다는 인간 세상도 기억이 안 납니다."

메리는 단 하나만 기억했다.

'메리, 계속 뛰어! 뒤돌아보지 말고 뛰렴!'

엄마의 목소리만이 기억났다. 그 목소리와 달리면서 푹푹 꺼지는 모래의 감촉만이 기억났다. 그러나 그 목소리 덕에 이름은 기억할 수 있었다. 무미건조한 목소리가 울려 퍼졌다.

"저는 15년 동안 아팠지만 행복했고 행복합니다. 그리고 감사합니다."

메리는 이 죽음의 도시, 아니, 생명의 도시에서 행복했고 감사했다. 지금도 자신의 고집을 어떻게든 꺾으려는 시장 오반테의 마음과 자신을 구하고 어릴 적부터 자신을 돌봐주었던 이들인 숀과 타샤도 고마웠다.

하지만 매일 밤 엄마의 목소리가 들렸다.

"네크로맨서를 인간들이 싫어하는 걸 압니다. 그래도 인간 세상이 궁금합니다."

지하 도시 안의 사람들은 인간 세상을 지옥이라고 했다. 그리고 바깥세상의 인간 대부분이 네크로맨서를 증오한다고 들었다. 그럼에도 궁금했다. 아니, 허전했다.

"아무도 피해 주기 싫습니다. 그래서 혼자 갈 겁니다."

10년이라는 시간이 늘 그녀에게 따라붙었고 없던 통증을 만들었다. 그래서 그 10년을 알고 싶었다. 기억을 되찾고 싶었다. 그러려면 인간 세상을 봐야 한다고 마음이 외쳤다. 그녀는 타샤가 잡지 않은 팔을 들어 올렸다. 다시금 흉측한 흉터가 나타났다.

"이 흉터를 타인은 징그러워한다고 들었습니다. 그러니 이 흉터만 들키지 않게, 신전을 피해서 조용히 다니면 됩니다. 많은 준비를 하였습니다."

검은 로브. 메리의 고개는 케일과 라온 쪽을 향해 있었지만, 목소리만은 다크엘프 세 명을 향해 있었다.

타샤는 흉터를 드러낸 다른 팔을 붙잡지 못하고 가만히 바라봤다. 깊은 밤. 죽은 마나가 피어오르던 검은 모래알로 뒤덮인 사막. 그 위에서 쓰러진 채 숨을 헐떡이던 아이.

'뛰어야 되는데, 으윽, 뛰어야!'

아이는 그렇게 중얼거렸고 온몸에는 검은 선들이 생겨나고 있었다.

얼마나 많이 죽은 마나 연기를 섭취했는지 알 수 없는 아이를 모래에서 끌어 올려 품에 안았을 때, 타샤는 저 멀리 아이의 부모가 죽어 있는 것을 볼 수 있었다. 아이는 홀로 아주 많이 달렸다.

그리고, 검은 마나를 이겨내고 살아남았다.

"세상이 궁금합니다."

시장 오반테는 아무 말도 할 수 없었다. 세상이 궁금한 게 아니라, 자신의 잃어버린 10년을 찾고 싶어 하는 갈망이라는 것을 알았기 때문이다. 그때 그의 시야에 움직이는 존재가 담겼다.

검은 용이었다.

용은 메리에게로 날아가 그 앞에 멈춰 섰다. 라온은 한참 동안 검은 로브를 주시하다가 외쳤다.

"살아남은 네가 대단하다! 물론 나만큼 위대하지 않지만, 대단하다!"

케일도 동의했다. 한껏 고조된 용의 목소리와 달리 담담했다.

"대단하네. 살아남았으면 된 거지."

"맞다! 넌 좀 대단한 인간이다! 인정한다!"

그러나 라온의 말은 그게 끝이 아니었다.

"하지만 나는 만약 약한 인간이 내 앞발만큼 강해져서 안 다친다며 혼자 나갔다가 다쳐서 돌아오면, 이 땅덩어리를 부숴 버릴 거다!"

……그건 좀 아니지 않나? 치료부터 먼저 해줘야 하지 않아?

케일은 묻고 싶은 말이 많았으나, 굳이 입 밖으로 내지 않았다. 라온의 말에 어느 정도 동의했기 때문이다.

메리 또한 가까운 사람이 다치지 않길 바라는 마음은 마찬가지였다. 그래서 라온의 말도, 다크엘프의 마음도 이해하고 있었다. 때문에 스무 살 이후 5년을 참았지만, 그럼에도 지상이 궁금했다.

"그래서 허락받기 전까지는 안 나갈 겁니다. 그리고 1년 안으로 반드시, 누구에게도 들키지 않고 돌아올 겁니다."

딱딱한 어조여서 그런지 신뢰감이 확 느껴지는 목소리였다. 시장 오반테는 손수건으로 손에 난 땀을 닦으며 힘없이 답했다.

"나중에, 나중에 얘기하자꾸나."

이 도시에서, 아니, 이 서대륙에서 유일한 네크로맨서였다. 그녀에게 그 길을 열어준 이가 오반테였다. 차마 아이가 죽는 걸 볼 수가 없어, 살고 싶어 하는 아이에게 과거로 남겨두었던 유산을 꺼내 든 그였다.

"네. 알겠습니다."

오반테는 메리가 대답을 하자 그제야 케일과 라온에게로 시선을 돌렸다.

"죽은 마나 시기가 지나면 그때 다시 연락드리겠습니다. 그동안 푹 쉬실 수 있도록 하겠습니다."

"감사합니다, 시장님."

케일은 짧게 오반테와 악수를 하며 자리에서 일어섰다. 그러자 숀과 검은 로브도 따라 일어섰다. 하지만 한 사람.

"타샤."

"아, 네!"

타샤는 오반테의 부름에 깜짝 놀라며 뒤늦게 벌떡 일어섰다. 그녀의 얼굴 위엔 고민의 기색이 여실히 드러나 있었다. 케일은 이를 모른 척하며 시장실을 나섰다. 물론 라온은 투명화했고 다크엘프들과 메리는 그 광경을 못 본 척했다.

시장은 시장실에 남았고, 타샤와 숀이 역시 앞장서며 길을 안내했다. 케일의 뒤는 당연히 최한이었고, 이전과 다르게 네크로맨서 메리가 최한의 옆에서 검은 로브를 바닥에 질질 끌며 조용히 따라오고 있었다.

"메리."

깊숙이 눌러쓴 검은 로브의 후드가 들리며 그 방향이 케일에게로 향했다. 케일은 느긋하게 걸어가며 물었다.

"팔 하나 만들 수 있나?"

"인간의 신체 중 하나인 팔을 말씀하시는 겁니까?"

딱딱한 어조에도 케일은 부드러이 답했다.

"그래. 왼팔."

"필요합니까?"

"그래. 필요해."

"알겠습니다. 만들겠습니다."

케일은 보상이나 대가에 대해서 묻지 않는 메리에게 시선을 두었다.

"인간 세상의 무엇이 보고 싶지?"

그 물음에 앞서 걸어가던 숀과 타샤가 살짝 멈칫했다. 메리는 조금의 망설임도 없이 답했다.

"모르겠습니다."

메리는 정말로 몰랐다.

"기억도 없고 책과 이야기로만 들어 인간 세상에 대한 상상이 안됩니다. 그래서 보고 나면 보고 싶은 게 생길 것 같습니다."

"맞는 말이네."

케일은 그 말에 수긍했다. 맞는 말이었다. 아무것도 보지 못했으니 보고 싶은 게 없을 수도 있었다. 보고 나면 나중에 보고 싶은 게 생길지도 몰랐다. 케일의 머릿속으로 라온의 목소리가 들려왔다.

─나는 저 마음 안다.

동굴에서 나오기 전 4년. 그 시간 동안 라온은 보고 싶은 게 없었다. 본 것이 없었으니까. 그저 막연하게 자유로워지고 싶었을 뿐이었다. 구체적인 것은 없었다. 아는 것이 없었으니까.

─대단한 인간이다.

아까부터 라온은 계속해서 케일에게 네크로맨서 메리에 대한 칭찬을 해댔다.

─착해 보인다.

인간 세상을 구경하고 싶다는 메리. 그녀와 같이 가고 싶다는 라온 나름의 어필이었다.

–물론 약한 인간 너만큼은 아니지만. 기본적으로 우리 쪽이다. 착하다. 그리고 대단하게 살아왔다.

케일은 늘 그랬듯 그 목소리를 모른 척했다.

⚜

이틀 뒤, 케일은 여관 1층 식당 겸 홀에 자리한 소파에 누워서 천장을 바라봤다.

"장난 아니네."

쿠구궁. 커다란 소리와 함께 지하 공동이 진동하고 있었다. 그 강도가 심하지는 않았다.

"도련님, 죽은 마나가 피어오르나 보군요."

"그러게."

케일은 론이 건네는 레모네이드를 한껏 들이켰다. 지하 도시 안에서는 레몬도 키웠다. 없는 과일이 없었다.

비크로스는 아이스크림을 만들어 케일과 투명화한 라온이 있는 테이블에 놓았다. 여관 주인은 그런 비크로스를 굉장히 채용하고 싶어 하는 눈빛으로 바라봤다. 그때 케일 옆에 있던 라온이 머릿속으로 외쳤다.

–근질근질하다!

그 말을 가볍게 무시하며 케일은 여관 문을 쳐다봤다.

"비크로스, 가서 레모네이드 한 잔 더 타 와."

"네?"

"도련님, 제가 갔다 오겠습니다."

되묻는 비크로스와 자신이 한다고 나서는 론. 그들 사이로 딸랑, 작은 종소리가 울렸다. 여관으로 들어서는 이가 있었다.

"론, 자네는 앉아 있어."

검은 로브로 가려져 모습이 아무것도 보이지 않는 사람. 메리가 여관을 방문했다. 검은 물체는 정확히 케일이 있는 방향으로 다가왔다.

"비크로스, 저분 드릴 레모네이드 한 잔 준비해 와."

얼굴 하나 보이지 않는 검은 물체를 비크로스는 '누구지?' 하는 얼굴로 보고 있었다. 그런 그에게 케일은 말했다.

"네 아버지 왼팔을 새로이 만들어 드릴 분이야."

비크로스의 얼굴이 굳었다. 인자한 척 미소를 짓고 있던 론의 입꼬리가 내려갔다. 케일은 자신의 앞에 선 검은 로브를 보며 바로 본 론을 건넸다.

"메리."

케일은 공짜와 돈, 뒤통수 때리는 것을 좋아하지만 사기꾼이 아니다. 그는, 김록수는 자신에게 중요하고 대단한 일을 해준 이에게 그에 상응하는 보답을 해야 한다고 생각했다.

양손 단도를 사용하는 암살자, 론. 케일은 제 사람의 팔을 만들어 주는 이에게 충분한 보답을 할 생각이다.

"6개월, 잘 곳을 내어주마."

-아싸! 잘한다, 약한 인간!

라온이 외쳤다.

"그게 무슨 말씀이십니까?"

검은 로브, 메리의 기계 같은 목소리가 살짝 떨리고 있었다.

"겨울까지 지낼 수 있는 장소를 제공해 준다는 소리지. 다만 그렇게 지내는 곳은 네가 말하는 인간 세상, 사람들이 사는 마을이나 도시는 아냐."

여관 주인이 조용히 여관 문으로 다가가 문을 완전히 걸어 잠갔다. 그의 걱정 가득한 눈동자가 검은 로브 메리에게 닿아 있었다. 케일은 잠시 여관 주인을 보다가 말을 이었다.

"하지만 진짜 하늘과 지상의 아름다움을 보면서 지낼 수 있어."

어둠의 숲이라 그렇지, 몬스터가 많아서 그렇지, 자연의 아름다움과 깨끗한 하늘은 결코 지하 도시에서는 볼 수 없는 아름다움과 웅장함을 가지고 있었다.

"……피해를 끼칠 순 없습니다."

한참 만에 검은 로브 밖으로 흘러나온 메리의 답이었다.

피해라. 케일은 미소를 그렸다.

"네가 아직 나를 모르니 하는 말인 것 같은데."

앉아서 올려다보니, 케일은 메리가 검은 후드를 쓰고 그 안에 또 다른 검은 복면을 끼고 있음을 볼 수 있었다. 그는 한 번도 그녀의 눈동자를 보지 못했다는 것을 깨달았다.

"나는 절대 나한테 무리가 되는 일을 하지 않아."

미쳤다고 교단들을 적으로 돌리는 일을 하겠는가. 들키지 않고 잘 할 상황이 되니 나서는 것이다.

"그리고 그다음 6개월."

메리는 1년을 돌아다니겠다고 했다.

케일은 그 말을 당연히 기억하고 있었다.

"나는 네가 그 6개월 동안 태양신 교단을 만나도, 적어도 한 번 죽지 않고 도망칠 수 있게 도와주지."

검은 후드가 들썩였다. 검은 로브 안의 메리가 놀라서 고개를 번쩍 든 듯싶었다.

"그게 가능합니까?"

여관 주인이 대화에 끼어들었다. 70대의 노인. 케일은 손에게 들었다. 이 여관 주인이 타샤가 떠난 후 메리의 가족을 자처한 장본인이라고.

"정말로, 가능합니까?"

노인의 목소리는 떨리고 있었다. 케일은 노인을 응시한 채로 입을 열었다.

"드래곤의 죽은 마나. 그걸 주마."

하지만 그 말을 건네는 대상은 검은 로브 속 메리였다.

메리가 가진 힘이 마법사 로잘린급이라면. 태양신 신관들을 피해 다녀야 한다면. 그녀가 더 강해질 수 있게 하면 될 일이었다.

론의 팔을 만들어줄 이에게 그 정도는 해야 자신의 기준에 맞았다.

"도련님."

지켜보고 있던 론이 끼어들었다. 케일은 손을 들어 올렸다.

"가만히 있어."

"하지만 도련님, 드래곤의 죽은 마나라니, 저는 이대로-"

"비크로스."

케일은 론을 외면하며 아직까지 넋을 놓고 있는 놈의 이름을 불렀다. 멍하니 쳐다보는 비크로스에게 케일은 말했다.

"가서 레모네이드 내오라니까?"

"아—"

"얼른."

"네."

비크로스는 제 아버지의 시선을 외면하며 주방으로 달리듯 빨리 걸어갔다. 케일은 메리에게 자리를 권했다.

"아무 데나 앉아."

누가 보면 이 여관 주인인 줄 알 정도의 여유로움이 그에게서 흘러나왔다.

"일단."

검은 로브에서 목소리가 흘러나왔다.

"팔을 만들어 드리고 생각하겠습니다."

검은 후드를 뒤집어쓴 고개가 다른 방향으로 옮겨졌다. 론이 서 있는 방향이었다. 론은 뭐라 설명할 수 없는 표정으로 서서 검은 후드의 시선을 받았다. 내비게이션처럼 또렷하지만 감정 없는 목소리가 울려 퍼졌다.

"근력이 상당히 기묘하게 발달했습니다. 오른팔과 신체 균형을 보아 왼팔도 비슷하게 사용한 사람 같습니다. 신경 써서 팔을 만들어야 될 것 같습니다. 여러 번 착용을 하며 교정 과정을 거쳐야 할 것 같습니다."

"기간은 얼마?"

"……한두 달은 걸립니다."

케일은 느긋하게 레모네이드를 한 모금 마셨다. 해변가 선베드에 누워 있는 것처럼 세상만사 걱정 없는 사람 같았다. 그는 툭 던지듯 결론을 내었다.

"그럼 지상 위, 네 숙소에서 하면 되겠군. 네 숙소에서 론이 일하거든."

"혼란스럽고 어렵습니다."

딱딱한 목소리가 다다다 흘러나왔다.

"아주 어려운 문제 같습니다. 피해를 끼치면 안 되는데, 아주 강하니 피해가 가지 않을 것도 같습니다."

아마 최한과 검은 용 라온을 가리키는 말일 것이다.

–맞다! 역시 착한 아이는 똑똑하다! 내가 있으면 피해 가는 게 없다! 다 때려 부수면 된다!

라온의 말은 가벼이 흘려듣는 케일이었다. 원래 용은 과격했다.

"……나중에 다시 오겠습니다."

"그러든가. 하지만 나는 며칠 뒤에 떠나. 그 전에 짐 싸서 와."

케일은 자리에서 일어섰다. 더 이상 할 얘기가 없는 그는 2층으로 향하는 계단으로 걸어갔다.

"아, 레모네이드는 마시고 가. 우리 주방장 솜씨는 알아야지. 앞으로 계속 볼 사인데."

메리는 그 말에도 아무 미동도 없이 케일을 쳐다봤다. 케일은 그런 그녀에게 눈길 하나 주지 않고 자신의 침실로 향했다. 그 뒤를 론이 따라붙었다.

"도련님."

론은 드물게 인자한 척하는 미소를 짓지 않고 있었다.

"저자는 누구이고, 지금 이게 무슨–"

"론."

케일은 자신의 방문 앞에 도착해 문고리를 돌렸다. 달칵, 작은 소리와 함께 문이 열렸고 케일은 그 안으로 들어갔다.

"이 정도는 받아도 돼."

케일은 자신의 등 뒤에 서 있는 론을 끝까지 쳐다보지 않고 문을 닫았다. 그리고 한참 뒤, 케일은 문 너머에서 들려오는 목소리에 작게 웃음을 흘렸다.

"도련님, 다과 내올까요?"

"어, 내와. 마실 것도."

케일은 덧붙였다.

"레모네이드 말고."

레모네이드는 지겨웠다.

카로 왕국 두보리 영지, 죽음의 땅과 맞닿아 있는 마을. 오늘도 사막으로 향하는 성문을 지키던 기사는 아침부터 기분이 좋지 못했다.

"미친 새끼, 지가 나보다 3년 빨리 기사 달았다고 겁나 부려먹네."

기사 작위를 3년 일찍 딴 선배 기사. 이 마을의 유일한 두 기사 중 한 명인 선배 기사의 명 때문에 며칠째 새벽부터 오전까지 경비 근무를 맡고 있는 그였다. 병사들은 조용히 입을 다물며 신경질적인 기사를 모른 척했다. 괜히 나대거나 선배 기사에게 일러바쳤다가 자신이 죽을 수도 있었다. 기사는 얼굴을 일그러트렸다.

'돈도 다 지가 뺏어가 버리고.'

이래저래 성문을 지키며 얻을 수 있는 돈도 선배 기사가 모조리 독식했다. 가끔씩 술 한잔 사 주는데 이런 작은 마을에서 얻어먹는 술이 뭐 맛있겠나?

"며칠 전에 금화 두 개도 저 혼자 다 차지하고! 개새끼, 그리 돈 받아 처먹다가 한 번 큰일 날-"

탁!

"아!"

기사는 제 머리로 떨어진 물체에 뒤통수를 매만졌다.

"아 씨, 뭐야! 뭘 던진- 어?"

자신의 뒤통수를 치고 바닥으로 떨어진 물건. 아주 작고 동그란 것.

금화였다.

하늘에서 돈이 떨어졌다. 기사는 잽싸게 금화를 주우며 주위를 둘러보았다. 하늘을 봐도 보이는 것이 없었다.

'뭐지?'

일단 기사는 금화를 자신의 주머니에 넣고 병사들에게 눈치를 주었다. 입 다물란 눈빛이었다.

그 광경으로부터 조금 떨어진 곳.

"결국 약속을 지키셨네요."

케일은 마을 여관에 맡겨두었던 마차에 올라타며 다크엘프 타샤의 물음에 답했다.

"저번에 그 기사는 아니어서 아쉽네."

'내가 살아 돌아오면 자네에게 금화를 하나 더 주지.'

케일이 그렇게 말했던 기사는 아쉽게도 아침 성문에서는 보이지 않았다.

"진작에 그냥 성벽을 뛰어넘을 걸 그랬어."

"그랬으면, 저번에 그 영지민 두 명은 공자님이 못 구했겠죠?"

케일은 타샤의 말을 못 들은 척했다. 계속 말을 거는 타샤가 영 귀찮았다. 하지만 그런 그를 타샤는 따뜻한 눈빛으로 바라봤다.

"시원하네."

케일은 역시 마법으로 도배된 마차 안이 제일 편했다. 그는 마차 안 좌석에 몸을 기대며 고개를 돌렸다. 검은 물체가 창문에 딱 달라붙어서 연신 밖을 내다보고 있었다. 그리고 그 옆에는 파닥이는 검은 용이 있었다.

"신기하냐?"

"네, 라온 님. 신기합니다. 여기가 제가 살았던 마을입니까?"

"그건 나도 모른다!"

"그렇습니까. 이런 마을은 처음 봅니다. 신기합니다."

딱딱한 목소리에도 라온은 어깨를 쫙 폈다.

"진짜 하늘은 끝이 없는 것 같습니다. 가늠이 안 됩니다. 멋집니다."

"기대해라. 밤하늘은 더 멋지다. 그리고 우리 집 가서 보면 더 멋지다. 내가 어둠의 숲도 구경시켜 준다."

"고맙습니다, 라온 님."

검은 로브 메리와 검은 용 라온이 대화 나누는 것을 보고 있던 케일은 고개를 돌렸다.

"……왜 그렇게 봐?"

타샤가 감동 어린 눈빛으로 케일을 보고 있었다. 상당히 부담스러운 눈빛에 케일은 고개를 돌리며 마차 문 밖을 향해 외쳤다.

"출발해!"

마차가 출발했다. 케일은 손목을 걷어 미친 신관 케이지 앞에 내보였다.

"케이지 씨."

라온을 잠시 바라보다가 시선을 돌린 케이지가 조심스럽게 두 손을 뻗어 케일의 손목을 부드럽게 감쌌다. 그리고 그녀는 다정한 목소리로 읊조렸다.

"죽음의 기운을 내려, 너를 죽이려는 적에게 죽음의 장막을 드리우리라. 영원한 어둠 속에서 헤맬 적이 네 앞을 막지 못하리라. 적들은 두 눈을 잃고, 두 다리를 잃으며, 소리와 빛을 잃어 평생 헤매이리라."

살벌한 단어의 조합에 케일은 가만히 마차 창밖의 풍경을 눈에 담았다. 서늘한 기운이 손목을 감쌌다. 정확히 말하면 그 기운은 팔찌로 향해 있었다.

"끝났어요."

"케이지 씨, 죽음의 축복은 원래 이렇습니까?"

케이지는 산뜻한 목소리로 답했다.

"그럼요! 죽음의 신 축복이 죽음인데, 죽음이 다정할 리는 없잖아요?"

정답이었다.

케일은 왠지 모르게, 며칠 동안 이런 축복을 받을 팔찌가 저주의 물건이 되지 않을까 걱정되었다. 하지만 왕세자에게는 보물이 될 것이기에 그 걱정을 접어두며 케이지에게 부탁했다.

"더 과격한 축복은 없습니까?"

"매일 더 강도를 높이려고요."

"역시."

역시 미친 신관.

케일은 안심했고 마차는 다시금 수도로 향했다.

"여기가 내 방인가?"

"네, 공자님은 오늘 여기서 묵으시면 됩니다."

케일은 타샤의 과하게 고마움이 넘쳐흐르는 눈빛을 외면했다.

수도에 도착한 케일 일행은 저번에 묵었던 수도 근처 마을 여관에 다시금 묵게 되었다. 케일은 제 방의 문을 열었다.

달칵.

그리고.

쾅!

커다란 소리와 함께 문이 다시 닫혔다. 케일은 타샤를 쳐다봤고 그녀가 씨익 웃어 보였다. 케일은 깊은 한숨을 내쉬며 다시 문을 열었다. 그는 어기적어기적 질질 끄는 발걸음으로 방 안에 들어섰다. 뒤이어 타샤가 문을 닫았다. 그와 동시에 익숙한 목소리가 들려왔다.

"네 방 여기 아니다."

"당연히 그래야 하지 않겠습니까, 저하."

왕세자 알베르 크로스만은 그림 같은 미소를 그려 보였다. 그는 방 안에 아주 화려한 만찬까지 펼쳐놓고 케일을 맞이했다.

"이리 마중을 나오실 줄은 몰랐습니다."

"내가 조금 급해서 말이야."

급해?

케일은 왕세자를 쳐다봤고 알베르가 툭 던지듯 말했다.

"툰카가 위퍼 왕국의 총사령관 겸 대장군이 되었다더군."

요 몇 달간 조용하던 툰카 일행이 본격적으로 움직이기 시작했다. 툰카가 그 직위에 올랐다는 것은 위퍼 왕가가 툰카의 손아귀에 들어 갔음을 의미했다. 왕세자는 케일의 무심한 목소리를 들을 수 있었다.

"망국의 지름길을 탔네요."

알베르의 입꼬리가 비웃음을 그렸다.

"그렇지. 당장 우리랑은 상관없는 일이지만."

"저쪽은 저하가 마법사를 빼돌린 줄은 몰랐나 봅니다?"

"당연하지. 우리 왕국 사람들도 제대로 모르는데, 위퍼 왕국이 어떻게 알겠나?"

케일과 알베르의 시선이 부딪쳤다.

촤르륵, 툭. 팔찌가 케일의 손아귀에서 알베르의 손 위로 떨어졌다. 치이이익. 불에 물이 닿듯 귀를 간질이는 소리와 함께 검은 연기가 알베르의 몸에서 피어올랐다. 달칵. 알베르는 팔찌를 자신의 손목에 채웠다.

"저하, 이 모습도 꽤 괜찮으신데요?"

다크엘프 쿼터로서의 알베르가 눈앞에 나타났다.

금발과 푸른 눈동자가 사라진 갈색 머리칼과 갈색 눈동자. 거기에 다른 이들보다 확연히 까만 피부. 쿼터임에도 다크엘프 특성이 두드러지게 나타났다.

'죽은 마나를 섭취해서겠지.'

또 타고나길 인간보다는 다크엘프의 특성이 더 발달한 까닭도 있으리라.

"당연한 걸 왜 물어? 잘생기면 다 괜찮은 법이야."

그렇긴 했다.

"죽음의 신 축복이라. 다행이네."

왕세자는 팔찌의 힘이 고스란히 느껴졌다. 케일이 해준 선물도 명확히 인지할 수 있었다. 그는 그 힘을 느끼며 한 가지 정보를 건넸다.

"대장군 툰카가 위퍼 왕가의 후계자를 대신해서 제국에 간다더군."

케일의 미간이 찌푸려졌다.

"……난장판이겠는데요."

"동감이다."

왕세자는 케일에게 물었다.

"영지에서 지낼 생각인가?"

"네, 그럴 생각입니다."

케일의 귓가로 라온의 목소리가 들려왔다.

-아! 툰카 그 무식한 놈 하니까 생각났다! 씨앗에서 싹이 텄다!

마탑에서 챙겨 왔던 씨앗에서 싹이 텄다고 한다.

"뭘 하려고?"

"농사 좀 지으면서 쉬려고요."

인재도, 씨앗도, 돈도.

키워볼까 한다. 물론 자신은 시키기만 할 것이지만.

"그런 표정으로 농사짓는다고 하면 아무도 안 믿을 것 같다만."

왕세자 알베르는 케일의 꿍꿍이 가득한 표정에 영 찜찜함이 밀려왔다. 하지만 그는 다시 금발과 푸른 눈으로 돌아와 케일과 작별했다. 바삐 제국으로 가야 했기 때문이다.

케일도 수도를 떠나 다시금 어둠의 숲 해리스 마을로 돌아왔다.

한 달이 넘는 시간 동안 시골 생활을 만끽하고 있던 케일은 새벽에 연락이 와 미처 받지 못했던 왕세자가 남겨둔 통신 음성을 들을 수 있었다.

-너 도대체 무슨 일을 하고 다닌 거야?

왕세자는 상당히 혼란스러워 보였다.

-툰카 대장군이 왜 너를 친구라고 하지? 네가 왜 정글의 영웅이지? 브렉 왕국 왕자 한 명도 제 누나, 로잘린을 찾으며 너에 대해서 묻고. 다들 은밀히 찾아와서 너에 대해 묻고 가더군.

-하, 환장하겠네.

케일은 아침부터 머리가 멍해, 다다다 쏟아지는 왕세자의 한탄을 흘려들었다. 론이 다가와 물 한 잔과 함께 전서들을 내밀었다.

"고래족에게서 연락이 왔습니다."

고래왕 후계자 위티라에게서 편지가 왔다.

**바다는 일단 평화로워졌습니다.**

**케일 공자, 고래왕께서 해상로를 보여 드리고 싶어 하십니다.**

이제 좀 시원해지려니, 북쪽에서 연락이 왔다.

"귀찮은데."

론은 케일의 중얼거림을 모른 척하며 인자하게 말을 이었다.

"그리고 백작가에서 연락이 왔습니다. 곧 축제 기간이니, 오랜만에 얼굴도 볼 겸 오는 것이 어떠하냐고요."

갑자기 조용하던 침실에서 여러 목소리가 튀어나왔다.

"축제?"

"축제라고 했는데?"

"축젠데!"

케일의 침실 구석에서 잠에 빠져 있던 라온과 온, 홍이 대번에 벌떡 일어나 달려왔다. 케일은 자신을 쳐다보는 눈빛들을 무시하며 침대에 도로 누웠다.

"귀찮은데."

그 순간 왕세자의 한숨 소리와 함께 흘러나온 한마디가 영상구에 남겨진 녹음의 마지막을 장식했다.

─하, 어쨌든 브렉 왕국 왕자와 함께 돌아간다. 그리고 태양신 교단의 교황이 죽었다.

"음?"

브렉 왕국 왕자야 로잘린에게 말하면 되고. 그 뒤에 이상한 내용이 있었는데?

─범인은 태양신 교단의 성자와 성녀 역할을 하는 쌍둥이라고 한다. 도주 중이라는데, 어디로 사라졌는지 찾을 수가 없다더군.

뭐라고?

─하, 난장판이네. 진짜.

뚝. 그 말과 함께 영상통신구에 남겨진 음성은 끝이 났다. 케일과
론의 시선이 부딪쳤다.

"로잘린 씨에게 연락하고."

케일은 진지하게 말했다.

"나머진 신경 *끄자*."

"도련님, 갈수록 현명해지시네요."

23장

잇고 있었다

## 23장
### 잊고 있었다

"축제도 신경 끄나, 인간?"

라온이 케일을 쳐다봤다. 온과 홍도 비슷한 눈빛으로 케일을 올려다봤다. 케일은 라온에게 눈길 하나 주지 않고 론에게 말했다.

"이틀 뒤에 백작가에 다녀오지."

"네, 도련님. 애들 축제 구경시켜 주려면 서둘러야겠지요."

"쓸데없는 소리 말고, 로잘린 씨 모셔 와."

"네, 도련님."

론은 인자한 척과 장난기가 섞인 미소를 지어 보이며 방을 나갔다. 케일은 씨익 웃는 라온과 온, 홍을 외면하며 침대에서 일어섰다.

"인간, 떠날 준비 하나?"

"지금 안 간다."

"알았다! 떠난다고 소식 전하고 오겠다!"

라온은 열려 있는 창밖으로 날아가 버렸다. 온과 홍이 그 뒤를 따라 창문을 훌쩍 넘었다. 세 아이는 어둠의 숲으로 향했다. 그러거나 말거나 케일은 신경 쓰지 않았다.

잠시 후, 케일은 자신을 찾아온 로잘린에게 소식을 전했다.

브렉 왕국 왕자들 중 한 명이 왕세자 알베르에게 로잘린의 소식을 물었고 케일에 대해 물었다는 사실을, 그리고 알베르와 그 왕자가 함께 제국에서 돌아온다는 소식을 차례대로 전했다.

"로잘린 씨, 이 소식들을 전하려고 오시라고 했습니다."

모든 말이 끝났을 때, 부드러운 미소를 짓는 로잘린을 볼 수 있었다.

"4왕자겠네요."

"그런가요?"

"싸가지를 드래곤 레어에 두고 왔을 법한 녀석이죠."

……뭐를 어디에 두고 왔다고?

케일은 로잘린의 저런 어투를 처음 겪었다.

"그 아이는 어릴 때는 뭐만 하면 징징거리는 아이였어요."

"그렇습니까?"

일단 맞장구는 쳤다.

"네. 그래서 제가 늘 잔소리를 많이 했어요. 왕자라서 잘 몰랐을 수도 있지만, 부탁하는 것도 아니고 징징거린다고 들어주는 세상이 아니잖아요?"

상큼한 미소를 짓는 로잘린이었다.

"그래서 제가 세상을 알려 주었답니다."

무슨 세상일까. 왠지 무시무시한 세상이었을 것 같다.

"어쨌든 4왕자든, 누가 오든, 오면 제가 잘 돌려보낼게요."

케일은 왠지 모르게 잘 돌려보낸다는 말이 무섭게 들렸지만, 그 내용에 대해 묻지 않기로 했다. 로잘린이 어련히 알아서 잘하겠지 싶었다.

똑똑똑.

그때, 문을 두드리는 소리가 들렸다. 동시에 창문에서 검은 뭉텅이가 빠르게 날아왔다.

"문 열어라, 인간!"

여기저기 나뭇잎과 흙을 묻혀서 온 라온을 쳐다보던 케일은 한숨을 삼키며 문에 대고 말했다. 보나 마나 검은 용이 데려왔을 인간은 뻔했다.

"들어와."

달칵. 문 열리는 소리와 함께 검은 용보다 더 시꺼먼 물체가 들어섰다.

"안녕하십니까. 좋은 아침입니다."

메리였다. 오늘도 역시나 기계적인 목소리로 인사를 건네는 그녀였다.

네크로맨서 메리. 그녀는 해리스 마을에서 잘 적응했다. 처음에는 낮이고 밤이고 하늘만 쳐다보던 그녀를 꽤 신경 썼지만, 이제는 아주 잘 살고 있었다.

정확히 말하면 검은 용이랑 잘 놀아 주고 있었다.

"인간, 들어봐라. 나와 저 착한 아이가 하나 발견한 게 있다!"

로잘린이 빙그레 웃으며 앞에 놓인 차를 마셨다. 케일은 뚱한 얼굴로 물었다.

"왜? 또 신기한 돌이나 구멍 많이 뚫린 나뭇잎이라도 발견했나?"

검은 용은 메리를 데리고 어둠의 숲 곳곳을 안내해 주었다. 케일은 메리가 지상 위의 자연을 라온을 통해 배우는 게 조금 찝찝했지만, 귀찮았기에 그러려니 했다.

라온은 메리를 데리고 나가 신기한 돌이나 나뭇잎을 볼 때마다 케일에게 보고했다. 처음 용이 신기한 걸 발견했다고 했을 땐 보물인 줄 알고 얼마나 설렜던가.

"아니다! 그냥 고만고만한 걸 발견했다!"

돌이나 나뭇잎보다 고만고만하면, 흙인가? 케일은 대충 고개를 끄덕여 주며 메리에게 자리를 하나 가리켰다. 메리는 검은 로브를 끌면서 다가와 의자에 앉았고, 로잘린은 그녀에게 다과를 내밀었다. 검은 용은 그 와중에 외쳤다.

"그래! 뼈 발견했다!"

뼈?

"수백 개는 되는 것 같다!"

케일은 메리에게로 시선을 돌렸다.

"대략 이백여 구의 시체 더미가 발견되었습니다. 모두 땅에 파묻혀 있었고, 대부분이 죽을 당시 상태 그대로 묻힌 것인지 뼈의 보존 상태가 좋았습니다. 아마도 길어봤자 2년 정도 되었을 것 같습니다."

"최한이 아마 어둠의 숲 안에서 지들끼리 싸우다가 다 죽은 것 같다고 했다!"

어둠의 숲에서 이따금 죽은 몬스터나 동물을 발견하면 메리는 그것으로 네크로맨서 연습을 했다. 메리는 사람과 엘프족 시체는 사용하지 않았다.

"뼈를 맞춰 봐야 정확히 추론이 가능하겠지만, 지상 몬스터와 비행 몬스터 소수 종족 간의 싸움 같습니다."

그 순간 로잘린은 보았다. 갑자기 케일의 표정이 달라지더니, 입꼬리가 씰룩이는 것을.

"인간, 그 뼈다구 착한 아이가 써도 되나?"

로잘린의 표정이 묘해졌다. 매번 라온과 메리는 어둠의 숲에서 발견한 것들을 케일에게 보고하며 사용해도 되냐고 물었다.

"깨끗하게 쓰겠다!"

"부수지 않겠습니다."

케일은 검은 용과 검은 로브, 검은 세트가 하는 말에 답하지 않고 찻잔을 들었다. 그는 여유로이 차를 한 모금 마시려고 했다.

'왜 그걸 생각 못 했지?'

하지만 케일의 입꼬리는 자꾸 씰룩였고, 그는 웃음을 참느라 차를 마시지도 못했다. 그는 결국 차를 포기하고 메리에게 물었다.

"비행 몬스터 뼈는 쓸 만하던가?"

"네. 군데군데 부러진 부분을 복구하고 조립해야겠지만, 그 정도면 꽤 튼튼할 것 같습니다."

"숫자는?"

"지상 몬스터에 비하면 좀 적습니다. 대략 70여 구 될 것 같습니다."

"크기는?"

"변종 몬스터 같은데-"

"와이번만 해?"

"조금 작습니다."

갑자기 와이번 이야기가 나왔지만 메리는 착실하게 답했다. 케일은 그 막힘없는 대답에 심장이 쿵쿵거렸다.

북쪽의 와이번 기사단.

케일은 그에 대해 생각할 때마다 불벼락과 마법으로 대응해야 하나, 그러면 우리도 많이 부서질 텐데, 온갖 고민을 했다.

"메리."

"네."

"나한테 고맙나?"

"정말 고맙습니다."

메리는 케일의 질문이 뜬금없었지만 이를 느끼지 못하고 성실히 답했다. 딱딱한 목소리였지만 메리는 진심이었다.

케일을 따라 이곳에 와, 비록 인간 마을 속에서 사는 것도, 카로 왕국도 아니었지만. 가끔씩 영주성에 갈 수 있었고, 지상의 아름다움을 편한 환경에서 느낄 수 있었다.

나중에 지하 도시로 돌아가고 나면 이 밤하늘과 푸르른 하늘, 광활한 자연, 그리고 이 집이 보고 싶을 것 같았다.

"그래. 나중에 내가 어려운 상황이 되면 그 고마움을 보답하고 싶겠네?"

케일은 부드럽게 미소 짓고 있었다. 하지만 지켜보던 로잘린은 찝찝했다. 문제는 그녀만 그랬다.

"네, 맞습니다. 보답하고 싶습니다."

그의 입가에 오랜만에 활짝 밝은 미소가 어렸다.

"그럼 내가 부를 때 한 번 영지로 오도록."

"네. 여기는 언제든 또 오고 싶습니다."

케일의 머릿속에선 지금 하나의 상상이 펼쳐지고 있었다. 그는 그 상상을 유지하며 메리에게 말했다.

"몬스터 뼈로 얼마든지 연습하도록. 다만 반납하고 가야 되는 건 알지?"

"당연합니다. 떠나기 전에 깨끗하게 반납합니다."

"역시 인간! 넌 쓰게 해줄 줄 알았다!"

로잘린이 '무슨 이런 거래가 있지?' 하는 표정으로 쳐다봤지만 케일은 라온과 함께 떠나려는 메리에게 한마디 더 건넸다.

"비행 몬스터 시체면 하늘을 날 수도 있겠어?"

"네, 그렇습니다. 하지만 비행 몬스터는 처음이라 연습이 좀 많이 필요합니다."

북쪽에 와이번 기사단이 있다면.

케일은 한 가지 상상을 떠올렸다.

'해골 비행단.'

이름부터 좀 멋지지 않은가?

케일은 심장이 쿵쿵 떨려왔다. 그리고 그의 떨림을 크게 만드는 한 가지가 더 있었다. 그는 떨림을 누르며 메리에게 다정히 말했다.

"메리, 나중에 비행 몬스터가 익숙해지면 말하도록."

"네, 알겠습니다. 그럼 가보겠습니다."

"빨리 갔다 온다, 인간!"

메리와 라온이 방을 떠났다. 케일은 창을 통해 어둠의 숲으로 날아가는 라온을 보며 생각했다.

'드래곤은 와이번 따위는 압살하겠지?'

드래곤 시체. 그것도 성룡의 뼈가 케일에게 있었다. 어둠의 숲, 검은 늪에서 발견한 그 시체.

케일은 드래곤 뼈와 비행 몬스터 뼈들이 그 웅장함을 드러내고 하늘을 날 생각을 하니 심장이 뛰었다. 상상만 해도 자신이 안전해지는 행복한 기분이었다.

"로잘린 씨."

"……네."

로잘린은 케일의 음흉한 표정에 떨떠름한 얼굴로 답했다. 그녀가 본 케일은 참 사람은 착한데, 이따금씩 기상천외한 생각을 하는 이였다.

"브렉 왕국은 군사력이 어떻습니까?"

"네?"

"지금부터 말씀드리는 사안은 극비입니다."

로잘린은 케일의 얼굴에서 서서히 표정이 사라지는 것을 볼 수 있었다.

왕세자 알베르는 결코 아무 이유 없이 타국의 왕자와 함께 움직일 인물이 아니었다. 특히 다크엘프 쿼타라는 신분을 숨겨야 하는 이가 타국의 주요 인사와 함께 다니는 건 위험을 감수해야 하는 일이었다.

아마 지금 그는 간을 보고 있을 것이다.

브렉 왕국이 어떤 곳인지, 왕자가 괜찮은 자인지. 살펴보고 있을 터.

알베르는 중요한 정보를 함부로 발설할 수 없어, 지금 브렉 왕국 왕자를 관찰 중일 것이다. 그리고 그 결과가 괜찮다면 알베르는 움직이리라. 그는 이득을 좇아도 대의가, 왕국이 먼저인 사람이었다.

"북쪽 3국이 연합하였습니다."

"……네?"

그리고 케일은 자신과 자신의 사람들이 먼저였다. 안전하고 편안한 것. 그것이 중요했다.

"그리고 이는 비밀이죠. 몇몇만 알 겁니다."

"케일 공자, 그게 무슨–"

달칵. 마시지도 않고 들고 있던 찻잔을, 케일은 차탁 위에 다시 올려두었다.

"로잘린 씨, 그런데 말이죠."

로잘린은 케일의 미소를 볼 수 있었다.

케일은 로잘린을 라크처럼 자신의 일행이라 여겼다. 하지만 그는 그녀의 전 위치를 잊지 않고 있었다.

지금 할 이야기는 왕가를 뛰쳐나왔지만 아직 동생 이야기를 하며 웃는 그녀를 위한 이야기이기도 했다.

케일은 로잘린, 왕녀로서의 자신은 버렸지만 브렉 왕국에 가족을 둔 그녀에게 말했다.

"연합을 거기만 하라는 법은 없잖습니까?"

로잘린의 눈빛이 달라졌다.

그 뒤로 다른 대화 없이 두 사람의 티타임은 끝이 났다. 그리고 그날 밤.

"저하, 4왕자가 여기로 온답니까?"

–귀신같은 놈, 모르는 게 없구나. 그래, 4왕자가 간다.

"저하."

영상통신구 위로 나타난 왕세자의 얼굴이 영 좋지 못했다. 그는 케일을 탐색하듯 바라봤다. 케일은 왕세자에게 자신이 북쪽 연합에 대해서 안다는 말을 하지 않았다. 해야 할 순간이 오지 않아서였다. 하지만 이제는 그 순간이 왔다.

"북쪽 3국이 연합했다지요?"

알베르는 케일의 물음에 답하지 않고 가만히 그를 응시했다. 그리고 이내 입가에 부드러운 미소를 지어 보였다.

　-역시 모른 척했던 거군. 그래서 마법사 빼돌리는 걸 도왔던 거고. 해안가 군사 기지 건설도 도왔고.

　케일은 부정하지 않았다. 왕세자 알베르는 반응을 기대하지 않았던 듯 곧바로 그에게 물었다.

　-그럼 이번 일은 어떻게 해야 할 것 같나?

　"로잘린 씨가 동생과 만난답니다."

　-그녀도 이 정보를 알겠군.

　"제 동료입니다."

　알베르는 그 대답에 바람 빠지는 웃음을 흘리고는 말을 이었다.

　-비밀 유지. 보안이 제일 중요하다는 건 알고 있겠지?

　"그래서 지금까지 저하께도 말 안 했죠."

　씩 웃으며 짓는 능글맞은 표정에 알베르는 세상에 이리 보기 싫은 표정은 없다는 얼굴로 영상통신을 껐다.

　-그럼 다음에 보지.

　"네, 저하."

　영상통신이 끝났다.

　헤니투스 백작가의 황금 거북이가 찍힌 마차가 영주성 앞을 지나치며 그 뒤편의 백작가로 향하고 있었다.

"곧 축제라는 게 실감 나는군요."

케일은 최한의 말에 긍정의 의미로 고개를 끄덕이며 마차 창밖을 내다봤다. 성안 곳곳이 화려하고 아름답게 꾸며져 있었고, 성 전체가 시끌시끌했다. 특히 평소 조용하고 경직되어 있던 영주성 앞이 북적였다. 영주성 문 앞에는 기다란 줄을 선 사람들이 많았다.

"영주성 앞에 저렇게 사람들이 많이 모인 건 처음 봅니다."

"맞다! 나도 처음 본다!"

케일은 은근히 라온과 온, 홍만큼 들뜬 최한을 볼 수 있었다. 하긴 저 녀석은 제대로 된 축제를 즐기는 것이 처음일 터.

"나도 처음 보는데! 나도 줄 서보고 싶은데!"

케일은 기다란 줄을 보며 홍이 하는 말에 피식 웃고는 작은 머리를 툭툭 쓰다듬었다.

헤니투스 영지에서는 축제가 되면 특별히 펼쳐지는 대회가 많았다. 요리 대회, 그림 대회, 조각 대회 등등 바이올란 백작 부인이 주도하는 대회로, 부상이 꽤 컸다.

"약한 인간! 그런데 왜 다들 저렇게 줄을 서 있나?"

"축제 대회 신청이나 예선 참가하려고 다들 모인 것 같네."

그때 최한이 작게 감탄을 흘리며 관심을 보였다.

"어쩐지 실력 있는 무사들이 두셋 보이더군요!"

……어?

"검투 대회도 하는군요!"

아닌데?

요리, 조각, 그림만 하는데?

"검투?"

"네."

이거 뭔가 불길함이 밀려왔다.

최한은 케일의 군은 얼굴을 보지 못한 채 마차 창 너머 영주성 성문에 시선을 고정하고 말을 이었다.

"어느 대회에 나가려는지는 몰라도, 특히 두 사람 실력이 상당하군요. 그들이 결승에 올라갈 것 같습니다."

최한의 눈빛이 꽤 날카로웠다.

"음, 주로 사용하는 무기가 무엇인진 모르겠지만 꼭 검으로만 싸우는 건 아닌가 보네요? 한 사람은 한쪽 어깨를 보면 활을 주로 사용하는 것 같습니다."

케일은 론을 쳐다봤다. 론이 씨익 웃어 보였다.

"시종하는 암살자도 있는데, 요리, 예술이라고 없겠습니까."

케일은 잠시 이곳이 판타지 세상임을 잊었다.

이 세상은 평범하게 생긴 요리사가 극독 전문가일 때도 있고, 수선집에서 일하던 평범해 보이는 사람이 철사를 뿌리며 가장 잔인하게 사람을 죽이기도 했다.

그런 세상이었다.

"최한."

"네."

"헤니투스 영지의 추수제에는 요리, 그림, 조각 대회만 있다."

케일은 최한이 어떻게 반응할지 궁금했다.

"아, 그렇군요! 무술은 취미로 했나 봅니다."

별것 아니라는 듯 넘기는 최한의 모습에 케일은 역시 주인공다운 반응이라 생각했다. 그리고 이내 인정할 수밖에 없었다.

"그래도 내 앞발만큼 강한 인간들은 아니다!"

"누나, 우리가 이길까? 대회 나가고 싶은데."

"넌 요리도 그림도 조각도 할 줄 모르는데."

케일은 자신의 옆에 있는 존재들의 대화를 들으며 이 세상이 원래 이런 세상임을 인정했다. 마차는 영주성을 지나쳤고 곧 백작가 정문이 나타났다. 케일은 론에게 물었다.

"대회 일정이 어떻게 되지?"

어차피 영지 안엔 강자가 많을수록 좋았다. 론이 일정표를 건넸고 케일은 일정표를 보며 최한에게 물었다.

"얼굴 기억하지?"

"네."

정말이지, 먼치킨 세상은 엄청났다. 강자들이 왜 이리 많은지. 약한 자신이 버티기에 참 힘든 세상이었다.

케일은 마차 구석에 앉아 있는 로잘린 쪽으로 시선을 두었다. 그녀는 북쪽 연합에 대해서 듣고 난 후로 생각에 잠긴 듯 말이 없었다.

'공자, 일단 막내, 그러니까 4왕자를 만나 보고 난 뒤 대화를 청해도 될까요? 물론 연합과 관련된 부분은 바로 동생에게 말하지 않을 생각이에요.'

어제 로잘린이 찾아와 건넨 말이었다. 그 말에 케일은 편한 대로 하라고 했다.

"워워워─"

마부석에 있는 부단장 힐스만의 목소리가 들려왔다. 마차는 백작가 안으로 바로 들어가지 않고 정문 앞에서 멈췄다. 케일은 피식 바람 빠지는 웃음을 흘리며 마차 문을 열었다. 동시에 라온이 투명화했다.

"어디 가지?"

"오라버니!"

막냇동생 릴리가 정문 앞에 서 있었다. 7살의 아이는 여름 내내 햇볕을 많이 쬔 듯 많이 타 있었다.

"훈련을 열심히 했나 보네."

"네! 열심히 했어요!"

아주 당당하게 열심히 했다고 말하는 릴리는 케일이 보기에도 꽤 성장한 것 같아 보였다. 이렇게 탈 정도로 훈련했으니, 실력도 꽤 늘었으리라. 케일은 릴리의 허리춤에 목검이 하나, 그리고 등 뒤로 조금 기다란 목검이 사선으로 매어 있는 것을 보았다. 그 시선에 릴리가 멈칫하더니, 재빨리 입을 열었다.

"등에 맨 것은 그냥 긴 목검이 궁금해서 만들어본 거예요!"

"그래?"

목검에 여기저기 긁힌 흔적들이 있는데? 꼭 나무토막을 목검으로 내려친 자국 같은데?

"네! 그렇습니다!"

릴리는 심하게 존대를 하며 케일의 눈을 피했다.

"그리고 지금은 기사단 훈련이 다 끝나서! 놀러 가는 길이에요! 어머니께 허락 맡아서 한 시간 동안만 나갔다 와요! 요 앞에 영주성 근처에 식당들 골목으로 가는 것이라 안전해요!"

7살은 아주 구구절절 케일에게 설명했다. 케일은 설명을 부탁하지도 않았고 그저 쳐다봤을 뿐인데, 릴리는 마치 찔리기라도 한 듯 열심히 설명했다.

"그래. 잘 갔다 와라. 저녁때 보지."

"네, 네!"

케일은 가보라 손짓했고 릴리는 몇 번이나 뒤를 돌아보면서도 아주 빠르게 영주성 앞 식당 골목으로 달려갔다. 그곳은 주로 영주성 고용인과 관리들이 식사를 하는 곳으로, 가격도 저렴하면서 깔끔한 곳이었다.

케일은 마차에 올라타며 생각했다.

'수상한데.'

꼭 어디 무협에서 은둔 고수와 인연이 닿아 스승으로 모시며 배우는 문인 가문의 막내 같지 않은가? 케일은 론과 시선이 부딪쳤다. 론의 왼팔은 아직 2주 정도는 더 있어야 완성이었다.

"알아봐."

"네, 도련님."

설명하지 않아도 론은 척하면 척이었다. 이 세상을 더 오래 산 음흉한 노인네는 케일과 비슷한 생각을 하는 것 같았다. 이미 백작 부인이 릴리에 대해 알아봤을 것 같지만, 케일 자신도 알아보는 편이 나았다. 그는 요리 대회 일정을 확인했다.

케일은 일정표를 든 채 백작가로 돌아왔다. 현관을 통해 들어서는 그를 반긴 이는 예상 밖이었다.

"바센."

"형님."

"음, 기다리고 있었나?"

바센은 케일의 물음에 답하지 않고 손에 들린 서류를 펼쳤다. 케일은 현관문 안으로 들어서지도 못하고 애매하게 선 채 바센의 모습을 지켜봤다.

"축제 동안 머무신다 들었습니다."

"그래."

"축제 때 영지 대회 시상을 형님이 하셨으면 하는데, 될까요?"

케일의 입꼬리가 올라갔다. 바센의 손에 들린 서류는 영지 일이었다. 이제 바센이 영지 일을 할 정도가 된 것이다. 반면에 케일은 아직 제대로 된 영지 서류 하나 만져본 적이 없었다.

좋은 신호였다. 하지만 의문이 생겼다.

"아버지는?"

"아버지는 축제 개회사는 할 예정이신데, 작은 대회들을 모두 챙기기에는 바쁘다고 저나 형님, 릴리 중에서 하면 좋겠다고 하셨습니다."

"어머니는?"

"심사 위원장이시라, 심사 위원상을 시상하십니다. 형님은 대상이고요."

"네가 하지?"

케일은 썩 하고 싶지 않았다. 그리고 바센이 해야 사람들에게 자신보다 바센이 더 기억되지 않겠는가.

"저는 영지 일로 바쁩니다. 현재 영지 행정 관련 일을 배우는 중이라 대회 시상을 하려면 참관도 해야 하는데, 그럴 시간이 없습니다."

케일은 미소를 지었다.

'그래, 바센이 영지 행정을 배운다고 바쁘다는데. 이런 걸 착실히 배워놔야 영주가 되지 않겠나. 까짓 한 해쯤 내가 시상한다고 사람들이 깊이 기억하겠어?'

다음 축제부터는 영지 행정을 다 배운 바센이 모두 다 하면 될 일이었다.

"그래. 네가 바쁘다니 내가 해야지. 앞으로 이 영지의 행정을 비롯한 전반은 네가 이끌어가야 하지 않겠어?"

군사는 릴리가 한다고 열심이고.

"든든하구나."

케일은 바센의 어깨를 두드리며 그를 응원했다. 바센은 굳센 다짐을 담은 표정으로 신중히 말했다.

"네, 형님. 믿고 맡겨주십시오."

그럼, 기꺼이. 이 영지는 너랑 릴리 거다.

케일은 오랜만에 기분 좋게 홀가분한 미소를 지으며 고개를 끄덕였다.

"무리하지 말고. 나는 이만 들어가마."

그는 바센을 지나쳐 자신의 침실로 향했다. 걸음이 느긋하면서도 사뿐사뿐 가벼웠다. 바센은 그런 형의 뒷모습을 보다가 케일 일행의 인사를 받고는 영주성으로 향했다.

바센은 자신이 릴리처럼 무에 재능이 뛰어난 것도 아니기에, 최대한 열심히 행정을 배워 행정 전문가가 되리라 마음먹었다. 열다섯. 꿈이 생긴 바센 헤니투스였다. 그 꿈을 온 가족이 응원해 주었다. 그 사실을 떠올리며 바센의 무뚝뚝한 얼굴 위로 미소가 맺혔다.

케일이 알면 기절을 할, 차마 응원해 주지 못할 꿈이었다.

케일의 얼굴 위로 지루함이 나타났다. 지긋지긋함에 가까웠다.

-그런 얼굴은 그만하지?

"저하도 같습니다만."

왕세자 알베르도 지겨운 표정으로 케일을 쳐다봤다. 영상통신구로 요즘 매일 마주하는 두 사람은 이제 서로가 지긋지긋했다. 그럼에도 할 일이 있어 계속 연락하게 되었다.

-4왕자는 결국 수행 기사 셋을 데리고 헤니투스 영지로 향할 것이라고 말하더군. 내일 내가 제국을 떠나니 그 일정에 맞춰 생각하면 될 거다.

"네, 로잘린 씨에게 전해두죠."

늦어도 한 달 안에는 4왕자가 도착하리라.

-데르트 백작에게도 전해주게.

"알겠습니다."

아버지가 로잘린이 왕녀였던 것을 알고 있었나? 말한 적은 없었지만, 부집사 한스가 알고 있으니 아버지 데르트 백작도 알고 있지 않을까 싶었다.

'그래도 헤니투스가의 가주면 꽤 이름 있는 귀족 가문 수장인데 왕녀 정도는 알아보셨겠지.'

이런저런 고민을 하던 케일의 귓가로 왕세자의 목소리가 들려왔다.

-웃긴 얘기 하나 듣고 싶지 않나?

"전혀요."

저도 모르게 속마음이 바로 튀어나와 버렸다.

-들려주지.

그리고 이를 가뿐히 무시하는 왕세자 알베르였다.

-태양신 교단 교황이 어떻게 죽었는지 아나?

"저하, 이런 얘길 지금 제국에서 저한테 막 하셔도 됩니까?"

-소리 차단 마법쯤은 해뒀지. 내가 누군가?

누구긴. 수많은 마법사들을 거둔 왕세자였다. 마법 장치야 많이 가지고 있을 것이다. 케일은 납득하며 고개를 끄덕였고 알베르는 말을 이었다.

-축제 시작을 알리는 황제의 말 다음으로, 태양신 관련 행사라 교황도 축사를 했지. 장소는 제국 수도 태양신 신전 앞 단상 위였어.

알베르는 그때를 떠올리며 쓴웃음을 지었다. 교황이 올라선 단의 높이는 황제보단 낮았지만 황제 옆에 서 있던 황태자보다 높았다. 교황의 위상을 말해주는 단면이었다. 그건 쓴웃음을 지을 일도 아니었다.

문제는 따로 있었다.

-그 단상이 날아갔지.

"네?"

-신전과 단상이 모두 날아갔다.

케일은 순간 하이스섬5가 떠올랐다.

"폭발입니까?"

-참 잘 알아들어. 그래, 폭발이야.

미쳤네. 케일은 딱 그 말이 튀어나올 뻔했다. 동시에 의문이 들었다. 모고르의 황태자가 벌인 짓인 줄 알았는데, 황태자는 그런 티 나는 짓을 할 인간이 아니었다. 그리고 태양신 교단 쌍둥이가 범인이라고 하지 않았던가?

-우리와 비슷한 형태였지.

우리. 그 단어에 케일의 표정이 달라졌다. 알베르가 우리라고 칭할 만한 폭발은 수도 마법 폭탄 테러 사건뿐이었다.

-쌍둥이와 검은 옷을 입은 자들. 그리고 마법 폭탄. 폭탄의 파괴력은 수도에서 목격한 것과 같은 정도였어. 감이 오지 않나?

케일은 아무 말 없이 굳은 표정으로 앉아 있었다. 그 모습을 이해한다는 듯 알베르는 말을 이었다.

-다행히 나는 마법사 실드 덕에 살았지만, 교단 앞에 있던 신도들은 엉망이 되었지. 교황만 죽은 게 아니란 소리야.

-난 그런 짓을 한 그 단체를 반드시 찾아내어 가만두지 않을 생각이야. 우리 왕국에도 그런 짓을 할 계획이었단 말이니까.

알베르는 수도 마법 폭탄 테러 때 보았던 그 마법사를 아직도 잊지 못했다.

-이번에는 그 마법사가 아닌 다른 마법사였지만. 어쨌든 그 마법사 녀석을 잡아 꼭 벌을 줄 생각이네.

"음, 저하."

-그래.

"그 마법사는 이 세상에 없습니다."

-뭐?

"죽었습니다."

케일은 왕세자의 시선을 회피했다.

-……죽였나?

"제가 안 그랬습니다."

그건 진실이었다. 비록 최한이 양팔을 자르고 두 눈을 **뺏었지만.** 그래도 죽인 건 최한이 아니었다. 그 미친 검사가 죽였다.

-하.

깊은 한숨이 들려왔다. 케일은 그 한숨에 신경 쓰지 않았다. 안 그래도 머릿속이 복잡했기 때문이다.

'아무래도 태양신 쌍둥이와 마법 폭탄. 이게 찝찝하단 말이야.'

하지만 뭔가를 알아낼 방법이 없었다. 새로운 사건이라 인과 관계 파악이 어려웠다. 그렇다고 론이나 일행보고 알아 오라고 할 수도 없었다. 무엇보다도 케일의 바람은 그저 자신에게 불똥이 튀지 않는 것이었다.

-……앞으로 그런 건 좀 말을 해주도록.

"네."

케일은 아주 여유롭게, 느긋하게 대답은 잘했다. 알베르는 그 모습을 가만히 보고 있자니 머리가 아파왔다. 그는 한숨과 함께 말을 이었다.

-4왕자가 도착하면 연락하도록. 4왕자는 상당히 예의 바르고 점잖은 사람이더군. 얘기 나눠보면 좋을 거다.

싸가지 없다던데? 징징거린다던데?

케일은 로잘린의 말을 떠올렸지만 별다른 말없이 고개를 끄덕였다. 곧 두 사람의 영상통신은 끝이 났다. 케일은 한동안 통신할 일이 없는 영상통신구를 마법 주머니에 넣었다.

다음 날, 케일은 차양이 펼쳐진 자리에서 느긋하게 아래를 내려다 봤다.

가운데 널찍한 공간을 두고 동그랗게 관중석이 세워져 있었다. 그곳에서 가장 높은 곳에 앉은 케일은 종이를 펼쳐 들었다.

−이제 대회 하나?

라온의 물음에 케일은 고개를 끄덕였다. 오늘부터 하루씩 대회가
열렸다.

−그런데 인간, 나중에 밤에 야시장 구경 가나?

케일은 오늘 아침 라온에게 화폐에 대해 가르쳐 주었다.

−내가 사 달라는 거 다 사 주나?

케일은 고개를 끄덕였다. 그럼, 야시장에서 파는 것들쯤이야, 사
주고도 남았다. 케일의 머릿속으로 히히거리는 라온의 목소리가 들
려왔다. 케일은 시선을 아래로 두었다.

고양이 온과 홍의 목에 주머니가 달린 목걸이가 각각 있었다. 용
돈이었다. 검은 로브의 메리도 우두커니 앉아 검은 주머니를 들고
있었다. 역시 용돈이었다.

"난 참 어떨 때 보면 배포가 크단 말이야."

−맞다! 착하다, 인간!

케일은 로잘린이 보았다면 다시 황당해했을 만한 말을 내뱉고는,
옆에 선 최한과 론을 보며 손을 내밀었다. 그의 손에 종이가 한 장
놓였다.

"이 셋이란 말이지?"

요리사. 화가. 조각가.

순서대로 적힌 인적 사항을 따라 최한이 설명했다.

"전직 기사단장, 궁사, 살수입니다."

참나. 케일은 기가 찼다.

전직 기사단장에 궁사에 살수라.

'생활체육처럼 생활 전투단을 만들어도 되겠는데.'

해골 비행단에 이어 생활 전투단까지 나타나면 적들은 얼마나 기가 찰까. 케일도 상상만으로 기가 찼지만 점점 입꼬리가 위로 올라갔다.

"실력이 중상 정도라고?"

"네. 셋 모두 부단장 힐스만 님 정도 실력은 됩니다."

―인간, 너 왜 그리 웃나? 재밌는 일 있나? 나도 가르쳐 달라!

라온이 물었지만 케일은 답하지 않았다. 대신 그는 론을 쳐다봤다. 최한이야 이런 일에 둔한 녀석이고. 론은 눈이 마주치자마자 인자한 척 미소를 지어 보였다.

"도련님, 생각보다 훨씬 살기 좋은 영지 아닙니까?"

"그러네."

데르트 백작은 케일이 북쪽 3국 연합을 알려준 뒤로 성벽 공사를 진행 중이었다. 뮐러의 설계도를 바탕으로 이루어지는 대공사였다.

더불어 아버지는 병력을 늘리고 그 질도 높이고 있었다. 물론 영지민들을 쥐어짜는 것이 아니었다. 그랬다면 지금 저렇게 축제 구경을 오는 영지민들이 있겠는가?

데르트 백작은 돈을 열심히 쓰고 있었다. 그럼에도 그는 아직 준비가 부족하다고 여기고 있는 듯했다.

"아주 좋네."

케일은 특등석용 푹신한 소파에 몸을 파묻었다. 거만함이 절로 흘러넘치는 자세였으나, 그 졸부 같은 자세가 찰떡같이 잘 어울리는 케일이었다.

"일단 저자가 궁사입니다."

지금은 그림 대회 중이었다. 사실 대회보다는 이벤트에 가까웠다.

그림은 축제 기간 전에 공모를 받아 1차 심사를 했고, 그다음 2차 심사를 통해 수상이 결정되었다. 지금은 1차 합격자들이 이벤트 형식으로 헤니투스 영주성 부근에 자리한 돌산, 채석장을 멋들어지게 그리는 자리였다. 이 이벤트도 수상자가 따로 있었다.

케일은 최한이 가리키는 궁사 겸 화가에게로 시선을 두었다. 장발에 수염을 기른 남자가 벌떡 일어나 이젤에 거칠게 엑스 자로 붓을 휘두르고 있었다.

"이건 아냐! 나는 왜 이리 못난 거지? 어떻게 이딴 쓰레기를 그림이라고! 이 손이 미쳤어!"

물감이 여기저기 튀었다. 남자는 두 손으로 제 머리카락을 쥐어뜯었다.

"난 쓰레기야! 예술은 이런 게 아니란 말이야!"

케일은 그 그림을 보며 생각했다.

'엄청 잘 그렸던데.'

케일은 최한을 쳐다봤다. 최한이 시선을 외면하며 입을 열었다.

"상당히 예민한 이라고 합니다. 이곳에 터를 잡은 건 3개월째로, 가장 짧습니다. 빈민가 꼭대기 하얀 나무 옆에 집을 짓고 살고 있다고 합니다. 영감의 원천이라고 하더군요."

뭐가 뭐의 원천?

케일은 아래를 내려다봤다. 온과 홍이 냐옹 울며 히죽거리고 있었다.

'부서지지 않는 방패'. 첫 번째 고대의 힘을 얻었던 장소인 빈민가의 사람 잡아먹는 나무. 그 나무는 케일 덕에 하얗게 변해 푸른 잎을 늘 매달고 있었다.

"이건, 이건 아냐! 나는 이 쓰레기를 사람들에게 보일 수 없어!"

케일은 론에게 말했다.

"일단 저 인간은 넘기자고."

빈민가의 하얀 나무. 그 나무는 케일에게 반응했다. 부서지지 않는 방패의 소유자였으니까. 저놈을 보러 간다고 집을 찾아갔다가 나무가 케일에게 진동하며 반응을 보인다면.

'잘못하다간 내가 영감의 원천이 될 것 같은데.'

그런 불길한 예감이 들었다.

"조각가는? 내일 본선 나오나?"

"아니요."

"그럼?"

"예선 탈락입니다."

음. 최한은 잠시 고민하다가 말을 이었다.

"꼴찌더군요. 재능이 없는 편이라 합니다."

"살수 재능은 있더군요."

론이 끼어들며 케일에게 물었다.

"도련님, 식당을 예약해 놓을까요?"

"그래."

일단 전직 기사단장 요리사를 보러 가볼까 싶었다.

케일은 느긋하게 그림 대회를 지켜봤다. 물론 자신은 쓰레기라 외치면서 뛰쳐나가 버린 화가 겸 궁사를 보며 한숨을 내쉰 것은 덤이었다.

"오라버니."

릴리의 눈동자가 흔들리고 있었다. 케일은 이를 아무렇지 않게 넘기며 음식점 '따뜻함이 머무는 공간'으로 들어섰다.

"어서 오십시오."

영주의 아들이 방문했다. 당연히 주방장이 나와 공손하게 인사를 했다.

주방장은 70대의 노인으로, 건장한 체격을 지녔지만 세월은 거스를 수 없었던 듯 점점 왜소해지는 이였다. 케일은 이 노인에 대해 알아본 후 꽤 놀랐지만 그 존재 자체가 이상하게 느껴지지는 않았다.

"예약해 두신 방으로 안내해 드리겠습니다."

영주성 앞 음식점은 가끔 손님 접대를 하러 오는 이들을 위한 방을 따로 준비해 두었다. 케일은 안내를 하려는 노인과 눈이 마주쳤다. 주방장은 아무 말 없이 자신을 바라보는 케일의 눈빛과 마주했다. 릴리가 한껏 긴장한 채 주방장과 케일을 번갈아 바라봤다.

마침내 케일은 그에게 손을 내밀었다.

"어머니의 스승님을 뵙게 되어 영광입니다."

"네?"

릴리가 화들짝 놀라며 요리사를 쳐다봤다. 그리고 외쳤다.

"사부님이 어머니의 스승님이세, 합!"

사부님. 저도 모르게 튀어나온 단어에 릴리는 두 손으로 입을 막았다. 릴리는 눈동자를 데구루루 굴렸다. 씩 웃는 큰오라버니가 보였다. 들켰다.

'가족들에게 비밀이었는데! 들켰다!'

하지만 릴리의 예상과 달리 백작 부인 바이올란은 진작부터 알고 있었다.

"그리고 제 동생 사부님이시기도 한 분을 뵙고 싶어서 한번 찾아와 봤습니다."

케일의 말에 요리사는 아무 말도 하지 않고 가만히 케일을 응시했다. 그러다가 곧 너털웃음을 흘렸다.

"백작 부인의 스승이라니. 가당치 않은 말씀이십니다."

요리사이자 전직 기사단장. 에드로. 케일은 에드로에 대해 보고하던 론의 말을 떠올렸다.

'이 영지에서 10여 년 이상 산 이들은 이분의 정체를 알고 있지요. 백작 부인과 함께 오신 분이었습니다.'

몰락한 귀족 가문의 바이올란. 그녀는 상단을 운영하며 사치품 항목을 거래하다가 이 헤니투스 영지까지 오게 되었다.

그때 그녀의 상단 일행을 지키는 표사 역할을 하던 이가 에드로였다.

그는 몰락한 바이올란의 가문 전직 기사단장으로서, 바이올란이 상계라는 치열한 세상에 뛰어들겠다고 했을 때 기사로서의 삶을 버리고 용병으로 돌아서서 상단의 호위로 일했다.

'백작 부인의 어릴 적 검술 선생님이셨다고 합니다.'

근본이 무가인 헤니투스 가문. 데르트 백작도, 차남 바센도 검을 기본적으로 다룰 줄 알았다. 그리고 바이올란 부인도 기본은 했다.

'그분은 백작 부인께서 결혼하신 후에는 요리사가 꿈이었다고 여기에 터를 잡으셨지요.'

10년 이상 더 된 이야기라 케일이나 릴리, 바센은 알지 못하는 이야기였다. 이 식당 건물도 데르트 백작이 세워줬다고 했다.

"여기 요리가 참 맛있다고 들었습니다. 기대하면서 왔습니다."

케일은 부드러이 미소를 띠며 말했고 그 말을 듣는 에드로의 표정은 묘했다.

'망나니도 이런 망나니 놈이 없었는데.'

에드로는 예전 케일이 술 먹고 행패 부리는 걸 보며, 저런 놈들은 정신 교육을 시켜 땅바닥에 몇 번 굴려주어야 된다고 생각했던 때가 있었다. 그는 썩어빠진 정신 상태를 용납하지 못했다.

"먹을 만하실 겁니다."

에드로는 담담하게 답하며 케일을 방으로 안내했다.

ㅡ인간, 동생이랑 잘 먹어라.

케일과 릴리가 같은 방이었고 다른 일행은 딴 방이었다. 라온과 온, 홍이 편히 밥을 먹기 위해서였다.

"제가 시중을 들지요."

론이 케일을 따라왔다. 에드로와 론의 시선이 부딪쳤다. 에드로는 론이 암살자였단 말을 백작 부인에게 들었다. 얼마나 놀랐던가. 동시에 자신이 가늠할 수 없는 실력자라는 것에 놀랐다.

"음흉한 놈."

"하하, 형님도 마찬가지 아니십니까."

론은 인자한 웃음을 터뜨리며 능글맞게 답했고 에드로는 이를 탐탁지 않게 쳐다봤다. 주방장은 안내된 방에 들어가 착석한 케일과 릴리를 보며 천천히 문을 닫았다. 요리를 하러 가야 했다. 시중을 맡은 론이 그 뒤를 따랐다.

그때 닫히는 문 사이로, 에드로는 케일이 릴리에게 건네는 말을 들을 수 있었다.

"훌륭한 분이시니, 제대로 배워라."

에드로는 론을 쳐다봤다.

"우리 도련님이 잘 컸지."

론은 에드로가 문을 완전히 닫기 전, 에드로의 어깨 너머로 자신을 쳐다보는 케일을 볼 수 있었다. 잘 컸다. 아주 음흉하게.

탁. 작은 소리와 함께 문이 완전히 닫혔고, 론은 준비한 말을 내뱉었다.

"도련님은 릴리 아가씨 일도 있지만, 백작 부인을 모셨던 형님을 보고 싶어 하셨습니다. 백작 부인께 말씀 안 드리고 몰래 찾아온 것이니 비밀로 부탁합니다, 형님."

론은 한마디를 더 날렸다.

"도련님은 이제 어머니의 삶을 알고 싶다고 하셨거든."

에드로. 자신의 주군이자 제자인 바이올란을 위해 아낌없이 희생했던 70대 노인의 눈동자가 깊어졌다. 문 너머로 남매의 목소리가 에드로의 귓가에 닿았다.

"릴리, 너는 훌륭한 검사가 될 것이라 믿는다."

"네, 오라버니. 전 이 영지를 지키는 수호 기사가 될 거예요!"

크흠. 헛기침을 하며 에드로는 주방으로 향했다. 그 뒤를 따르며 론은 케일이 했던 명을 떠올렸다.

'에드로가 나중에 영지가 위험해지면 나서고 싶은 마음이 들게 만들어. 나이가 있어서 전면에 나서기는 힘들지만, 그런 사람이 나서면 마음을 울리는 법이지. 안 그래?'

우리 도련님은 아주아주 똑똑하고 음흉하게 컸다. 물론 론은 그런 편이 좋았다.

일단 한 명을 위한 밑밥을 깔아두었다.

그리고 이제 두 번째였다. 사실상 화가를 제쳐두어 마지막이나 다름없었다.

–인간! 밤인데도 사람이 엄청 많다! 밝다!

"아름답습니다. 지하와는 다르게 어둠 속에서 빛나는 것들이 심장을 쿵쿵 뛰게 만듭니다."

케일은 갈색 로브를 두르고 있었다. 그런 그의 옆에는 검은 로브의 메리와 투명화한 라온, 그리고 최한이 온과 홍을 품에 안고 따라왔다.

화려하고 시끌벅적한 야시장. 특이한 모양의 석등 사이로 수많은 이들이 오갔고, 케일은 그 사이를 로브를 쓴 채 조용히 지나가고 있었다.

–맛있는 냄새가 난다! 나 10실버 있다! 저 닭꼬치 사 달라! 돈 준다!

케일은 한숨을 내쉬며 뒤돌아섰다. 부집사 한스가 뒤늦게 따라오고 있었다.

"한스."

"네!"

"닭꼬치도 세 개 추가."

"네, 네! 우리 사랑스러운 분들을 위해서 닭꼬치를 사 오겠습니다!"

한스는 음식을 한가득 들고 있었다. 모두 가문에 돌아가서 먹을 것들이었다. 그 신나 보이는 광경에 케일은 고개를 절레절레 가로저으며 거침없이 앞으로 향했다. 그 걸음이 수많은 좌판 중 하나에서 멈췄다.

"어, 어서 오세요!"

황급히 한 여자가 벌떡 일어나 케일을 반겼다.

'심각한데.'

케일은 좌판에 놓인 정체를 알 수 없는 조각의 기이함에 할 말이 떠오르지 않았다. 그는 눈앞의 여자를 쳐다봤다.

그녀는 살수로 추정되는 조각가.

'실력 있는 자가 맞습니다. 왜냐면 정확히 정체를 파악하지 못했기 때문이지요. 도련님, 살수는, 암살자는 정체를 숨길 줄 알면 반은 된 겁니다.'

그는 조각품을 하나 가리켰다.

"이건 악마인가?"

40대의 푸근한 인상인 그녀는 전혀 살수로 보이지 않는 넉넉한 풍채를 가졌으며 맘씨 좋은 이웃으로 보였다.

하지만 역시나 조각이 범상치 않았다. 심각하게 정체를 알 수 없는 조각이었지만 하나같이 서늘하고 기이함이 가득했다. 악마, 칼, 추상적인 어둠 등을 떠올리게 만들었다.

"아이구, 꽃입니다. 개나리입니다."

……개나리?

─충격적이다, 인간. 이건 개나리가 아니다.

이것도 재능이었다. 케일은 진심으로 그렇게 생각하며 그 조각을 집어 들었다. 케일은 이 조각이 이빨을 드러낸 악마인 줄 알았다.

"맞군. 개나리네. 이거 하나 사고 싶은데."

"저, 정말입니까?"

"그래. 소중한 이한테 선물을 하고 싶군."

케일은 나오는 대로 지껄였다. 그놈의 호감을 쌓기 위한 과정이 힘겨웠다.

─크흠! 인간, 네가 정 주고 싶다면 그 충격적인 것도 나는 받아줄 수 있다!

"여기, 이─ 이건 호랑이인가?"

"사랑스러운 토끼입니다!"

"……그래, 토끼도 주게."

악마의 파수꾼 같은 토끼였다.

"감사합니다!"

"아니다. 훌륭한 조각이야."

케일은 조각 두 개를 들고서 마지막까지 부드럽게 조각가를 대했다.

"내 취향이야."

"그, 그런 말은 처음 들어봅니다. 감격스럽네요!"

중년 여성의 눈동자에 감동의 파도가 일렁였다. 케일은 그런 그녀를 보며 확신을 하나 내릴 수 있었다.

'정말 연기 잘하네.'

누가 그녀를 보면 정말로 재능이 별로 없지만 조각을 사랑하는 예술가로 보고, 그 열정에 감동했을 것이다. 론이 했던 말이 떠올랐다.

'지금까지 눈에 띄지 않은 게 대단합니다.'

'저자는 둘 중 하나입니다.'

'실수 아니면 첩자.'

조사 결과 첩자는 아니었다.

무슨 이유인지는 모르나 3년째 영지에 머무는, 조각가로 위장한 살수. 론은 그간 이 조각가를 마주친 적이 없어 이런 자가 있는 줄 몰랐다고 했다. 그리고 마주쳤을 때 역시도 최한이 강하다고 말해주어서 겨우 정체를 알 수 있었다고 했다.

케일은 여인이 내미는 악마 토끼와 악마 개나리를 받아 들었다. 그는 품에서 돈을 꺼내 그녀에게 내밀었다.

"아이구, 제가 잔돈이 없는데."

금화 하나가 그녀의 손 위에 떨어졌다. 가난한 조각가는 어쩔 줄을 몰라 했다. 케일은 그녀에게 말했다.

"자네의 노고에 대한 내 마음이네."

"……지금까지 조각을 하면서 제 노력을 알아주신 분은 처음입니다."

감동한 중년 여성을 보며 케일은 살짝 후드를 들췄다. 케일 헤니투스. 이 영지 영주의 아들 얼굴이 드러났다.

"어? 고, 공자님!"

경기할 듯이 놀라며 당장 허리를 숙이려 하는 조각가.

참 연기를 잘했다. 케일은 그런 그녀에게 다가가 속삭였다.

"도망 다닌 자네의 그 노고에 대한 내 마음이야."

"네?"

"숨어 다니기 참 힘들지?"

중년 여성의 눈빛이 서늘하게 가라앉았다. 그때 한 사람이 케일의 뒤로 나타났다. 소리 소문 없이, 어느 순간 그 자리에 나타났다.

"론, 뒤는 자네가 알아서 하도록."

"네, 도련님."

케일은 여전히 당황한 얼굴이지만 눈빛은 차가운 조각가이자 살수에게 말했다.

"금화 하나면 오늘 장사는 접어도 될 거다. 론과 대화할 시간은 충분할 거야."

조각가이자 살수, 도망자 프리지아는 론이 등장하는 줄 전혀 몰랐다. 살수인 그녀의 기감을 속이는 걸음을 할 줄 아는 이였다. 프리지아는 론을 살피며 경계했다. 케일은 부드러운 미소를 띠며 도망자 프리지아에게 말했다.

"도망은 힘들지?"

두 번째 사람이 계획대로 걸려들었다.

"도련님, 뒤는 제가 알아서 하겠습니다."

살수와의 대화는 살수가 잘할 터. 케일은 론에게 뒤를 맡겼다. 론은 케일에게 정보가 필요하지 않느냐고 물었다.

케일은 당연히 정보가 필요했다. 지금까지 정보로 버틴 그였으니까. 미래에는 더 정보가 간절하리라. 현재 그가 가진 정보의 기한은 앞으로 짧으면 1년, 길어봤자 2년이다.

'팔과 살려주신 목숨값. 그 값을 갚겠습니다.'

필요 없대도 론은 갚겠다고 나섰다.

냐아아옹.

냐옹.

온과 홍은 본능적으로 조각가가 자신과 같은 부류임을 파악한 듯했다. 고양이들은 도망친 이유만 수용 가능하다면 론의 제자이자 수하가 될지도 모를 이를 정확히 알아챘다.

─인간, 두 개 다 나를 주어도, 나는 기꺼이 가져주겠다.

온과 홍도 질색하는 조각품은 라온의 보물 창고인 아공간에 고이 모셔졌다.

그리고 축제가 끝나는 마지막 날, 케일은 서류 한 장에 서명했다.

"프리지아."

"네, 공자님."

"자네 같은 전도유망한 조각가를 후원하게 되어 기쁘네."

풍채 좋은 프리지아는 겸손하고 감격스러운 표정으로 두 손을 모으며 말했다.

"공자님, 이제 막 3년 된 조각가지만, 꼭 조각계에 이름을 드높이는 이가 될게요!"

웃기지도 않을 소리.

케일도, 론도, 프리지아도 미소 짓고 있었다.

'수장을 죽였답니다.'

'왜?'

'본래 소속되어 있던 암살단의 원칙은 귀족들 간의 암살만을 맡는 것이었다고 합니다. 그런데 새로운 수장이 귀족의 명을 받고 어린아이들을 납치해 오는 의뢰를 받아들였다고 합니다. 그리고 그 일을 수행하려고 하길래 미친놈이라고 죽이고 도망쳤답니다.'

'그 암살단에게 쫓기나?'

'아뇨. 의뢰한 귀족도 죽이려고 했답니다.'

알고 보니 이 조각가는 스케일이 큰 이였다.

'그 귀족이 누구래?'

'서남부 수장의 가신 가문이라고 합니다.'

아주 복덩이가 굴러왔다.

로운의 동남부가 위퍼 왕국과 맞닿았다면 서남부는 제국과 닿아 있었다. 써먹을 데가 있는 정보였다.

"프리지아, 앞으로도 많은 조각을 부탁하네."

"네. 마음에 쏙 들 만한 조각들로 구해 오겠습니다."

조각은 무슨. 론이 그랬다.

'자신을 따르던 동료들도 도망 다니고 있다더군요.'

당연히 케일은 답했다.

'오라고 해.'

생활 전투단을 만들 것이라면, 제대로 만들어야 하지 않겠는가?

케일은 프리지아와 론을 내보내고, 서재에 걸려 있는 달력을 쳐다봤다. 그의 시선은 3주 뒤를 향해 있었다.

'금방이겠는데.'

케일의 예상대로 금방 3주 뒤가 찾아왔다.

"누, 누나. 크흐흑."

"하아."

로잘린은 한숨을 내쉬었고, 4왕자는 로잘린의 손을 붙들고서 울고 있었다.

"어떻게 이렇게 허름하고 후진 곳에서, 우리 누나가! 세상 최고인 우리 누나가! 왜 이런 돌밖에 없는 돌 같은 곳에서 지내. 크흐흑, 백작가 따위에서! 어떻게! 흐흑!"

케일은 4왕자의 서글픔을 머금은 말을 들으며 여유로이 쿠키를 하나 집어 들다가 보았다.

로잘린의 손에 동그란 물 공이 형성되어 있었다. 로잘린의 이렇게 화난 표정은 처음 보았다.

ㅡ저 찔찔이는 또 누구냐? 우리 집은 돌이 많아서 좋은 거다. 저 멍청한 찔찔이.

라온의 목소리가 서늘했다.

'누구긴.'

로잘린의 말대로 철이 덜 든 징징이 왕자였다. 하지만 그 왕자는 케일 쪽을 쳐다도 보지 못하고 있었다.

ㅡ그런데 인간, 너 오늘 내 발가락만큼 강해 보인다.

지배하는 아우라. 오랜만에 그 아우라를 온몸에 떡칠하고, 케일은 4왕자를 쳐다보았다.

'감히 작위도 관직도 없는 백작가 자제 따위가 우리 누님을 모신다고?'

케일이 4왕자 펜의 마중을 나갔을 때 처음 들은 말이었다. 보자마자 그 말을 꺼내는 순간부터, 케일은 지배하는 아우라를 사용해 4왕자를 대했다.

오독.

쿠키를 씹는 소리가 울려 퍼졌다. 4왕자는 더욱더 케일의 시선을 피했다.

오독, 오독.

케일은 부드러운 표정으로 쿠키를 자근자근 씹었다. 참고로 케일은 철없이 징징거리는 스타일은 딱 질색이었다.

분명 케일은 예의 바른 자세로 앉아 있었다. 쿠키를 먹는 자세마

저도 귀족다웠다.

오독. 오독.

최대한 예의에 맞게 소리를 최소로 줄였음에도 쿠키 부서지는 소리는 잘 들렸다.

-쿠키 맛있나, 인간?

케일은 라온이 침을 꼴딱꼴딱 삼키는 소리가 들려왔다.

"저하, 하실 말씀이라도?"

"아, 아니다."

질질 짜던 4왕자 펜은 황급히 케일을 외면했다.

로운 왕국의 왕세자 알베르 크로스만은 케일에 대해 '유능하고 예의 바른 이'라고 소개해 주었다.

'장차 왕국의 보물이 될 거라 생각하는 이가 케일 헤니투스지요.'

하지만 펜은 브렉 왕국의 별이었던 큰누나를 모시는 이로서 케일이 부족하다고 생각했다. 처음 케일을 마주했을 때는 얼굴 반반한 귀족 정도로 보았다. 헤니투스 영지도 영주성과 성벽이 공사 중이라 어수선했고 좋아 보이지 않았다.

'그런데 이게 뭐야?'

펜은 로잘린과 케일의 관계가 자신의 예상과 다르다는 것을 대번에 눈치챘다. 로잘린과 케일은 동등해 보였다.

"크흐흑, 누나."

그 사실에 펜은 울컥했다.

"누나, 왜 이런 사서 고생을, 크흑."

"펜, 여긴 네가 운다고 달래줄 누나는 없단다."

로잘린은 미소와 함께 상냥한 목소리로 말했지만 살벌했다.

"펜, 왜 왔니?"

"누나 보고 싶어서. 누나는 우리 왕국의 자랑이었잖아."

아름답고 똑똑하고 멋지고. 특출한 것이 없는 브렉 왕가에서 로잘린은 늘 눈에 띄는 인물이었다. 현재 왕세자인 형도 열심이지만, 그저 성실한 사람일 뿐이었다.

펜은 그 점이 마음에 안 들었다. 황금 왕관이 어울리는 이는 붉은 머리칼과 붉은 눈동자의 누이. 그녀뿐이었다.

"그런데 갑자기 왕국에 이상한 사람들 데리고 와서 다 부수고! 그렇게 가버리면 어떡해?"

다 부수었다는 말에 로잘린은 멈칫하며 케일을 쳐다봤다. 오늘따라 다가서기 힘든 분위기의 케일이 묘한 미소를 띤 채 그녀를 바라봤다. 케일에게는 따로 말하지 않았지만, 왕실의 궁 하나를 날려 버렸던 로잘린과 최한이었다.

"크흑, 나 매일매일 누나가 보고 싶었단 말이야. 그런데 누나가 이렇게 돌덩이만 있는 모자란 시골구석에 있으면! 내 심정은, 진짜!"

참고로 펜과 케일은 동갑이다.

저러는 놈이 18살이었다. 케일은 그게 조금 충격이었다. 그것도 책임과 의무가 중요한 왕족 놈이 저런다는 게 놀라웠다.

'왜 왕세자는 저놈을 진지하고 괜찮은 놈이라고 했을까?'

케일은 알베르 크로스만의 사람 보는 눈을 의심했다. 그 와중에도 펜은 쉬지 않고 입을 놀리고 있었다.

"누나, 누나가 부순 대공가 뒤처리는 내가 다 했어. 깔끔하게 정리되었고, 내가 누나 궁도 다시 복구시켰어. 재정 문제는 걱정 마. 내 궁에 배분된 예산이랑 조달청 일을 잘 관리했거든."

오. 은근히 능력은 있나 보다.

가당치도 않은 울음을 그친 펜의 얼굴은 멀쩡해 보였다.

"누나, 여전히 누나를 기다리는 이들이 많아."

사실이었다. 빛나는 화려함을 가진 그녀를 기다리는 이들이 브렉 왕국에는 많았다.

"넌 내가 원하지도 않는 후계자 위에 다시 앉으라는 거니? 그리고 네 형의 꿈을 짓밟고 싶니?"

로잘린의 표정이 완전히 서늘해졌다. 1왕녀인 자신의 동생인 1왕 자이자 현 왕세자. 그는 왕세자 자리를 원하지 않았다. 다만 로잘린 에게 늘 '좋은 나라'를 만드는 것을 함께 돕고 싶다고 말하던, 순수 한 이였다.

그 말을 듣고 그녀는 자신보다 1왕자가 왕에 어울린다고 생각했 다. 그래서 아바마마와 어마마마도 로잘린과 1왕자의 의사를 존중해 주었다.

"……그건 아냐. 그런 말은 아니고! 하지만."

펜은 우물거리듯 말하며 제대로 말끝을 못 맺고 있었다. 케일은 그 모습을 보며 생각했다.

'그냥 애네.'

뒤이어 이어지는 펜의 말에 그 생각은 더 굳어졌다. 4왕자이자 6남 매 중 막내인 펜은 로잘린을 보며 다시 목소리를 높였다.

"그럼 누나는 이 시골에서 뭐 하는 거야? 마법사가 꿈이라며? 그 럼 대마법사 정도는 되든가. 왕위 계승자였던 사람이 이런 작은 영 지에서 마법사로 얹혀 지내는 게 말이 돼? 무슨 마탑주가 되는 것도 아니고, 영지 마법사로 만족하는 거야?"

위퍼 왕국 마탑에 가보겠다고 떠났던 누이였다. 그런 이의 지금 이 모습을 펜은 용납할 수 없었다. 그는 누이의 붉은 눈동자를 똑바로 응시했다. 로잘린의 눈동자가 깊이 가라앉아 갔다.

그때, 남매는 무덤덤한 목소리를 들을 수 있었다.

"마탑주가 될지 안 될지 누가 압니까?"

로잘린은 천천히 고개를 돌렸다. 펜을 보고 있던 그녀의 눈동자는 여전히 여유로워 보이는 한 남자에게 닿았다. 케일은 흘러가는 일상을 얘기하듯 담담했다.

"전 충분히 될 것 같습니다만. 왕녀로서의 로잘린 씨는 잘 모르겠지만, 내가 아는 로잘린 씨라면 마탑주는 할 것 같습니다."

마법사로서의 로잘린. 그녀는 미래 차기 마탑주로 떠오르는 이였다. 곧 최상급 마법사에 오를 것이다. 케일은 혼자만의 생각이지만, 브렉 왕국과 로운 왕국이 연합하게 된다면 그 마법사들을 이끌 사람은 그녀뿐이라 생각했다.

'물론 우리 안전부터지만.'

케일은 적어도 자신의 일행 능력에 대해서는 확신했다. 그는 이어 말했다.

"로잘린 씨라면, 어떤 상황에서도 성장하실 겁니다."

케일은 4왕자 펜을 바라봤다. 두 사람의 시선이 마주쳤다. 펜의 어깨가 살짝 흠칫했다. 제국의 황태자. 그 인간을 마주했을 때 이런 기분이었다.

나도 모르게 내가 작아지는 기분.

"로잘린 씨를 못 믿습니까?"

그렇게 묻는 눈빛에 로잘린을 향한 믿음이 있었다.

순간 펜은 말문이 막혔다. 케일은 이 징징대고 투정 부리는 막내 왕자를 가만히 응시했다.

"믿죠?"

차분한 물음을 던지는 케일의 입가에 부드러운 미소가 그려졌다.

"……당연히, 당연히 믿는다."

이미 정해진 대답이었다. 펜은 누구보다도 누나를 믿었다.

케일이 미소를 지은 채 그를 가만히 응시했고, 펜은 눈앞의 이가 분명 예의 바른 태도를 보였지만, 자신이 그의 아래에 놓인 것 같았다. 펜은 눈가를 찡그렸다. 그는 저도 모르게 주먹을 쥐며 압박감과 같은 두려움을 벗어나려 외쳤다.

"감히 작위도 없는 귀족 자제가 나에게 누나를 두고 질문을 하는 것, 컥!"

촤악.

펜의 머리 위로 한바탕 물이 쏟아졌다. 로잘린의 손에 들린 워터볼이 펜의 머리 위에서 터졌다. 로잘린은 갑자기 쏟아진 물로 정신이 없어 보이는 동생에게 상냥히 말했다.

"오랜만에 너와 대화를 해야 할 것 같구나. 펜, 일어나렴."

"누나, 내가 뭘 잘못했다고 갑자, 커헉!"

촤아아악.

펜이 로잘린을 돌아보려는 순간, 전보다 더 큰 물세례가 그에게 쏟아졌다. 펜은 물을 잘못 삼켰는지 헛기침을 해댔다. 조그맣던 워터볼과 달리 혼자 파도를 한 번 뒤집어쓴 것처럼 홀딱 젖어 있었다.

-마음에 안 든다. 저 찔찔이는 우리 마법사 로잘린이 얼마나 대단한지 모르고, 감히 우리 집을 비웃고 약한 인간을 하찮게 본다!

케일은 머릿속에 울리는 라온의 목소리를 들으며 어색한 미소를 지어 보였다.

─정신이 번쩍 들라고, 아주 차가운 물로 했다! 나는 잘했다!

로잘린이 케일을 쳐다봤다. 케일은 어깨를 으쓱여 보였다. 그녀의 작은 워터볼과는 차원이 다른 물 폭탄이었다. 펜은 이것 또한 누나가 한 줄 안 듯, 기침을 하며 로잘린을 쳐다봤다.

"커헉, 큭. 누나, 아무리 그래도 이러면!"

"펜, 입 좀 닥치렴."

서늘한 눈빛에 펜은 입을 다물었다. 로잘린은 케일 쪽으로 시선을 돌렸다. 덩달아 시선을 돌렸던 펜은 케일에게서 느껴지는 알 수 없는 분위기에 괜히 시선을 아래로 돌렸다.

"케일 공자, 연무장 좀 빌려도 될까요?"

뭐를 하려고 연무장이라는 단어에 펜의 얼굴이 하얘집니까.

"오랜만에 동생과 함께 대련과 대화를 하려고요."

상냥하게 웃는 로잘린에게 케일은 당연히 답했다.

"남매간의 대화신데, 싹 다 비워 드리죠. 충분히 즐거운 대화를 하시길 바랍니다."

로잘린은 작게 웃음을 흘렸다. 케일 성격상, 제 동생을 좋게 보지 않고 있으리라.

'나도 마찬가지고.'

서늘한 표정의 로잘린이 자리에서 일어섰다. 하지만 그녀의 움직임을 멈추게 하는 소리가 울려 퍼졌다.

똑똑똑. 문을 두드리는 소리와 함께 한스의 목소리가 들려왔다.

"공자님, 영상통신 담당 마법사가 방문하였습니다. 왕세자 저하께 연락이 왔다고 합니다."

케일과 로잘린의 시선이 마주쳤다. 로잘린은 펜을 보더니 고개를 끄덕였다.

"들어와."

케일이 지시를 내리자 곧 문이 열리며 마법사가 영상통신구 장비를 들고서 들어왔다. 한스도 그 뒤를 따라 들어왔다가 마법사와 함께 당황한 얼굴로 잠시 멈칫했다. 펜의 꼴이 엉망이었기 때문이다.

"어– 음, 연결할까요?"

"네, 연결하세요."

로잘린이 그렇게 말하며 손을 휘저었다. 펜은 순식간에 건조 마법으로 물에 빠진 생쥐 꼴을 면했다. 영지 마법사는 그 마법 캐스팅 실력에 흠칫했다가 황급히 영상통신을 연결했다.

곧 왕세자 알베르의 얼굴이 나타났고 펜은 입을 열었다.

"알베르 왕세자 덕에, 무사히 누이를 만날 수 있었습니다."

–다행이군요.

케일은 인정했다.

지금 펜은 점잖고 괜찮아 보였다.

"한 며칠 머무르다 떠날 것 같군요."

–그렇습니까.

대화를 이어가던 알베르는 펜의 뒤에 서 있는 케일과 눈이 마주쳤다. 펜을 쳐다보는 케일의 표정은 평범했지만 동류인 알베르는 저 눈빛과 표정에서 아니꼬움을 느꼈다.

'뭐가 점잖은 왕자라는 겁니까?'

그런 눈빛이었다. 어디서 이런 망아지 같은 걸 데려왔냐는 눈빛이었다. 알베르는 그 눈빛을 외면했다.

'엉망인가 보군.'

알베르는 펜이 연합에 대해 말할 대상이 아님을 알아챘다. 그는 펜보다는 케일의 시선을 신뢰했다.

—로운 왕국 안에서 즐거운 여행하시길 바랍니다.

"감사합니다."

영상통신이 끝났다. 로잘린은 곧바로 펜에게 말했다.

"대련복으로 갈아입고 연무장에 가 있어."

"하……."

펜은 인상을 구기면서도 로잘린의 말을 따랐다.

"나중에 뵙겠습니다, 저하."

그는 순간 케일이 부드러이 건네는 말에 흠칫했다. 자신이 싸가지 없다는 것 정도는 아는 펜이었다. 펜은 케일이 자신을 쳐다보며 웃는 모습에 뒷골이 서늘해져 왔다.

"돌밖에 없는 영지라서 그런지 연무장 바닥도 돌이랍니다. 아주 딱딱하니 튼튼해서 좋습니다, 하하."

속 좋게 웃어 보이는 케일의 모습을 펜은 외면했다. 그러자 서늘한 미소를 지어 보이는 누나가 보였다. 펜은 깨달았다.

'비슷했던 거야!'

비슷하니까 같이 다니는 거다. 펜은 그걸 자신을 둘러싼 케일과 로잘린의 미소에서 깨달았다. 그는 황태자보다 더 압박을 주는 케일에게서 벗어나고 싶었다.

펜은 케일의 말을 다 무시하며 황급히 응접실을 떠났다. 그제야 로잘린이 케일에게 다가왔다.

"사실 연합 건은 펜보다는 첫째 동생과 이야기를 해야 할 문제 같아요."

연합에 대해 언급하는 그녀의 표정에는 고민이 많아 보였다. 현 상황에서 브렉 왕국 왕세자를 만나려면 그녀가 직접 움직여야 했다. 하지만 왕족 지위는 필요 없다며 모든 걸 버리고 나온 그녀였다. 로잘린은 고민을 안 할 수가 없었다. 자신이 왕국에 다시 가도 될까?

"로잘린 씨."

케일은 그런 고민을 대번에 알아챘다. 그는 로잘린이 직접 움직였으면 했다. 그래야 보안과 더불어 모든 것이 편히 이루어질 확률이 높았다.

"꿈을 이룰 때 꼭 다른 소중한 걸 포기할 필요가 있을까요?"

로잘린은 케일을 바라봤다. 그는 평소처럼 담담했지만, 그 담담함이 어쩔 때는 그를 어려워 보이게 만들었다. 그녀는 오늘 그의 분위기가 대하기 어려웠다.

하지만 지금처럼, 또 언제 대하기 어려웠냐는 듯 그 안의 마음 씀씀이가 느껴졌다.

"마법사로서 가족에게 다녀오셔도 됩니다."

왕녀가 아닌 마법사로서의 자신. 로잘린은 케일의 말에 안심이 되었다. 라온이 투명화를 풀고 나타났다.

"맞다! 넌 마법사로서 꽤 대단하다! 다 대단하다고 할 거다!"

로잘린의 입가에 미소가 맺혔다.

"갔다가 돌아올게요."

"당연하다. 갔다가 집에 와야 한다!"

검은 용의 말에 로잘린은 작게 웃음을 터뜨리며 케일을 바라봤다.

케일은 그녀에게 무심히 말했다.

"올 때 기념품 사 주시면 더 좋을 것 같네요."

올 때 기념품. 로잘린은 결국 소리 나게 웃음을 터뜨렸다. 언젠가 최한이 했던 말이 떠올랐다.

'나는 집이 있지만, 그곳은 갈 수가 없어. 하지만 이제 나에게도 다른 우리 집이 생겼지. 홀로 시간을 부유하는 것 같은 느낌에서 벗어난 그 기분은, 참 설명하기 어려워.'

하지만 로잘린은 이제 그 기분을 알 것 같았다. 자신의 능력을 믿어주는 이들이 있는 집.

"그럼요. 기념품 많이 들고 우리 집에 다시 와야죠."

그녀의 입에서 처음으로 집이란 단어가 나왔다. 그 속에 담긴 의미를 케일은 몰랐다. 다만 케일은 연합이 수월하게 이루어질 것 같아 안심했다.


일주일 뒤 로잘린은 하얗게 질린 얼굴로 넋이 나간 펜을 데리고 브렉 왕국으로 떠났다.

케일은 일행에게 지시했다.

"돌아가자."

어둠의 숲 해리스 마을. 그곳에서 내년 봄까지 보낼 생각이었다.

케일은 라온의 시답잖은 물음에 답했다.

"인간, 여기 겨울에 눈이 오나?"

"올걸?"

"그럼 봄 되면 숲에 꽃이 많이 피나?"

"필걸?"

케일의 답대로 라온은 겨울에 눈이 오는 걸 보았고, 초봄에 꽃이
피는 걸 보았다.

19살. 어느새 시간이 흘러 케일은 한 살 더 나이를 먹었다.

"도련님, 이제 일어나셔야지요."

시종 론이 케일을 깨웠다. 케일은 이불 안에 웅크려서 얼굴도 드러
내지 않고 있었다. 그런 그를 많이 큰 온과 홍이 앞발로 꾹꾹 눌렀다.

"인간, 13시간째 잔다! 겨울잠 자나? 넌 곰이 아니다! 이제 봄도
끝났는데 그만 자도 될 것 같다!"

한 10㎝는 큰 듯한 검은 용 라온이 케일을 보챘다. 침대 위를 뒹굴
던 케일은 눈도 뜨지 않고 말했다.

"하, 시간 빠르네."

벌써 늦봄이라니.

열손가락산. 마지막 고대의 힘이 있을 그곳으로 가야 했다.

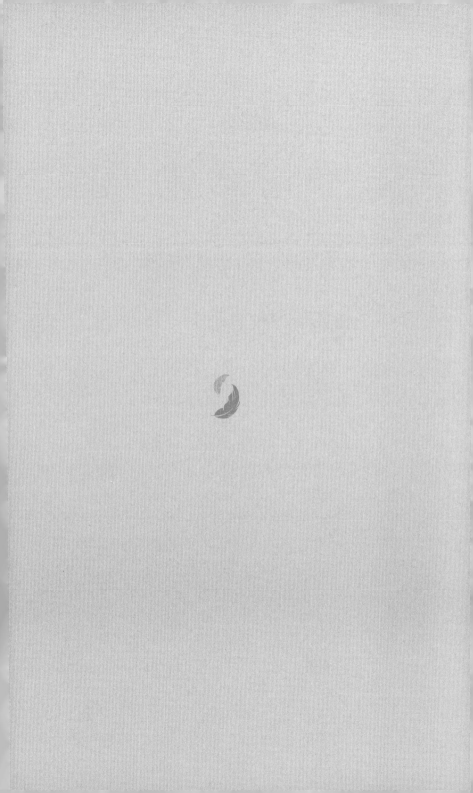

24장
무서운

## 24장
### 무서운

하지만 떠나기 전에 확인해야 할 일들이 있었다.

"승차감이 별론데."

케일의 말에 네크로맨서 메리가 고개를 끄덕이며 방석을 하나 내밀었다. 케일은 방석을 하나 더 깔고서 정면을 바라봤다.

"뷰는 끝내주네."

뼈가 혹시 부서질까 그게 걱정이어서 그렇지.

"인간! 뼈다구 위에 타고 있으니 재밌나?"

"그래. 재밌다."

케일의 대답에 라온이 히죽거렸다. 케일은 자신이 탄 뼈를 내려다봤다. 뼈 사이 숭숭 뚫린 구멍 아래로 숲이 보였다. 이대로 떨어지면 분명 죽으리라. 케일이 타고 있는 건 뼈만 남은 비행 몬스터였다.

메리는 비행 몬스터 72구의 시체를 모두 복구시켰다. 거기다가 케일이 선물한 최상급 마정석 두 개를 갈아서 그 가루를 뿌렸다. 해골 비행단이 완성되었다.

"한꺼번에 컨트롤 가능하지?"

"네. 사람들 눈만 아니면 한꺼번에 날아오르고 싶습니다. 아쉽습니다."

메리가 아쉽다고 말했지만, 케일은 혹시 누군가 보는 이가 나올까 싶어 조심스럽게 비행 중이었다.

"인간, 저 아래에 부집사 왔다."

케일은 손을 흔들어대는 한스를 보았다. 거대한 뼈 날개가 아래로 향하며, 케일과 메리가 타고 있는 비행 몬스터 해골이 서서히 땅으로 내려섰다.

쿵!

"어이구야."

한스가 그 진동에 어벙하게 뒷걸음질 쳤다. 그러다가 케일의 뚱한 시선에 황급히 입을 열었다.

"백작님과 뮐러 씨에게 연락이 왔습니다."

케일은 곧바로 해골에서 내려 건네받은 전서를 펼쳤다. 전서 안의 핵심 내용이 바로 보였다.


**곧 끝날 것 같구나.**


**공자님, 말씀드린 콘셉트대로 내부를 꾸미고 있습니다.**
**최선을 다해, 이 키가 커질 정도로 노력하고 있습니다!**


성벽도, 최고의 방어는 선빵이라는 배도 완성되어 갔다.

'로잘린도 곧 만날 테고. 위티라도 곧 올 테고.'

로잘린은 스스로 협상 일을 맡아 브렉 왕국과 로운 왕국을 오가며 협상을 진행 중이었다. 곧 그 일도 끝이 난다. 현재 그 협상의 결과로, 브렉 왕국 마법사들 몇이 비밀리에 로운 왕국 왕세자에게 간 상태였다.

고래족은 케일이 북쪽에 가는 것을 뒤로 미루자, 위티라를 통해 전할 것이 있다며 직접 찾아온다고 전했다. 그 시일은 꽤 남아 있으니, 케일은 그사이에 움직이기로 했다.

"짐은 다 쌌나?"

"네!"

부집사 한스가 힘껏 답했다. 케일은 검은 로브를 쳐다봤다. 얼굴은커녕 눈동자 한 번 본 적 없는 메리의 목소리가 들려왔다.

"저도 이제 떠납니다."

"그래. 길이 달라 아쉽군."

케일은 메리가 떠난다고 하니 조금 아쉬웠다. 메리는 좋은 전력이었으니까.

그간 메리는 여행을 떠나지 않았다. 대신 조금 더 빨리 지하 도시로 돌아갔다가 다시 세상 밖에 나오기로 했다. 아쉽다는 케일의 말에 검은 로브가 살짝 들썩였다. 기계음과 같은 목소리가 흘러나왔다.

"꼭 돌아올 테니, 다시 돌아올 때까지 아가들을 부탁드립니다. 저는 여기가 아주 보고 싶을 것 같습니다."

케일의 표정이 미묘해졌다. 그는 떨떠름한 얼굴로 메리의 말에 고개를 끄덕이긴 끄덕였다.

"음, 그래."

아가들. 어둠의 숲에서 메리는 라온과 함께 수많은 뼈들을 채집했다. 별별 돌연변이 몬스터가 많은 이곳은 메리 말로는 환상의 숲이었다. 아무튼 그 뼈다구들, 그러니까 아가들은 모두 어둠의 숲 속에 만들어진 동굴에 보관되어 있었다.

메리는 그 아가들을 케일에게 반납했다. 비행 몬스터를 포함하여 총 300여 구에 가까운 아가들이었다. 케일은 아가들을 소중히 다뤄 달라는 듯 우두커니 서 있는 검은 로브에게서 시선을 돌려 한스에게 지시했다.

"바로 가지."

케일은 근 9개월 만에 해리스 마을을 벗어났다.

"오랜만이네."

케일은 소파에 등을 기대며 팔걸이에 팔을 올린 채 소파 가죽을 매만졌다.

"가죽이 상당히 좋은데?"

"싼 걸로 바꿨습니다."

"턱도 없는 소리 하기는."

케일은 번쩍번쩍한 샹들리에를 집무실의 조명으로 쓰는 이를 쳐다봤다.

로운 왕국 서북부 뒷세계의 암흑 상인, 오데우스 플린. 오랜만에 마주한 노상인은 때깔이 더 좋아졌고 젊어졌다.

"살기 좋나 봐?"

전형적인 악당의 느낌을 폴폴 풍기는 케일을 보며 오데우스는 인자한 미소를 지어 보였다.

"그럼요. 베니온 스텐은 이제 평생 지하 감옥에 갇히게 되었으니, 살기 좋지요."

케일의 입가에 미소가 지어졌다.

스텐 후작가와 서북부는 9개월 새 급격한 변화를 겪었다. 베니온 스텐은 지하 감옥에 갇혔다. 원래는 그 정도로 처벌할 생각이 없었다고 했다. 비공식이지만 그래도 한 가문의 후계자였던 이가 아니던가. 물론 스텐 후작가라면 뒤로 몰래 죽이겠지만.

베니온에 대해 떠올리는 오데우스는 미소 짓고 있었지만, 케일을 쳐다보는 눈동자에 살짝 두려움이 어려 있었다.

미쳐 버렸다.

베니온 스텐. 그 인간이 미쳐 버렸다. 지하 감옥에서 식사를 하려고 할 때마다 발작을 한다고 들었다. 그 결과를 만든 이가 지금 오데우스 앞에서 웃고 있었다. 그 사람, 케일은 오데우스에게 물었다.

"후작은 수족들이 하나하나 잘려 나가고 있다고?"

"테일러 공자님이 워낙 잘하시더군요."

테일러는 공식적인 후계자가 되었으며 그는 형제들을 죽이지 않겠다고 선언했다. 동시에 스텐 후작가의 규칙대로 후계 위를 넘볼 위험을 없애 버렸다.

'죽음의 맹세'. 죽음의 신 신관을 불러 가문의 사람들 앞에서 형제들과 죽음을 걸고 맹세해 버렸다.

"그렇지. 테일러 공자라면 잘하겠지."

하지만 오데우스는 그런 테일러보다 눈앞의 케일이 더 꺼려졌다.

"그런데 무슨 일로 오셨는지?"

케일은 오데우스의 말에 바로 답하지 않고, 손가락으로 소파 팔걸이를 두드렸다. 한참 답이 없던 케일은 도리어 그에게 물었다.

"정상적인 루트도 있겠지?"

역시나 오데우스는 이 정도의 질문에는 그 심중을 헤아려 곧바로 답했다.

"깨끗한 거래처를 말씀하신다면 몇 개 있습니다. 저도 밝은 곳에서 거래를 하니까요."

"음, 그래?"

소파를 두드리던 손가락이 움직였다. 케일은 상의 안주머니에서 패를 하나 꺼내 테이블 위에 올려놓았다.

"……황금패?"

로운 왕국의 크로스만 왕가 표시가 새겨진 황금패. 전혀 예상치 못했던 물건이 나타나자 오데우스의 얼굴에 당황이 서렸다. 하지만 케일은 아직 본론에 대해 하나도 말하지 않았다.

"실버."

실버. 개당 일만 겔론의 가치를 지닌 화폐였다. 골드가 개당 백만 겔론인 것에 비교하면, 적다고 할 수 있지만.

"실버 이십만 개만 구해 와."

이십만 개면 이야기가 조금 달랐다.

"이십?"

되묻는 오데우스에게 케일은 제대로 말해주었다.

"이십만 개."

"이, 십만이요?"

오데우스가 묘하게 십에 악센트를 주는 것 같았지만, 케일은 담담하게 고개를 끄덕였다.

"어. 이십만. 준비해 놔."

은화 이십만 개. 대략 이십억 겔론이었다. 오데우스는 그 돈의 크기에 놀란 것이 아니었다. 그는 의문을 표했다.

"골드로 하시면 안 됩니까?"

"골드 이십만 개 구해 오게? 상관없긴 하다만."

골드 이십만 개. 이천억이었다. 순간 오데우스는 자신이 제대로 들었나 싶었다. 케일의 표정이 지극히도 평온한 것이 제대로 들은 것 같았다. 오데우스는 납득했다.

'아. 그냥 뭐든 이십만 개면 되는구나.'

골드 이십만 개. 서북부 뒷세계를 지배하는 상인으로서, 그 정도는 힘들겠지만 아예 못 할 정도는 아니었다.

'다만.'

그의 시선이 황금패로 향했다. 그는 케일의 손가락이 황금패의 뚜껑을 열어 그 안의 인장을 보여주는 것을 지켜보았다. 왕세자에게 이천억 규모를 지닌 자신을 들키는 것보다는, 이십억 정도가 나았다.

"그런데 이십만 개면 아주 무거울 텐데요."

"괜찮다."

"……도대체 그걸로 뭘 하시려는 겁니까?"

결국 오데우스는 궁금증을 참지 못하고 물었다. 은화 이십만 개. 정말 그 사용처가 궁금했다.

케일의 입가에 미소가 짙어졌다. 9개월, 잘 쉬고 잘 먹었더니 신수가 훤해져 반질반질 빛이 났다. 그의 입이 열렸다.

"알고 싶어?"

천천히 되묻는 케일의 모습에 오데우스는 곧바로 손사래를 쳤다. 눈앞의 사람은 뭘 하고 뭘 생각하는지 모를수록 대하기 속 편한 부류였다.

"전혀요. 허언이었습니다. 모르고 싶습니다."

"그래. 한 시간 안으로 준비해 놔. 가능하지?"

"허. 한 시간, 도대체 무슨- 아닙니다. 준비하죠."

케일은 호기심을 삼키지만 여전히 궁금해하는 오데우스의 눈동자를 마주했다. 그 눈동자는 묻고 있었다.

'이십만 개로 뭐 하게요?'

뭐 하긴.

가는 걸음걸음마다 즈려밟고 갈 돈길을 만들려는 거지.


케일은 한 시간 후, 오데우스의 저택 지하 창고에 와 있었다. 오데우스도 없이 케일뿐이었다. 그는 지하 창고 한 귀퉁이를 채운 은화 이십만 개가 담긴 수많은 꾸러미들을 가리켰다.

"라온, 다 담아."

"알았다, 인간!"

라온이 은화를 모두 아공간에 넣었다. 케일은 순식간에 은화를 넣고 자신을 바라보는 라온에게 5실버를 내밀었다.

"인간, 나도 주나?"

"그래. 좋은 건 나눠야지."

히죽. 라온의 입꼬리가 올라갔다. 라온은 아공간에서 작은 저금통을 꺼냈다.

"이 안에 넣어달라, 인간!"

달캉, 달캉. 은화 5개가 저금통 안에 들어갔다. 라온은 이제 용돈을 모으고 있었다. 케일이 정기적으로 주는 10실버 외에 처음으로 받은 비정기적 용돈에 라온은 절로 신이 난 듯했다. 케일은 라온이 투명해지는 것을 확인한 후, 지하실 문을 열었다.

"허."

오데우스는 텅 빈 창고를 보며 황당함을 담은 한숨을 흘렸다. 케일은 그런 그의 어깨를 두드리는 것으로 작별 인사를 대신했다.

"이제 어디로 가십, 아닙니다. 아무것도 묻지 않겠습니다."

"현명한 선택이야. 빌로스에게 안부 전해주도록."

케일은 즐거워 보였다.

"돈 뿌리면서 즐겁게 산다고 말이야."

"……네. 잘 가십시오, 공자님."

"그래."

케일은 자신이 얼른 떠나길 바라는 오데우스에게 다시 돌아올 악당과 같은 미소를 지어 보이며 스텐 영지를 떠났다.

케일이 탄 마차는 로운 왕국의 서부 끝자락, 열손가락산이라는 특이한 10개의 봉우리가 있는 곳에서 그나마 가까운 마을에 멈췄다. 그나마인 이유는 여기서도 마차로 며칠은 더 가야 열손가락산이기 때문이었다.

"공자님, 우리 사랑스러운 분들이 이 여관이 좋으시답니다!"

케일은 부집사 한스와 한스 품에 안긴 온, 홍을 쳐다봤다.

냐아아옹.

냐아옹.

둘은 이제 아예 부집사를 요리조리 잘 조종했다. 그 모습이 기가 차 케일은 실소를 흘리며 마차에서 내렸다.

온과 홍은 이제 꽤 많이 컸다. 수인족은 동물과 인간일 때의 성장 속도가 비슷했다. 온과 홍이 진짜 고양이라면 벌써 다 컸을 것이다. 하지만 묘족인 둘은 아직 어린 고양이였다.

케일의 뒤를 최한과 늑대 소년 라크, 비크로스, 론이 따랐다.

"케일 님, 여기서 로잘린을 기다립니까?"

"그래."

블로크 마을.

로운 왕국 서부 국경 가까이에 위치한 마을이라, 그 규모가 도시에 가까울 만큼 컸다. 수많은 여행자와 상인들이 오가는 곳이었다.

케일은 느긋하게 주변을 둘러보았다. 목적지인 열손가락산이 근처임에도, 엘프 마을이 며칠 거리에 있음에도 그는 느긋했다.

'인간을 꺼려하는 녀석들이 블로크 마을에 올 리가 없잖아?'

'영웅의 탄생'에서 '열손가락산' 엘프 마을 사람들은 블로크 마을을 비롯해 사람들이 사는 도시나 마을에 절대로 가지 않았다. 엘프 마을의 규칙이라 했다.

'마을이 말살될 위기 정도는 되어야 산에서 내려오겠지.'

엘프들은 그런 존재였다. 그래서 그는 여유로이 여관 안으로 들어섰다.

"방을 바로 잡겠습니다."

"그래. 천천히 해."

온과 홍이 고른 여관은 꽤 깔끔하고 좋았다. 케일은 여관 1층 식당 겸 홀을 둘러보았다. 자신이 서 있는 카운터 앞도 그렇고, 1층 안에 사람들이 상당히 많았다. 주로 상인들이었다.

천천히 1층 안을 둘러보던 케일의 눈에 그가 서 있는 카운터 근처와 가장 멀리 떨어진 1층 구석의 광경이 담겼다. 그곳엔 로브를 둘러 쓰고 얼굴 하나 보이지 않는 5명의 사람들이 탁자를 둘러싸고 앉아 있었다. 흘러가듯 그 5명을 지나치려던 케일의 눈동자가 문득 식탁 위 음식들에서 멈췄다.

다 채소다. 풀밖에 없다.

"……어?"

엘프는 풀만, 과일만 먹는다.

케일은 등골이 서늘해졌다. 그 서늘함이 라온의 목소리가 들리는 순간 정점을 찍었다.

―약한 인간, 저자들은 인간이 아닌 것 같은데?

케일은 이 순간 생각했다.

'……엘프 마을에 말살 위기가 찾아온 걸까?'

또 한 가지 더 생각했다.

'다크엘프 시장처럼, 저 안에 드래곤 기운을 겪어본 엘프와 정령이 있을까?'

챙그랑. 다섯 로브 중 한 명의 손에 들린 포크가 떨어졌다. 그 손이 덜덜 떨리고 있었다.

제기랄, 드래곤 기운을 겪어본 존재가 있나 보다.

케일은 저 구석의 엘프 다섯에게는 들리지 않을 아주 작은 목소리로 다급히 속삭였다.

"라온, 식당 안을 계속 돌아다녀. 그리고 나타나지 마. 난 너를 모른다."

─음? 그래, 알았다! 인간!

케일은 눈을 감았다. 투명한 상태의 라온은 계속 식당 위 공중을 돌아다닐 것이다.

쾅!

곧 들려오는 큰 소리에 그는 눈을 떴다. 포크를 떨어뜨렸던 엘프 추정 로브가 벌떡 일어나서 주위를 둘러보고 있었다. 케일은 그 모습에 인정했다.

방심했다.

9개월 쉬었다고 그사이에 방심했다. 케일은 그 로브 다섯을 외면했다. 주위를 둘러보니 여관 안으로 들어서는 사람도, 여관 안에 자리한 사람도 많았다. 좋은 상황이었다.

'나는 아무것도 모른다.'

일단 모르쇠였다.

케일은 지나가는 시민 1처럼 주변을 둘러보았다.

"왜 그러십니까?"

의자를 넘어뜨리며 벌떡 일어선 로브. 그 로브를 또 다른 로브가 일어서며 붙잡았다.

"뇨, 뇨라!"

팔을 붙잡힌 이가 순간 목소리를 높였다. 중후한 목소리가 울려 퍼졌다. 케일은 왠지 중후한 중년의 엘프가 당황하는 얼굴이 그려졌다. 그는 로브들에게서 시선을 돌려 천장을 바라봤다.

-인간, 나는 빙글빙글 돈다!

라온이 1층 식당 위를 빙글빙글 도나 보다. 케일은 다시 시선을 내려 식당을 쳐다봤다. 엘프 추정 인물의 곱고 하얀 손이 덜덜 떨리고 있었다.

"……이럴 수가!"

드래곤을 만나봤을 것 같은 그 로브의 주인공은 주춤주춤 걸음을 옮겼다. 후드를 푹 눌러쓴 고개가 이리저리 움직이며 방황하고 있었다. 툭. 투둑. 방황하던 중년의 엘프는 사람들과 어깨를 부딪쳤다.

"뭡니까?"

"뭐야?"

부딪친 사람들이 한마디를 건넸지만 그럴 때마다 엘프는 무시했다. 아니, 무시했다기보다는 충격을 받아 답을 못 하는 것 같았다. 또 다른 로브가 부딪친 이들에게 연신 사과하며 엘프를 뒤따라갔다.

케일은 긴장감이 차올랐다.

'오지 마라.'

케일은 슬쩍슬쩍 곁눈질을 하며 방황하는 로브를 관찰했다. 동시에 한스를 툭 쳤다. 카운터 주인과 무슨 이야기를 하는지 굼뜬 한스에게 어서 일하라는 신호였다.

-인간, 언제까지 빙글빙글 도나? 나 계속 돈다!

라온은 도는 게 재밌는지 목소리가 들떠 있었다. 케일은 이제 5살이 된 라온의 활달함을 모른 체했다.

'다크엘프야 왕세자와 연관이 되어 있었고 존재를 아는 타인이 우리뿐이라 라온에 대해 모르쇠하기 힘들었지만.'

지금은 최대한 잡아떼야 했다.

엘프가 얼마나 드래곤을 숭배하는가에 대한 설명이 '영웅의 탄생'에서 한 줄 나왔다.

**엘프들은 드래곤이 날갯짓만 해도 환호했다.**

더 말할 필요가 없었다. 드래곤 숭배에 있어 다크엘프는 엘프에 비교하면 아마 새 발의 피일 것이다. 라온이 파닥이기만 해도 엘프들은 뒤로 넘어가리라.

끔찍하다.

케일의 얼굴은 서서히 굳어갔다.

'왜 이쪽으로 오는 거지? 여기엔 라온도 없는데?'

바람과는 점점 멀어지는 상황에 케일은 쿵쿵 심장이 뛰어왔다. 그때, 다행히 반가운 목소리가 들렸다.

"공자님!"

부집사 한스는 케일을 불렀다가 그의 환한 미소를 볼 수 있었다.

"그래! 한스!"

한스는 이렇게 자신을 환대하는 케일은 처음 보았다. 왠지 모르게 찜찜해져 왔지만, 그는 할 말을 했다.

"좋은 방은 3층 이상에만 있다고 하는데 괜찮-"

"아주 좋아."

나직하게 강한 긍정을 내뱉는 케일에게서 얼른 그 방으로 가자는 의사 전달이 또렷하게 전해져 왔다. 한스는 어서 끝내라는 듯 압박을 주는 케일의 분위기에 바로 여관 주인에게로 고개를 돌렸다.

"그럼 3층에 있는 특실을 다 드리면 되겠지요?"

이제 한스가 대답만 하면 케일은 3층으로 사라질 수 있었다.

"어디 가십니까?"

"3층 가게."

케일은 이미 3층 계단 쪽으로 걸어가고 있었다. 그런 그의 모습에 최한은 의아한 얼굴로 뒤쫓았다. 어지간히도 피곤했는지 케일의 안색은 굳어 있었다.

─인간, 나 두고 어디 가나? 안색이 안 좋다! 아프나? 내가 갈까?

아니, 절대 오지 마.

케일은 고개를 조심히 가로저으며 3층으로 향하는 계단에 드디어 발을 디딜 수 있었다. 그 순간, 바로 뒤에서 소리가 들려왔다.

"아, 이 아저씨가 술에 취했나? 자꾸 왜 이리 부딪치고 다녀?"

"죄송합니다. 원래 이러는 분이 아닌데."

그래, 바로 등 뒤.

케일은 등 뒤로 살짝 부딪치는 소리와 대화 소리를 들을 수 있었다. 계단 난간을 잡는 케일의 손아귀에 힘이 들어갔다.

'정령도 있으면서 왜 나한테 오는 거지?'

의아했다. 정령은 빙빙 도는 라온을 알아차릴 텐데, 왜 여기로 오는 거지? 워낙 라온이랑 붙어 다녀서 라온 냄새가 나에게 묻은 건가?

케일은 재빨리 계단에 올라섰다.

"혹시─"

중후한 목소리가 바로 뒤에서 들렸다. 등에 소름이 돋았다. 뒤돌아서야 할까. 케일의 머릿속으로, 오도 가도 못하게 엘프들에게 둘러싸여 찬양받는 라온과 그 옆에 쭈그리고 있는 자신이 그려졌다. 찰나의 고민이 이어지던 순간이었다.

"누구십니까?"

"뭐지요?"

최한과 론이 다가오던 로브와 케일 사이를 가로막았다. 케일의 입꼬리가 올라갔다. 맞다. 애들이 있었지.

케일은 천천히 뒤돌아섰다. 계단 아래, 최한과 론에게 가로막힌 엘프가 있었다. 엘프 특유의 귀는 보이지 않았지만 살짝 들린 로브 속으로 드러난 눈동자. 케일은 그 눈동자를 내려다보며 입을 열었다.

"무슨 일이지?"

엘프가 살짝 멈칫했다. 뒤따라오던 이가 엘프의 팔을 잡았다.

"아저씨! 도대체 왜 이러십니까?"

그런데 뒤따라온 그 엘프의 얼굴도 후드 사이로 슬쩍 드러났다.

'미친.'

주위를 꼴뚜기로 만들어 버릴 만큼 잘생긴 얼굴 따위는 케일에게 하나도 문제가 아니었다. 그러나 저 엘프의 눈가에 Z자 모양의 상처가 있었다.

'쟤가 왜 여기에 있어?'

힐러 펜드릭이었다. 엘프 중에서도 가장 잘생겼다고 알려진 그 인물. 케일은 벌써부터 집에 가고 싶어졌다. 그의 머릿속이 복잡해졌다.

'펜드릭이 아저씨라고 부르면서 같이 다닐 만한 인물이 누구지?'

책에서 엘프들은 다 잘생겼다고 해서 얼굴 구분이 힘들었다. 족장과 펜드릭은 묘사를 자세히 해주어서 보면 대번에 알아챌 것 같았지만, 나머지는 어려웠다.

케일의 걸음을 붙잡았던 엘프는 펜드릭의 행동에도 꿈쩍도 않고 케일을 보며 혼란스러워했다.

"그, 그―"

엘프는 떨리는 목소리로 케일에게 말했다.

"그, 혹시 마나를 믿으십니까?"

무슨 도를 아십니까인 줄 알았다. 케일은 황당해서 실소를 흘렸다. 그 한쪽 입꼬리만 올라가며 짓는 미소에 중년의 엘프는 흠칫했다.

저 여유로움. 자신을 제외한 모든 것들을 하등하고 하찮게 보는 저 지독한 눈빛. 용의 그 위대한 눈빛과 꼭 닮아 있었다.

'공중을 떠도는 드래곤의 기운.'

드래곤이 방정맞게 빙글빙글 돌아다닐 리 없다. 여기에 있는 생명체들을 놀리듯 분명 자신의 기운을 그냥 빙빙 돌리고 있는 것이 분명했다. 드래곤은 그러고도 남았다.

그렇다면.

'저분에게서 자연의 향기가 가장 많이 나.'

이 식당 안엔 강자들이 많았다. 그러나 자연의 향기는 강자와는 다른 종류의 것이었다.

중년 엘프의 손이 떨려왔다. 엘프는 드래곤을 제외하면 가장 자연에 가까웠다. 그래서 다크엘프보다 몇십 배 자연의 힘에 민감했다.

'저분에게서 타고난 바람, 나무, 물의 향기가 나. 인간이 한 번에 이 정도 향을 풍기는 건 불가능해.'

중년 엘프는 생각했다. 인간이 평생의 모든 운을 쏟아도 하나 얻기 힘든 고대의 힘을 몇 개나, 그것도 다른 속성으로 소지했을 리 없다고.

그렇기에 마나와는 다른 자연 본연의 힘. 그 힘을 이렇게나 품은 존재는 단 하나였다.

드래곤.

감히 입 밖으로 내뱉기도 어려운 그 존재.

'정령만, 정령만 지금 내 곁에 있었다면!'

마을에 두고 온 정령만 곁에 있었다면, 눈앞의 존재에 대해 확실히 알아챌 수 있었을 텐데. 중년 엘프는 통탄스러웠다. 그러나 자신 대신 마을을 위해 노력 중인 정령을 함부로 불러들일 수도 없었다.

하지만 여기엔 평생의 운 따위 쓰지 않아도 고대의 힘을 다른 속성으로 몇 개나 소지한 인간이 있었다. 그 소지자 케일은 단호하게 답했다.

"마나 따위 안 믿는다."

분명 자연 친화적인 용이라면 마나를 믿는다고 답했을 것이다. 그러니 케일은 안 믿는다고 답했다. 케일은 엘프의 눈동자를 똑바로 쳐다보며 이런 자신의 의사를 확실히 표현했다. 엘프의 눈동자가 서서히 바닥으로 내려갔다.

"……그 마음대로 이행하겠습니다."

케일은 엘프가 예의 바르게 고개를 숙이는 모습에 의아했다.

'뭔가 대답이 이상한데? 이행이라니?'

그는 찝찝함이 밀려왔다. 그렇다고 저 엘프를 붙잡고서 '나 드래곤 아니다', '나는 인간이다' 이럴 수도 없는 노릇 아닌가? 케일은 정령도 있는 엘프가 도대체 왜 라온을 두고 자신에게 이러나 의문이 커져갔다.

"아저씨, 무슨 일입니까?"

"별것 아니다. 우리는 우리 하던 대로 하면 된다."

"네? 당연히 그래야죠?"

"그래."

펜드릭과 대화하던 중년 엘프는 케일을 보며 부드러이 미소를 지어 보였다. 중년 엘프는 역시 잘생겼다. 그 엘프는 케일을 보며 말했다.

"우리는 조용히 우리가 하는 일을 하면 돼."

그걸 왜 날 보고 말해?

케일은 황당했다. 황당함에 그의 미간이 살짝 찌푸려졌다. 그 순간 엘프는 흠칫하더니 이제는 허리까지 숙였다.

"안락한 여행을 방해해 죄송합니다. 다음부터는 모른 척하겠습니다. 부디, 기분이 상하지 않으셨길 바랍니다."

……이상한데. 아무리 봐도 이건 유희 나온 드래곤 취급이었다.

'분명 드래곤을 만나본 정령이 나는 인간이라는 것을 알려줄 텐데?'

케일은 찝찝했지만, 일단 모른 척했다.

"볼일이 끝난 듯하니 이만 서로 갈 길 가도록 하지."

케일은 뒤돌아섰다. 조금의 틈도 주지 않는 냉정한 모습이었다. 최한과 론은 정체를 알 수 없는 로브들을 유심히 쳐다보다가 케일의 미련 없는 행동에 뒤를 따랐다.

-인간, 인간! 나 10분만 더 돌다가 따라가겠다! 재밌다!

라온은 꿀벌처럼 8자를 그리며 빙빙 돌았다. 그 속도가 점점 증가했다. 중년 엘프는 점점 빠르게 식당 안을 오가는 드래곤의 기운에 두려움을 느꼈다.

"아저씨, 도대체 이유가 뭡니까?"

"아니다, 얼른 나가자."

펜드릭은 답답함에 한숨을 삼켰다. 그는 중년 엘프 쪽으로 몸을 숙이며 낮게 속삭였다.

"수호 전사님, 괜찮으신 거죠?"

수호 전사. 중년 엘프는 진중한 얼굴로 고개를 끄덕였다. 아쉽지만 어쩔 수 없었다.

"그래, 괜찮다. 얼른 가자꾸나. 마을에 가서 힘을 보태야지."

"네."

펜드릭은 굳은 얼굴로 일행이 있는 테이블을 바라봤다. 일행이 일어섰다. 인간 세상에 나왔지만 별다른 소득이 없었다. 얼른 다시 돌아가서 마을을 지키는 데 힘을 보태야 했다.

"나 때문에 지체되어 미안하다. 서두르자."

수호 전사 중년 엘프의 말에 엘프들은 식당을 빠져나와 빠르게 열손가락산으로 향했다. 각기 다른 높이의 열 봉우리. 그중 그들의 마을이 있는 곳이 지금 위험했다.

며칠 뒤, 이른 아침. 케일은 라온만을 데리고서 열손가락산의 열 봉우리 중 세 번째 봉우리를 올라서고 있었다.

"인간! 산책은 좋다!"

산책은 얼어 죽을. 케일은 이마의 땀을 닦아내며 정상을 향해 바람의 소리를 펼치며 빠르게 올라갔다.

이 열 봉우리들 이름이 왜 하필 열손가락산이겠는가. 그 열 개의 모양이 손가락과 닮아서였다. 그래서 세 번째와 여덟 번째 봉우리가 유독 높았다. 사람처럼 중지가 길다는 소리였다. 구름에 가려질 정도로 높아 한여름 전까지는 눈이 녹지 않는다고 했다.

'하지만 그 봉우리가 녹고 있지.'

마지막 고대의 힘 '파괴의 불'.

다른 사람들은 아직 모를 것이다. 이 고대의 힘은 한 이 주 뒤, 이 세 번째 봉우리의 절반을 녹여 버린다.

"인간! 덥다! 여긴 뭔가?"

"아이고."

케일은 곡소리와 함께 정상에 올라섰다.

"이건 용암 아닌가? 책에서 봤다! 정글의 그 어긋난 불보다 뜨겁다! 희한한 힘이다!"

케일과 라온의 눈앞에 용암이 나타났다. 엄청난 크기는 아니었지만 꽤 큰 용암 구덩이였다. 물론 이 봉우리는 화산이 아니었다. 하지만 현재 이 용암이 산을 녹이며 엄청난 열기를 내뿜고 있었다.

다만 '심장의 활력' 재생과 더불어 불을 지배하는 물이 담긴 목걸이를 소지한 케일은 이 열기의 영향을 덜 받았다. 그는 용암이 들끓는 구덩이 중앙을 바라봤다.

"하!"

기가 찼다. 황금색 돼지 조각상이 빙글빙글 돌고 있었다.

"라온."

케일은 라온을 불렀다. 라온은 희한한 광경을 보다가 케일에게로 시선을 돌렸다. 라온의 눈앞에 펼쳐진 마법 주머니가 있었다.

"왜 그러나, 인간?"

"돈 내놔."

라온은 눈을 멀뚱히 껌벅이다가 돈을 내놨다. 케일의 입꼬리가 스멀스멀 위로 올라갔다. 오랜만에 남한테 피해 안 주고 통쾌한 일을 해볼까 싶었다.

스트레스 푸는 데는 돈지랄이 제격이었다.

"하, 하하하!"

케일은 크게 웃고 있었다.

"……인간, 왜 그러나?"

라온이 뒤로 물러섰다. 케일이 웃고 있어서가 아니었다. 저렇게 웃는 건 신기했지만 보기 좋았다. 하지만 다른 광경은 이상했다.

찰랑, 촤르르―

케일은 마법 주머니에서 청량한 소리를 내는 은화를 한 주먹 집어 올렸다. 그리고 제 앞에 뿌렸다.

"인간! 이 돈이면 닭꼬치가! 맛탕이 몇 갠데! 인간, 왜 그러나! 불만이 있으면 말해라, 인간!"

"하하하하!"

케일은 라온의 말을 듣지도 않았다. 그 순간 신비한 광경이 나타났다.

우우우웅―

불구덩이에서 기묘한 소리와 함께 은화가 녹지 않고 용암 표면 위에 들러붙었다.

욕심 많은 부자이자 전사였던 자가 주인이었다는 고대의 힘. 그가 남긴, 돈이 많이 드는 마지막 힘.

역시 돈은 물 쓰듯이 쓰면 좋은 법이다.

"하하하하!"

대영웅처럼 호쾌한 웃음소리를 터뜨리며 케일은 자신의 앞길에 마구마구 돈을 뿌렸다.

돈길이, 은길이 펼쳐지고 있었다.

-이런 놈이 정말로 나타날 줄이야!

케일의 머릿속에 마지막 고대의 힘인 '파괴의 불' 주인의 목소리가 울려 퍼졌다. 어디 미친놈 보는 듯한 목소리였다.

촤르르륵-. 은화들이 케일의 시야에 눈처럼 날렸다.

'아, 행복하다.'

남의 돈을 이렇게 뿌리니 더 행복했다. 살면서 언제 이런 경험을 해보겠는가.

"그래, 다 뿌리자고!"

주머니에서 은화를 한가득 쥐어 든 케일의 손이 황금 돼지 조각상이 있는 앞을 향해 휘둘리며 은화가 흩날렸다.

"이, 이럴 수가! 인간, 나는 이제 모르겠다! 이러면 안 되는데! 보면 시원하다!"

5살 라온은 혼돈에 빠졌다. 그러거나 말거나 은화들이 용암 경계선 위에 껌처럼 들러붙으며 녹지 않고 길을 만들었다.

파괴의 불.

사실 케일의 눈앞에 펼쳐진 붉은 액체는 용암이라고도, 불이라고도 하기 애매한 존재로, 정확히 표현하면 '불 액체'에 가까웠다. 불이 액체와 같은 형태로 유지되고 있었다.

열손가락산 세 번째 봉우리에 나타난 '파괴의 불'은 봉우리 하나를 잡아먹을 때까지 꺼지지 않았다. 불의 정령을 다루는 엘프가 그 고대의 힘을 얻기까지 사람들도, 엘프도 그 흐르는 불을 저지하지 못했다.

'영웅의 탄생'에 나왔던 이 고대의 힘. 사람들은 이 고대의 힘을 올바른 방법으로 얻지 못했다. 하지만 책을 읽은 케일은 올바른 방법을 알았다.

**하지만 사람들은 돈을 던질 생각은 못 했다. 이 흐르는 불은 돈은 태우지 못했다.**

왜냐고?

—얼마 만에 느껴보는 돈의 우아한 서늘함인가! 이 돈 냄새!

힘 주인이 돈에 환장한 놈이었거든.

—뿌려라! 이렇게 은을 뿌려대는 놈은 내 살아 있을 적 미친 동료 놈 말고는 보지 못했다! 크하하하!

"하하하!"

케일도, 고대의 힘 주인도 웃었다. 그 웃음과 함께 은화가 용암으로 내팽개쳐졌다. 라온은 아공간에서 저금통을 꺼내어 품에 안고 있었다. 심각한 얼굴로 케일과 제 저금통을 번갈아 바라봤다.

"뭘 그리 봐?"

웃음을 뚝 그치고 서 있는 케일의 모습은 기이했다. 펄펄 끓는 용암, 그 위에 은으로 된 길이 빛을 받아 반짝이고 있었다. 그 은빛이 붉은 케일과 참으로 잘 어울렸다.

"약한 인간."

"왜?"

"부족하면 말해라! 나는 이것도 줄 수 있다!"

케일은 코웃음을 쳤다. 케일은 절대 애들 돈은 뺏지 않았다. 코 문은 돈은 취향이 아니었다.

─돈! 이 돈 냄새를 더 느끼게 해달라!

그리고 왕세자가 준 은화가 이십만 개나 있었다.

"옜다."

케일은 아낌없이 주는 사람이 되었다.


무엇보다도 그 엘프는 '파괴의 불'을 완전한 형태로 얻지 못해, 이 힘을 쓸모없다 여겨 사용하지 않았다. 하지만 돈을 뿌리면 뿌릴수록 온전한 '파괴의 불'을 얻을 수 있었으니, 그 힘의 크기를 알았다면 참 아쉬워했을 것이다.


'파괴의 불'의 주인이었던 전사. 그는 권력도 명예도 다 필요 없고 돈을 탐했다고 한다. 가난하게 살았던 어린 시절이 한이었다고.

─나도 이렇게 돈을 쓰레기처럼 써보고 싶었는데! 그 어두운 놈들이 다 뺏어가 버렸지! 내 동료들 돈도! 이 개같은 새끼들! 평생 공짜 노동만 시킨 악독한 놈들!

아주 무자비한 욕설들이 튀어나왔다. 케일은 울분에 가득 찬 목소리에 귀 하나 기울이지 않으며 황금 돼지를 향해 나아갔다.

"하, 귀찮아."

케일은 이제 아예 마법 주머니에서 돈 주머니를 하나씩 통째로 꺼내, 주머니 안의 은화들을 쏟아부으며 앞으로 걸어갔다.

-이, 이런 좋은 놈!

고대의 힘 주인 목소리가 떨리고 있었다.

우우우웅- 우우웅-

케일의 입꼬리가 올라갔다. 황금 돼지 조각상이 더 빛나고 있었다.

취이이익. 용암에서 붉은 수증기가 피어올랐다. 그 수증기를 피해 라온이 더 위로 올라갔다. 불을 품은 수증기였다.

파아앗. 케일의 몸을 부서지지 않는 방패와 날개가 감쌌다.

'이것도 노동이네.'

케일은 슬슬 귀찮음과 피곤함이 밀려왔다. 돈도 한두 번 뿌려야 재밌지. 그는 혀를 차며 점점 빠르게 돈을 뿌렸다. 그리 크지 않은 불구덩이라 중앙의 돼지 조각상까지 금방이었다.

"음."

케일은 어느새 돼지 조각상 앞에 도착했다.

-인정한다! 너는 이 힘을 가져도 될 포부를 지녔다! 너라면, 이렇게 돈을 버릴 정도의 너라면 무엇도 견뎌낼 것이다!

고대의 힘 주인이 케일을 인정했다. 어서 그 돼지 조각상을 가지라는 듯 근엄하게 말했다. 하지만 곧 고대의 힘 주인에게서 얼빠진 목소리가 흘러나왔다.

-응?

촤르르르. 촤르르르.

케일은 은화를 더 꺼냈다.

"많네."

이십만 개는 아직 멀었다.

－이, 이런! 이런 천사 같은 미친놈을 보았나!

고대의 힘 주인이 경탄을 금치 못했다. 그가 경악을 할수록, 기쁨의 비명을 흘릴수록 돼지 조각상은 진동했다.

우우우웅.

봉우리 정상이 흔들렸다.

취이이익, 치이이－

붉은 수증기들이 끊임없이 피어오르며 곧장 돼지 조각상에게로 향했다. 그러거나 말거나 케일은 무심히 이십만 개의 은화를 모두 뿌렸다.

－…….

고대의 힘 주인은 점점 말이 없어졌다.

마침내 케일은 모든 돈을 다 뿌리고 허리를 폈다. 땀이 났다.

"이것도 일이네."

케일은 은화들 위에서 반짝이는 돼지 조각상을 바라봤다. 황금 조각상 주위를 붉은 수증기들이 빛을 내며 감싸고 있었다.

－인정한다. 너에게서 친우의 힘이 느껴져서 긴가민가했는데.

친우의 힘? 정말로 이 자는 바람의 소리 주인이었던 도둑과 친우였나?

케일은 괜히 알 필요 없는 정보를 하나 더 안 것 같은 기분이 들었다. 그러나 뒤이어 들려온 말에 그는 미간을 찌푸릴 수밖에 없었다.

－역시 고대의 힘을 가진 것들 중에 정상은 없다니까. 옜다! 가져라! 다 태워 버릴 힘이다! 물론 돈 빼고.

"오."

고대의 힘이 먼저 케일의 곁으로 다가왔다. 붉은 수증기를 품은 황금 돼지 조각상이 케일의 코앞까지 날아왔다.

'생각보다 담이 작네.'

20억에 고대의 힘이 이리 반응할 줄 몰랐다. 케일은 여유로이 황금 돼지 조각상을 향해 손을 뻗었다. 이제 이 힘만 얻으면 방어에, 재생력, 회피, 공격, 모두를 손에 넣게 된다.

그때 고대의 힘 목소리가 들려왔다.

─바위의 나라에 있으면서 바위의 힘은 없구나.

바위?

케일이 멈칫했다.

─사실 나는 돈 말고도 하나 못 없앤 바위가 있다. 내 한을 풀어준 너에게 특별히 말해주마.

또 다른 고대의 힘에 대한 힌트였다.

'……필요 없는데?'

케일은 이 정도로 충분했다. 그에게는 불을 지배하는 물에, 지배하는 아우라도 있었다. 이때까지 이렇게 고대의 힘을 많이 소지한 인간은 아마 없었을 것이다.

─바위의 나라에는 돌의 왕인 '무서운 짱돌'이 있다.

바위의 나라. 로운 왕국이 떠올랐다. 케일의 표정이 좋지 못했다.

왜 하필 짱돌인가? 고대의 힘 이름 어감도 썩 별로였다. 케일은 그 뒤로 더 이상 다른 말이 없는 고대의 힘 주인에게 반응하지 않고 조각상으로 마저 손을 뻗었다.

치이익. 수증기와 케일의 손이 닿았지만 케일의 손은 조금도 다치지 않았다.

우우우우─

마침내 그의 손끝에 돼지 조각상이 닿았다. 케일에게로 황금빛과 붉은빛이 섞여서 쏟아졌다.

ㅡ네 앞을 가로막는 모든 것을 녹이리라. 또한 너는 이를 견디리라.

고대의 힘 주인의 목소리가 희미하게 사라져 갔다. 케일은 상의를 들췄다. 심장이 있는 왼 가슴팍에 그려진 은빛 방패를 가로지르는 적금빛 벼락이 나타났다.

케일은 안도했다.

'돼지가 아니네.'

아까 돼지 조각상은 꽤 귀여웠지만 그런 문신은 두고 싶지 않았다. 케일은 손을 뻗었다.

"오오!"

라온이 감탄했다.

치이이익. 귀가 울릴 정도로 타는 소리와 함께, 순식간에 은화들이 은빛 수증기로 사라졌다. 동시에 드러난 붉은 용암. 그 용암이 케일의 손아귀로 날아와 구를 만들었다. 케일은 그 구를 잡을 듯 주먹을 쥐었다.

파앗! 작은 소리와 함께 그 용암구가 사라졌다. 세 번째 봉우리 위에는 거대한 구덩이만이 남았다.

"인간, 아까 그 힘은 이제 네 건가?"

"그렇지?"

"내 새끼발톱 반만큼 강해졌다! 아주, 엄청, 정말 미세하게 덜 약해졌다."

라온의 인정을 받았다. 케일의 입꼬리가 올라갔고 그의 몸을 시원한 바람이 스치고 지나갔다. 열기가 사라지자, 그때서야 이 높이에 어울리는 서늘한 기운이 산봉우리에 내려앉았다.

"그런데 인간."

"왜?"

"심각해 보여서 말 못 하고 기다렸는데 말이다."

히죽. 라온이 이가 드러날 정도로 환하게 웃어 보였다. 케일은 이상하게 갑자기 뒷골이 당겼다. 왜 이럴까?

라온이 평온하게 말했다.

"근처에 마창사 왔다."

'음? 누구?'

순간 누군지 기억이 안 났다.

"방금 전에 도착했다. 탐지되었다."

아. 케일은 그제야 기억이 났다. 하이스섬12에서 마주쳤던 비밀 단체 소속의 마창사. 금발의 소드 마스터와 함께하던 이로, 라온이 그 마창사의 배에 마나 화살로 흔적을 남겨두었다.

'갑자기 그놈이 왜 탐지돼?'

한 살 더 먹어 더 강해졌지만 여전히 짜리몽땅한 라온의 앞발이 저 멀리 일곱, 여덟 번째 봉우리 사이를 가리키고 있었다.

"저기에서 느껴진다!"

케일은 두 손으로 얼굴을 가렸다. 일곱 번째 봉우리와 여덟 번째 봉우리 사이. 그곳에는 환영 마법으로 가려져 인간은 볼 수 없는 마을이 하나 있었다.

당연히 엘프 마을이었다. 작은 호수와 몇백 년을 산 나무들이 높이 솟아오른, 동화 속 세상과 같은 마을이라고 했다.

'이건 또 무슨 사건이야?'

또한 당연히, 이런 이야기는 '영웅의 탄생' 5권까지 나오지 않았다.

케일은 왠지 모르게, 엘프 다섯 명이 마을에서 나올 만큼 엘프 마을을 위험하게 만든 존재들을 알 것 같았다. 마창사가 그냥 아무 이유 없이 왔겠는가? 엘프들이 누구와 싸우고 있을지 감이 잡혔다.

라온이 밝은 목소리로 덧붙였다.

"그리고 저번에 봤던 녀석이 온다!"

저번? 케일은 얼굴을 가리고 있던 손을 내렸다. 저번에 봤던 녀석들이 참 많아서 어느 때의 누구를 가리키는지 알 수가 없었다.

-엄청 빠르게 온다! 벌써 산 정상에 다 와간다! 난 숨는다!

케일은 울컥 치밀어 올랐다.

'이런 건 좀 빨리빨리 말해주면 안 되려나?'

라온이야 중요한 힘을 얻는 케일을 방해할 수 없어 조용히 있었던 것이지만, 케일로서는 지금이 더 중요했다. 그는 왠지 저번에 봤던 녀석이 누군지 이제 알 것 같았다. 지금껏 꼭, 이렇게 꼭 엮였다.

부스럭. 인기척 소리가 케일의 귓가에 들렸다.

"하아."

케일은 절로 흘러나오는 한숨을 토해내며 천천히 뒤돌아섰다. 다 녹아버려 시꺼먼 구덩이 중앙. 그 깊숙한 곳에 서서 케일은 이곳을 찾은 이를 쳐다봤다.

"여기엔 분명-!"

방문한 이는 당황한 듯 주위를 둘러보았다. 그는 며칠 전에 분명 여기서 용암을 발견했다. 안 그래도 머리 아픈 와중에 터진 일이라 절망스러우면서도, 그 힘에서 희망을 엿봤다.

주위를 둘러보던 남자는 케일과 눈이 마주쳤다. 마치 용암이 사라지고 사람이 자리한 것 같은 붉은 머리칼이 유독 눈에 들어왔다.

"……다, 당신은-"

힐러 펜드릭. 그는 눈앞의 붉은 남자가 누군지 떠올랐다. 며칠 전 여관 식당에서 수호 전사가 붙잡았던 이였다.

'그런데 그 남자가 누구기에 붙잡으신 겁니까?'

'……나도 정확히 모른다. 그냥 우리는 모르는 게 나은 분이시다.'

수호 전사가 인간을 보며 그렇게 말하는 것은 처음이었다. 펜드릭은 자신을 바라보는 남자의 무감각한 눈빛에 열었던 입을 닫았다. 반대로 용암이 사라진 자리에 올곧이 서 있던 남자의 입이 열렸다. 서늘하고 조금의 틈도 없는 목소리였다.

"누구지? 나를 아는가?"

케일은 어느 때보다 진지하게 모르쇠 중이었다.

그런데 케일의 모르쇠에 반응하는 존재가 펜드릭 말고 하나 더 있었다.

-인간, 나 저 녀석 안다! 알려줄까? 우리 여관 처음 갔을 때 너한테 말 걸었던 엘프 뒤에 있던 엘프였다! 난 위대한 용이라 다 기억한다!

아니, 굳이 알려주지 않아도 아는데. 쓸데없는 라온의 설명으로 머릿속이 시끄러워져 케일은 저도 모르게 미간을 살짝 찌푸렸다.

'쟤는 왜 저래?'

케일은 라온과 별개로 펜드릭의 반응에 살짝 황당했다. 펜드릭은 쓰고 있는 로브의 후드를 살짝 들췄다. 여전히 귀는 가렸지만, Z자 모양으로 눈가에 난 상처가 보였다.

"그때 여관에서 뵈었습니다. 눈이 마주쳤던 것으로 기억합니다."

맞다. 케일은 눈이 마주치며 저 상처를 본 후 식겁했었다.

"그렇군."

하지만 케일은 끝까지 모른 척했다. 그리고 최대한 대답을 짧게 했다. 왜냐면 지금까지 겪어봤기 때문이다.

'말을 많이 하면 안 돼.'

꼭 말을 섞다 보면 엮였다. 케일은 펜드릭에게서 등을 돌려 그와 반대 방향으로 걸어갔다. 그의 걸음은 구덩이 위로 향하고 있었다. 바스락. 바스락. 검은 돌멩이들이 신발에 닿아 부서졌다. 서늘한 바람과 닿은 붉은 머리칼이 가볍게 흔들렸다.

'이러면 신경 끄겠지.'

라는 생각은 당연히 케일의 착각이었다.

"고대의 힘을 얻으셨습니까?"

케일은 등 뒤에서 들려오는 목소리에도 걸음을 멈추지 않았다.

"그래."

단답했다.

펜드릭은 그 무심하면서도 차가운 목소리에 멈칫했다. 그는 점점 멀어져 가는 남자의 등을 바라봤다. 그 무시무시했던 용암의 기운. 펜드릭이 왜 마을에 난리가 났음에도 틈을 내어 이곳에 왔겠는가.

정령을 다룰 줄 모르는 엘프. 가진 것이라고는 치유와 전투 능력뿐인 엘프. 그게 펜드릭 자신이었다.

그런 그에게 그 치솟는 불은 마을을 위해 탐이 나는 존재였다. 혹시 저 불은 엘프들에게 독인 '그것'을 태워 버릴 수 있지 않을까 싶어서였다. 하지만 원래 고대의 힘은 '주인이 정해져 있다'라고 할 만큼 천운이 닿아야 하는 존재였다.

"저기!"

펜드릭은 발을 내디뎠다. 케일은 등 뒤에서 들려오는 소리에 흠칫했다.

'왜 따라와?'

케일은 앞만 보며 걸음을 빨리했다. 물론 답했다.

"왜 그러지?"

"그 고대의 힘을 빌려주실 수 있습니까?"

괜히 답했다.

케일의 얼굴이 구겨졌다. 갑자기 이렇게 훅 치고 들어오는 게 어디 있나? 케일은 탄식을 흘리고 싶었다. 그는 인상을 찡그린 그대로 고개를 돌렸다.

'음!'

그리고 흠칫했다.

그곳엔 엘프가 서 있었다. 펜드릭은 후드를 모두 내린 채 귀까지 다 드러내고 있었다.

'영웅의 탄생'에서는 고래족이 엘프들의 뺨을 후려칠 만큼 외모가 뛰어나다고 묘사했다. 그러나 역시 주인공의 일행답게 펜드릭은 조금 다른 의미를 차지하는 미모를 지녔다.

정령을 다룰 줄 모르는 엘프. 그렇기에 그 절망감을 평생 느끼며 살아야 하는 존재. 그러면서도 힐러인 그는 창백한 안색의 부서질 것 같은 잘생김을 가지고 있었다.

─저 엘프 아프나? 심각한 안색이다.

그래. 아프게 생겼을 뿐, 아프지 않았다. 그런데 잘생겼다. 케일은 엘프 펜드릭을 빤히 쳐다봤다. 그 모습에 펜드릭은 생각했다.

'역시 보통 사람이 아니었어.'

엘프를 보아도 흔들림 하나 없는 저 눈빛. 굳게 닫힌 입. 말 한마디 없어도 어서 설명하라는 듯한 그 눈빛에 펜드릭은 입을 열었다. 자신이 섣부른 말을 했으니, 그에 대한 설명을 해야 했다.

"저는 엘프입니다. 그리고 엘프 마을에서 살고 있습니다."

케일은 한숨을 삼켰다. 주절주절 설명하는 모습에 그는 시선을 먼 곳으로 돌렸다. 왠지 이번에도 글러먹었다는 생각이 들었다. 집 나오면 개고생이다.

그때 케일의 귀를 사로잡는 말이 들려왔다.

"세계수 가지를 뺏으려 드는 단체가 쳐들어왔습니다."

"뭐? 가지를 빼앗기면 엘프 마을은 무너지지 않는가?"

케일은 저도 모르게 놀라 말이 튀어나왔다.

세계수.

판타지 세상이 으레 그렇듯, 대륙을 떠받치는 세계수가 존재한다는 전설이 있었다. 하지만 이 세상의 세계수는 그 정도로 거창한 존재가 아니었다. 다만 특정 장소에 존재하며 자연계의 정령들이 편히 살도록 도와주었다.

또한 엘프들은 세계수가 허락한 가지를 꺾어 마을을 만들었다. 자연의 나무들이 만들어준 둥지. 엘프들은 그 속에서 살았고, 세계수 가지는 환상 마법으로 엘프들에게 안전을 선사해 주었다. 세계수 가지가 사라지면 엘프 마을이 사라졌다.

"네. 무너집니다."

펜드릭은 담담히 답하면서도 속으로 놀람을 감추며 케일을 더 자세히 관찰했다.

'엘프들에 대해 잘 알아.'

저자가 펜드릭을 보고도 놀라지 않은 이유가 있었다. 눈앞의 저자는 보통 사람들이 엘프에 대해 가지는 환상과 호기심을 떠나, 엘프와 정령들의 생태에 대한 어느 정도의 지식이 있는 이였다.

"그래서 현재 엘프와 정령들은 그 단체와 싸우고 있습니다."

그 단체. 케일은 떨떠름함을 참고 물었다.

"그 단체가 어떤 곳이지?"

"모르겠습니다. 다만 하얀 별과 붉은색 별 다섯 개를 달고 다니더군요. 어디의 상징인지 도저히 조사를 해도 알 수가 없었습니다."

미친놈들. 케일은 암인가 엄인가 하는 그 비밀 단체가 도대체 왜 이러는지 도통 알 수 없었다.

—역시 못된 놈들이다! 그런 놈들은 천벌을 받아야 한다! 집을 없 앤다니! 우리 집이 무너지면 나는 세상을 무너뜨릴 거다!

케일은 라온이 뭐라 말하든 말든 궁금한 것을 물었다.

"그런데 왜 내 고대의 힘이 필요하지?"

그것과 자신의 힘이 무슨 상관이란 말인가.

펜드릭은 대답 대신 물음을 던졌다.

"엘프에게 가장 치명적인 독이 무엇인지 아십니까?"

안다. 빌어먹게도 안다. 케일은 한숨을 내쉬었다.

엘프와 다크엘프는 사이가 좋지 않다. 이유는 죽은 마나의 존재였다.

"이 불의 힘이 죽은 마나를 태울 수 있을지 모르겠군."

엘프에게 죽은 마나는 독이었다.

수호 전사가 마을에 정령을 두고 조사를 나간 이유가 있었다. 정령은 죽은 마나에 자유로워, 현재 마을을 지키는 이들은 엘프가 아닌 정령들이나 다름없었다.

펜드릭의 눈빛이 더 깊어졌다. 눈앞의 인간은 엘프에 대한 이해도가 정말로 높은 사람이었다. 이런 인간은 찾기 힘들다.

"그래도 시도해 보고 싶습니다. 도와주십시오. 그 단체가 죽은 마나가 담긴 물을 뿌리는데 정령들도 없애지 못하더군요."

"내가 왜 도와야 하지?"

케일의 물음에 펜드릭은 순간 말문이 막혔다. 동시에 케일은 한 사람을 떠올렸다.

늘 통증에 시달리지만, 크지 않은 통증이라 그러려니 달고 사는 사람. 네크로맨서 메리. 앞으로 많이 부려먹어야 하니, 메리에게 빚 좀 지워놓으면 좋지 않을까. 이왕 이렇게 되었다면 말이다.

"그, 보답을 하겠습니다."

더듬더듬 펜드릭이 말했고 케일이 되물었다.

"보답?"

케일이 관심을 보이자, 펜드릭은 멈칫했다. 인간에게 무엇을 주어야 할까? 엘프 마을은 인간의 기준으로 가난했다. 돈도, 보물도, 보석도 없었다. 그저 나무뿐인 곳이었다.

"네, 그, 보답으로-"

"됐어."

"네?"

"자연 속에 사는 이들이 무슨 돈을 주겠나, 보석을 주겠나."

물론 힐러 펜드릭과 정령들은 보답을 줄 수 있지만.

케일은 뒷말은 삼켰다. 왜냐고?

'엘프들은 물질에 초탈한 인간을 좋아하니까.'

무소유를 참 좋아하는 종족이었다.

케일은 이미 마음을 정했다. 아까부터 라온이 케일에게 강하게 주장했다.

-인간! 나는 그 마창사를 한 대 쥐어박고 싶다!

일행 중 제일 강자가 이리 말하니, 어쩔 수가 있나? 그리고 기껏 이야기가 틀어져서 살아남은 펜드릭이었다. 괜히 죽게 두기도 싫었다. 확인해 볼 것도 있었고.

"도와주지."

"정말입니까?"

펜드릭은 처음으로 남자의 입가에 지어지는 미소를 볼 수 있었다.

"힘든 이들을 모른 체할 수는 없지 않은가?"

무심한 어투였지만, 펜드릭은 순간 고마움이 밀려왔다. 그는 자신이 얼마나 뜬금없이 난감한 부탁을 했는지 알고 있었다. 그래서 더 찡해져 왔다. 펜드릭의 입이 열렸다. 하지만 그의 입에서 소리가 나오기 전에 남자의 목소리가 먼저 들려왔다.

"그리고 그 단체 녀석들이 만나본 녀석들 같거든."

"그게 무슨?"

케일은 저 멀리 다른 봉우리들로 시선을 두며 한탄처럼 말했다.

"고래족을 도우러 간 적이 있다. 죽은 마나를 인어에게 줘서 인어독을 바다에 풀었던 놈들이지."

"그런, 잔악무도한!"

그런 짓을 하다니! 바다 생물을, 그리고 바다를 죽일 일이 있단 말인가! 펜드릭은 경악했다.

"그리고 폭탄으로 로운 왕국 수도 사람들을 죽이려 했을 때. 그걸 겨우 막았었는데."

펜드릭은 순간 한 사건이 떠올랐다.

수도 마법 폭탄 테러.

이번에 정보를 얻으러 세상에 나갔을 때, 그 단체로 추정되는 이들이 한 짓을 하나 알게 되었다. 그리고 그 사건 때 떠오른 귀족의 이름을 하나 들었다. 고대의 힘을 지녔다는 말에 기억하고 있었다.

고대의 힘을 사용해 사람들을 구하고 쓰러졌다는 인물. 그 사람도 붉은 머리칼이었다.

"……케일 헤니투스?"

펜드릭은 부드러운 미소를 짓는 남자를 볼 수 있었다.

"음? 나를 제대로 알고 있는데?"

"아."

펜드릭의 입에서 탄성이 흘러나왔다. 역시, 보통 사람이 아니었다.

–인간, 왜 왕세자랑 같이 있을 때 짓는 미소를 짓나? 사기 치나?

라온의 목소리가 들렸지만 케일은 가뿐히 무시하며 펜드릭에게 말했다.

"마을 위치를 알려주게. 일행을 데리고 바로 도우러 가지."

펜드릭은 고개를 숙였다.

"감사합니다."

차갑게만 느껴졌던 케일 헤니투스가 그의 인사에 그걸로 충분하다는 듯 부드러운 미소를 그렸다. 그 모습이 펜드릭의 눈동자에 선명히 담겼다. 물론 케일은 다 뽑아먹으려고 짓는 미소였다.

사사삭, 사삭.

케일의 제 몸을 스치는 잎사귀들을 느끼며 앞으로 쏘아졌다. 그런 그의 빠른 걸음을 따라 고양이 온과 홍이 나무 사이를 뛰어넘었다.

"케일 님."

케일의 옆으로 최한이 다가왔다. 열손가락산, 열 봉우리 중 일곱 번째와 여덟 번째 봉우리 사이의 골짜기로 향하는 케일 일행이었다.

"왜?"

케일의 딱딱한 되물음에 최한의 표정이 흐려졌다. 그는 난감한 목소리로 물었다.

"꼭 이렇게 입고 가야 할까요?"

"어."

"이유를 물어도 되겠습니까?"

"하나는 비밀 보안 때문이고."

론, 비크로스, 라크. 케일과 최한의 뒤를 따르던 이들이 그의 말에 귀를 기울였다. 그 와중에도 그들은 목적지인 엘프 마을로 빠르게 향했다.

"또 하나는요?"

최한은 씩 웃는 케일을 볼 수 있었다.

"짜증 나라고."

최한은 입을 꾹 다물었다. 아무래도 케일의 진심은 보안보다 후자의 이유일 것 같았다. 이는 사실이었다. 케일은 편안하게 사는 걸 방해하며 계속 문제를 일으키는 비밀 단체가 싫었다.

-인간, 나는 계속 이렇게 멀리 있으면 되나?

케일은 고개를 끄덕였다. 하늘 저 위, 공중에 있는 라온이지만 용이니 케일의 끄덕임 정도는 봤을 것이다. 케일은 라온에게 엘프 마을에 가니 정령 탐지 범위 밖에 있으라 말했다. 물론 만일을 위해 일정 거리 밖에서 함께 이동 중이었다.

"도련님, 보이는군요."

론의 말에 케일은 고개를 들었다. 저 멀리 희한한 광경이 눈에 들어왔다.

챙, 챙! 쾅!

검들이 부딪치는 소리와 폭발하는 소리들이 들렸다.

"희한해요."

늑대 소년 라크의 말에 케일도 공감했다. 일곱, 여덟 번째 봉우리 사이 골짜기. 일반적인 골짜기로 보이는 곳의 풍경이 일렁이고 있었다. 그 일렁임 사이로 싱그러운 나무들로 뒤덮인 또 다른 장소가 보였다.

저기가 엘프 마을이었다. 그 마을 입구를 보며 케일은 감상을 말했다.

"개판이네."

실체화된 정령과 몇 명의 엘프들이 예의 그 비밀 단체와 싸우고 있었다.

"가자."

케일의 입꼬리가 씰룩씰룩 올라갔다. 그는 빠르게 마을 경계선으로 달려갔다.

"온."

안개가 그의 몸을 감쌌다. 뒤이어 말하지 않아도 홍의 독이 퍼지며 독안개가 케일의 몸을 보호했다.

"제가 앞에 서겠습니다."

비크로스가 흰 장갑을 끼며 앞으로 나섰다. 최한은 이미 최선두였다.

"도련님, 조용히 따라가겠습니다."

케일은 론이 서서히 숲의 어둠 속으로 소리 없이 사라지는 것을 볼수 있었다. 채앵! 날카로운 소리에 뒤를 돌아보니, 라크의 손톱이 길어져 있었다. 라크가 수줍게 웃어 보였다. 아직 소심한 녀석이었다.

케일은 다시 앞만 보며 시끄러운 소리들로 가득한 엘프 마을에 다가갔다.

콰아앙!

"크윽!"

끼이이이-

사람과 짐승, 그리고 엘프와 정령들의 비명이 뒤섞인 공간. 그 공간의 강자들이 움직임을 멈췄다. 그들의 시선이 일곱 번째 봉우리로 향했다.

일곱 번째 봉우리에서 내려오는 사람들. 그들은 아주 빠른 속도로 다가오고 있었다.

"또, 또 적들이 더 오다니!"

엘프 한 명이 비명과도 같은 탄식을 흘렸다. 그러나 곧 말을 내뱉었던 엘프는 멈칫했다.

"크아악!"

적의 팔이 하나 베였다. 그 팔을 벤 자는 일곱 번째 봉우리에서 내려오던 자들 중 최선두에 있는 자였다.

"……어?"

가까이 오자 그제야 저들의 모습이 제대로 보였다.

"누, 누구야!"

적들 중 한 명이 외쳤다. 검은 옷에 붉은색 별 다섯 개와 하얀 별 하나를 단 적들. 그들 중 몇몇이 당황스러움을 토해냈다. 엘프들 눈에 일곱 번째 봉우리에서 내려온 자들이 입은 옷이 담겼다.

적들과 같은 옷인데, 조잡하다. 바느질에 서툰 이가 별을 박은 듯한 조잡한 옷을 입은 이들이 다가오고 있었다.

"형님! 저분들입니다!"

"펜드릭! 뭐라고? 저자들이라고?"

펜드릭의 말에 엘프들의 눈이 커졌다.

케일은 최한과 비크로스를 앞세운 채 전장에 내려섰다. 낯익은 이가 눈에 들어왔다. 앞서 있던 최한의 목소리가 들려왔다.

"쟤네들 화내지 않을까요?"

하이스섬에서 그랬듯 비밀 단체의 복장을 조잡하게 흉내 낸 옷을 입은 케일 일행이었다. 케일은 느긋하게 답했다.

"그러면 좋지. 안 그래?"

"좋네요."

케일은 최한의 태연한 대답을 들으며 낯익은 이, 마창사를 쳐다봤다. 하이스섬에서 여유로이 마법 스크롤로 도망가려다, 라온의 마나 화살에 상처를 입은 그 녀석이었다.

"하!"

장창을 손에 든 마창사는 케일 일행을 쳐다보며 실소를 흘리고 있었다. 그는 하이스섬에서 자신을 도망치게 만들었던 이들을 다시 보며 한숨과 함께 말했다.

"미치겠네."

악당이 저렇게 말하는 게, 케일은 조금 신선하게 다가왔다.

"도대체 누구지?"

마창사의 물음에 최한이 답했다.

"비밀 단체다."

이제는 아주 담담했다. 케일은 뚫린 복면 너머로 최한의 입꼬리가 올라가는 것을 볼 수 있었다. 세상에, 최한이 비웃음이라니. 아주 제대로였다.

"또라이들이네."

마창사의 진심이 여실히 느껴졌다. 난감함과 귀찮음, 짜증이 뒤섞인 얼굴이었다. 케일의 입꼬리가 한없이 위로 올라갔다. 그러게 왜 귀찮은 일을 만들어 사람들 피해를 주고 다니나.

"아가야, 쟤네는 누구야?"

"무슨 놈들이지?"

마창사의 동료로 보이는 이들은 둘이었다. 12살 정도로 보이는 남자아이. 그리고 중년의 남자.

─둘 모두 마창사보다 안 강하다. 하지만 남자아이가 특별하다.

탐지기 라온이 다 말해주었다. 또한 힐러 펜드릭이 말한 이들이었다.

'남자아이는 테이머더군요. 그리고 사용하는 어휘로 보아 겉모습만 아이 같습니다. 이지를 잃은 동물들이 죽은 마나를 엘프들에게 뿌리도록 조종하였습니다. 중년 검사는 테이머를 보호하고요.'

그 외에도 비밀 단체 단원 수백 명이 있었다. 엘프 마을에 성인 엘프들 숫자야 많아봤자 이백여 명가량이었다. 아무리 엘프 쪽에 정령들이 있다고 하더라도 이 정도 전력 차이에 죽은 마나까지 있으니 엘프 쪽이 힘든 게 당연했다.

"형아들은 누군데 우리 흉내 내?"

케일은 자신을 쳐다보는 테이머 남자아이와 눈이 마주쳤다.

테이머. 이들은 특별한 능력을 지녔다고 할 수 있었다. 살아 있는 동물이나 몬스터의 친구가 되어 함께 싸우거나 혹은 이지를 뺏어 살아 있는 시체로 만들거나.

후자의 경우 한 번 이지를 뺏긴 동물과 몬스터는 결코 원래의 상태로 돌아오지 못하고, 테이밍에서 풀려나도 폭주하다가 죽었다.

크르르르.

아이 주위로 죽은 마나 액체가 담긴 물통을 지고 있는 동물들이 있었다. 족히 이삼백 마리는 되어 보였다. 동물들은 모두 죽은 마나에 중독되었는지 온몸에 검은 혈관이 튀어나와 있었다.

'남자아이가 흰자위를 보이는 순간, 우리 골짜기에 살던 늑대들이 모두 이지를 잃더군요. 사실 저 테이머가 죽은 마나를 뿌려대서 가장 큰 문제입니다.'

'또 테이머가 동물들을 조종할 때면, 자신의 부하들은 뒤로 빼 죽은 마나 중독을 피하게 하고, 엘프들도 죽은 마나를 지닌 동물들을 피해 돌아설 수밖에 없어요. 그 타이밍을 저 테이머 쪽에서 만드니, 우리는 제대로 된 공격을 할 수가 없습니다.'

그러면서 강자 두 명이 남자아이를 지킨다고 했다.

파앙!

동물들 중 한 마리가 터져 버렸다. 죽은 마나를 감당 못 하고 터진 늑대의 몸에서 검은 기류가 피어오르며 그 시체가 흔적도 없이 녹아 버렸다.

"요, 용서 못 해."

케일은 시선을 뒤로 돌렸다. 라크의 눈동자가 붉게 충혈되고 있었다. 하필 동물들은 모두 늑대, 여우 등과 같은 포유류였다.

남자아이는 눈을 동그랗게 떴다.

"어? 저 남자 손톱, 저거 늑대족 아냐? 우아, 나 갖고 싶어!"

으득. 라크의 송곳니가 날카로워지며 그의 분노가 여실히 드러났다. 최한은 라크 앞에 서며 검에 오러를 피워 올렸다. 소드 마스터임을 드러내는 오러에 테이며 남자아이를 비롯한 중년인이 멈칫했다. 중년인은 마창사에게 말했다.

"인어족 일을 망가뜨린 이들이 저들인가?"

"어, 저 미친놈들이지."

서로를 바라보는 중년인과 마창사 사이로 차가운 목소리가 떨어졌다.

"약한 것들이 말이 많네."

두 사람의 시선이 한곳으로 향했다. 케일은 작게 웃음을 터뜨리며, 자신을 바라보는 차가운 목소리의 주인공에게 명했다.

"싸워도 돼."

아버지의 복수. 비크로스는 오늘 흰 장갑을 네 겹 꼈다. 그의 손에는 장검이 들려 있었다. 하지만 첫 비명은 비크로스에 의해 터져 나오지 않았다.

"크아아악! 내 팔!"

왼팔이 떨어졌다. 비밀 단체의 한 명은 잘려 나간 어깻죽지를 붙잡고 비명을 질렀다. 하지만 팔을 자른 이는 보이지 않았다. 잠시 뒤 케일의 등 뒤에서 아주 작은 목소리가 들려왔다.

"도련님, 잔인한 장면인데, 속 괜찮으신지요?"

범인은 론이었다. 이런 음흉한 노인네 같으니라고.

이래서 케일은 오늘 아주 든든했다. 그는 비밀 단체 너머의 엘프 마을 경계선을 바라봤다. 작은 방벽이 세워져 있었다.

자신을 쳐다보는 펜드릭과 엘프들. 그 멍한 얼굴들을 보며 케일은 명했다.

"일단 경계선까지 간다."

케일의 몸이 바람의 소리를 타고 앞으로 쏘아졌다.

"무조건 저놈들부터 막아!"

마창사가 소리쳤다. 수백 명의 비밀 단체 일원과 수백 마리의 동물들이 일제히 케일 일행에게로 다가왔다. 케일은 그들을 보며 환한 미소를 지어 보였다. 눈이 마주친 마창사가 멈칫했다. 케일은 그런 그에게 말했다.

"안개는 그냥 간과하나 봐?"

케일의 몸을 감싸고 있던 안개가 순식간에 퍼져 나갔다. 온과 홍은 더욱더 강해졌다.

냐아아옹.

냐옹.

소름 끼치는 고양이 울음소리가 울려 퍼졌다. 하얀 안개가 순식간에 붉어졌다. 동시에 케일은 그 안개를 이끌고, 다가오는 수많은 적들을 향해 뛰어들었다. 하지만 케일은 하나도 겁내지 않았다.

선두에서 다가오던 적들이 목을 부여잡았다.

"크으윽!"

"커억!"

다수를 대상으로 살독은 힘들지만, 마비독 정도는 가능했다. 겨우 마비를 이겨내고 다가오는 이들의 왼팔이 모두 잘렸다.

"도련님, 무리해서 뛰지 마세요."

"알아."

론이 양손 단도로 다가오는 이들의 왼팔을 가차 없이 잘라냈다. 죽이지 않는 게 다행이었다. 론은 메리가 만들어준 왼팔을 달고 있었다. 회색빛의 팔은 오른손과 똑같은 역할을 수행해 냈다.

케일의 손에 소용돌이가 맺혔다.

"안개는 빼."

안개가 사라졌다.

"소용돌이에 독."

소용돌이가 붉어졌다. 검은 칠을 한 작은 아기 고양이가 나무 위에서 뛰어내려 케일의 어깨 위에 내려앉았다. 홍이었다.

케일은 자신의 양옆 하늘로 독 소용돌이를 뿌리며 앞으로 향했다. 그런 그를 론이 엄호했다. 그 뒤를 라크가 따라붙었다. 라크는 이를 드러내며 으르렁거렸다.

"크르르르-"

아직 광폭화하지 않은 라크의 울음소리에 이지를 잃었지만 동물들이 멈칫했다. 늑대왕의 후계자가 내는 소리였으니, 본능적인 두려움을 느낀 것이다. 라크는 그 틈에 케일의 뒤로 따라붙으며 물었다.

"공자님, 치료는 못 하죠?"

"저 상태면, 힘들다."

"원래대로 돌아오지도 못하고요?"

"그래."

"……알겠습니다."

저 동물들을 편히 만들어주는 방법은 한시라도 빨리 조종에서 벗어나, 생을 마감하게 하는 것이었다. 조종에서 풀려난다고 하더라도 이지를 잃고 폭주하는 와중에 죽은 마나로 인해 괴로워할 테니까.

케일은 라크가 자신에게서 떨어져 뒤로 빠지는 것을 힐끗 본 후 앞으로 나아갔다. 그의 등 뒤로 저 멀리 마창사의 비명 같은 외침이 들렸다.

"도대체 이런 놈들이 어디서 튀어나오는 거야!"

마창사가 이를 꽉 깨물며 외쳤다. 그에게 비크로스의 검이 쏟아졌다.

"입 다물어. 오늘 흰 장갑 다 쓸 생각이니까."

챙!

비크로스의 장검이 마창사의 장창과 부딪쳤다. 마창사는 다른 손으로 캐스팅을 하며 외쳤다.

"파이어볼!"

쾅!

폭발음이 들렸다.

"제길! 이래서 출장을 안 오려고 했는데!"

마창사는 질린다는 듯 외쳤다. 그의 파이어볼을 어느새 다가온 라크가 가볍게 주먹으로 부숴 버렸다. 순간 손이 탔지만 무시했다. 방어가 없는 싸움. 늑대의 공격이었다. 하지만 라크의 목표는 마창사가 아니었다. 마창사가 보호하는 존재.

마창사가 다급히 외쳤다.

"제길! 아저씨, 벨러드 보호해!"

라크의 날카로운 손톱이 테이머를 향했다. 그를 막는 이는 아무도 없었다. 본래 그를 막았어야 할 중년의 검사는 힘겨운 싸움 중이었다.

"미친, 어디서 이런 놈들이!"

"말을 할 틈이 있나 보군. 더 강하게 해볼까?"

최한이 여유로이 검사를 몰아붙였다. 검사의 몸은 서서히 상처가 늘어갔다. 하지만 최한은 그를 죽이지 않고 주위를 살피며 한계까지 몰고 갔다.

"우아!"

하지만 테이머는 여유롭게 히죽히죽 웃어댔다. 라크의 날카로운 손톱이 순식간에 다가왔다.

"늑대 잡아야지!"

남자아이의 검은 눈동자가 순식간에 하얗게 변했다. 그러나 흰자위만 남은 순간, 그 눈을 가려 버리는 존재가 있었다.

'남자아이가 흰자위를 보이는 순간, 우리 쪽의 늑대들이 모두 이지를 잃더군요.'

펜드릭은 잘 설명해 주었다.

냐아아아옹.

검은 칠을 한 고양이가 나타났다. 은빛 색을 감춘 고양이는 순식간에 테이머의 근처로 내려섰다. 온이 안개로 테이머의 눈을 가렸다.

"어? 이게 뭐야!"

테이머가 당황했다.

1차 목표. 더 이상 테이밍되는 동물을 없게 하는 것. 라크의 손톱이 안개에 가려진 테이머 아이의 눈동자로 향했다.

카앙!

하지만 라크의 손톱을 가로막는 작은 단검이 있었다. 갑자기 수풀 속 그림자에서 흰색 천으로 감싸인, 미라 같은 자가 나타났다. 암살자였다. 암살자의 손에 들린 단도가 기이한 방향으로 틀어지며 라크의 손등을 찌를 듯했다.

"손가락을 잘라야겠구나."

흰 천의 암살자가 말한 순간이었다. 암살자는 라크의 눈동자를 보았다. 라크는 웃고 있었다.

펜드릭은 케일에게 말했었다.

2명이 테이머를 지키는 것 같다고.

그런데 펜드릭을 만나기 바로 전, 그가 이 산을 오르고 있던 시각. 라온이 케일에게 그랬다. 방금 전에 마창사가 왔다고. 그렇다면 펜드릭이 본 둘은 누구일까?

"1호! 피해!"

암살자는 저를 부르는 목소리를 들었다. 동시에 서늘한 기운을 느낀 암살자 1호는 몸을 뒤틀었다.

"누구의 뭐를 자른다고?"

최한의 검이 암살자의 옆구리를 가로질렀다.

"크윽!"

하지만 암살자는 팔로 테이머 아이의 목을 감싸고 뒤로 빠졌다. 라크의 손톱은 아이의 뺨을 스치고 지나갔다.

"아파! 1호, 나 아파! 저 늑대 죽여 버릴 거야!"

안개 사이로 아이의 눈물이 뚝뚝 떨어졌다.

"쳇."

라크는 혀를 차며 온을 품에 안고서 뒤도 돌아보지 않고 엘프 마을 경계선으로 달려갔다. 테이머는 외쳤다.

"저 어린 잡것들 죽여버려!"

아이에게서 걸걸한 노인의 목소리가 울려 퍼졌다. 그 순간 동물들의 눈동자가 붉게 변했다.

최한은 곧바로 비크로스에게 다가갔다. 케일에게 가야 할 때인데, 혹 비크로스가 이성을 잃고 싸울까 걱정돼서였다.

"안 가고 뭐 해?"

하지만 비크로스는 뚱한 얼굴로 달려오며 최한에게 뭐 하냐는 듯 물었다. 비크로스는 마창사보다 약했다. 그래서 걱정했던 최한은 뒤를 돌아보고 실소를 흘렸다.

"저 장갑들은 뭐야?"

"그냥 짜증 나서."

마창사에게 장갑 네 겹, 총 여덟 개를 패대기쳐 버리고 온 비크로스는 무뚝뚝한 표정으로 입꼬리만 올리고 있었다.

그들은 이내 대화를 그만두고 엘프 마을 경계선, 방벽 위에 도착한 케일을 쫓아갔다.

케일은 론의 호위와 홍의 독 덕에 100m 달리기를 하듯이 일직선으로 달려 방벽 위에 도착했다.

"펜드릭, 반갑군."

펜드릭은 멍한 얼굴로 고개를 끄덕여 보였다.

"네, 네."

케일은 어벙하게 대답하는 그를 지나쳐 또 한 명의 낯익은 이를 바라봤다.

"자네도 오랜만이군."

여관에서 봤던 중년 엘프였다. 수호 전사 지트. 그는 눈앞에 펼쳐진 광경을 믿을 수가 없었다. 성인 엘프들은 기본적으로 정령을 다룰 줄 알아서 강했다.

하지만 이 정도는 아니었다. 소드 마스터에 늑대 수인에, 독안개에, 실력 가늠이 불가한 암살자의 호위. 더불어 다른 한 명의 검사도 지트만큼 강했다.

'어디서 이런 인물들이 한꺼번에 나올 수가 있지?'

왕실 기사단장 정도의 실력자들이었다. 지트는 그 실력자들을 이끄는 사람, 케일 헤니투스를 보며 겨우 입을 열었다.

"오랜만입니다."

그의 태도는 여전히 정중했다. 지트는 케일을 보자마자 자신의 정령에게 물었다.

'드래곤의 기운이 느껴지나?'

'아니, 인간이야. 다만 자연의 힘이 강해.'

드래곤이 아니었다. 하지만 그가 귀족이며, 어떠한 일을 해온 인물인지 펜드릭에게 들었다. 자신들을 위해 아무 대가 없이 나선 인간이라 했다. 아무리 인간이 껄끄러워도 순수하고 사명감 깊은 생명체는 존중하는 엘프들이었다.

케일은 지트 너머 저 멀리 이쪽으로 다가오는 하얀 머리칼을 가진 엘프를 볼 수 있었다. 엘프 족장이었다. 하지만 아쉽게도 인사할 틈이 없었다.

"케일 님, 모두 도착했습니다."

케일은 일행이 모두 도착한 것을 보며 방벽의 맨 앞으로 걸어갔다. 그의 옆을 최한과 비크로스가 따랐다.

마치 헤니투스 영지 성벽을 걷듯, 자신의 땅을 걷듯 케일은 태연하고 당당했다. 성벽이라기엔 조잡하게 쌓아 올린 방벽. 그 아래로 달려드는 동물들이 케일의 눈동자에 담겼다.

"죽여! 무조건 저것들부터 죽여! 내 귀한 아기 피부에!"

테이머는 역시 아이가 아니었다. 걸걸한 노인의 목소리에 케일은 뒤돌아섰다.

300여 마리의 동물들이 죽은 마나 통을 들고서 미친 듯이 달려들었다. 그 기세에 엘프와 실체화된 정령들이 주춤했다. 지금까지와는 차원이 다른 공격 강도였다.

"……케일 님, 이래도 되나요?"

펜드릭은 하얗게 질린 얼굴로, 달려오는 동물들 사이로 흘러내리는 검은 마나 액체를 바라봤다. 액체가 닿자 땅이 까맣게 변했다. 그때, 케일의 목소리가 들려왔다.

"일부러 이랬다만."

펜드릭은 흠칫하며 고개를 돌렸다.

"네?"

마치 성주처럼, 조잡한 방벽 위에 서서 엘프 마을을 등 뒤로 둔 케일은 평온해 보였다. 케일은 동물들만 앞으로 나선 것을 유심히 쳐다봤다.

"아직 냉정하네."

테이머는 핏대를 세웠지만, 단원들이 죽은 마나에 중독되게 만들지 않았다. 동물들 뒤로 비밀 단체 단원들이 자리했다. 그리고 맨 뒤에 테이머와 마창사 등이 있었다. 펜드릭도 그 상태를 보고 눈동자에 이채를 띠는 동시에 슬픈 표정을 지었다.

"먼저 동물들과 죽은 마나부터 없애려는 것입니까?"

용암과 같은 불. 그 불로 동물들과 그들 목에 걸린 통 속의 죽은 마나를 태운다면 엘프들은 앞으로의 전투가 유리할 것이다.

이성은 펜드릭에게 그게 옳다고 말해주었다. 수호 전사도 다른 엘프들도 입을 꾹 다물고 케일을 바라봤다. 케일을 부른 이유가 그거였으니까. 함께 이곳에서 살아온 동물들이었지만, 어쩔 수 없었다. 빨리 놓아주는 게 차라리 나았다.

"아니?"

태평한 목소리가 울려 퍼졌다.

케일은 자신의 영지에서 마지막 고대의 힘 '파괴의 불'을 사용하기 전에 그 힘이 어느 정도인지 알고 싶었다. 책 속 엘프가 얻었던 별 볼 일 없는 힘이 아닌, 온전한 '파괴의 불'이 그럭저럭 얼마나 쓸만한 공격용 힘인지 궁금했다.

그렇기에 단 한 번이지만, 최대로 해보리라.

케일은 엘프들에게 미소와 함께 답했다.

"저놈들한테 하려고."

케일은 손을 펼쳤다.

쿵. 쿵. 심장이 뛰었다. 그의 손바닥에 붉은 금빛이 나타났다. 그 광경을 본 마창사가 흠칫하더니 외쳤다. 감이 안 좋았다.

"다들 적을 공격해라! 아저씨, 1호, 너희도 가!"

"지금 저 동물들, 죽은 마나를 뚫고 저 안으로 들어가라고?"

중년인의 말에 마창사의 얼굴이 아수라같이 일그러졌다. 그는 차갑게 명했다.

"명령이다."

중년인과 살수, 망설이던 요원들은 그 말에 입술을 깨물며 동물들과 함께 케일 쪽을 향해 달려들었다.

"그래, 죽여! 저 자식들 얼굴을 다 긁어버려!"

테이머는 외쳐댔다.

그때였다.

우르르르-

엘프들이 하늘을 쳐다봤다. 하늘에 있던 라온의 목소리가 케일에게 들려왔다.

-인간! 이거 뭔가? 나 여기 있어도 되나?

그 순간.

-와…….

라온이 감탄했고.

"제길! 블링-"

마창사가 외쳤지만, 그 소리가 묻혔다.

콰아아앙!

붉은 벼락 하나가 내리쳤다. 순간 사람들의 시야는 온통 붉은빛으로 가득 차 잠깐 앞이 보이지 않았다. 또한 귀가 멍멍해져 아무 소리도 들리지 않았다.

그 찰나의 벼락이 사라진 후, 그들의 귓가에 소리 하나가 들렸다.

"쿨럭!"

케일의 허리가 휘었다. 그의 입에서 피가 흘러나왔다.

'제길! 반동이 있다고 말 안 해줬잖아!'

'영웅의 탄생'은 이 힘에 반동이 있다고 말해주지 않았다. 케일은 순간 머릿속으로 고대의 힘 주인이 했던 말이 떠올랐다.

-너라면, 이렇게 돈을 버릴 정도의 너라면 무엇도 견뎌낼 것이다!

-네 앞을 가로막는 모든 것을 녹이리라. 또한 너는 견디리라.

빌어먹을. 그냥 아프면 아프다고 해주면 되잖아.

고대의 힘이 하는 말을 흘려들었다.

케일은 한 손으로 입을 틀어막았다.

뚜욱. 뚝. 피가 흘러내렸다.

25장

위대한

## 25장
### 위대한

-케일!

케일은 머릿속으로 라온의 목소리가 들렸다.

아프다.

이 세상에 와서 이렇게 아픈 건 처음이었다.

"크윽."

검은 피가 멈추지 않고 케일의 입에서 그의 손을 타고 흘러내려 성벽 바닥을 적셨다. 그는 허리를 펴지 못하고 계속해서 피를 게워 냈다.

"커헉."

"케, 케일 님!"

허리를 구부린 케일의 몸을 다급하게 잡는 손길이 있었다. 최한이었다. 당장에라도 성벽 바닥으로 고꾸라질 것 같은 케일의 모습에, 최한은 저도 모르게 케일을 일으켜 세우려 했다. 그런 그의 행동을 저지하는 이가 있었다.

"그만."

"……뭡니까?"

시종 론과 최한의 시선이 부딪쳤다. 론은 냉정한 얼굴로 말을 내뱉었다. 하지만 그 입술 끝이 창백했다.

"피가 역류할 수도 있어. 기도로 들어가면 어쩌려고 그러나?"

케일을 일으켜 세우려던 최한의 움직임이 힘을 잃었다. 최한은 제 팔을 잡는, 피 묻은 손을 볼 수 있었다. 케일이었다. 괴로운 얼굴로 케일은 최한과 론을 쳐다봤다.

"어, 얼른 가서- 크윽."

이놈의 피!

자꾸 입에서 피가 나왔다. 말을 제대로 할 수 없었다.

'왜 이리 자꾸 피가 나오는 거야?'

불벼락을 내린 후, 순간 허리가 저절로 앞으로 고꾸라질 만큼 아팠다. 하지만 일 분 정도 지나자, 심장의 활력이 치유를 시작한 것인지 그다지 아프지 않았다.

하지만, 문제가 둘 있었다. 입에서 피가 자꾸 나왔고.

'배고파.'

모든 힘을 다 쓴 듯 배가 고팠다. 오래 굶어서 위가 쓰리는, 명치가 아픈 그런 통증이 왔다. 김록수가 어릴 적 굶주림에 익숙해지기 전 느꼈던 그 통증과 비슷했다.

"최한… 얼른 가서!"

"무슨 말씀을 자꾸 하시는 겁니까! 몸부터 챙기셔야 합니다!"

가서 빵 좀. 정말 배고프다.

케일은 그 말을 하려고 했지만, 살벌한 최한의 충혈된 눈동자에 웅얼거리듯 말했다.

"테이머 처리해. 얼른 가."

그 순간 케일의 귓가에 닿는 비명 소리가 있었다.

"으아아아악! 내, 내 피부가!"

걸걸한 노인의 목소리. 그 테이머가 틀림없었다. 벼락 공격을 피한 것인지 살아남은 듯했다. 허리를 들지 못하고 피를 토해내는 케일은 지금 상황이 어떻게 돌아가는지 그 광경을 볼 수 없었다. 그저 비명 소리가 들렸고 코끝으로 타는 냄새만이 느껴졌다.

하지만 최한은 그 광경을 모두 보았다.

붉은빛이 내리친 자리. 땅은 검게 변했고 그 위에 거대한 불길이 치솟고 있었다. 불 위에 생명체는 보이지 않았다. 벼락의 범위는 어마어마했다. 방벽을 향해 달려오던 비밀 단체 단원들 중 뒤에 있던 이들이 흔적도 없이 사라졌다.

"내, 내 아기 피부가! 으아악!"

최한의 눈빛이 서늘하게 가라앉았다. 테이머와 마창사는 간발의 차로 블링크를 성공했는지 벼락 범위 밖에 있었다. 하지만 벼락의 영향을 받았는지 마창사의 갈색 머리칼이 다 타버렸고, 그의 창은 사라져 있었다. 오른손도 화상을 입은 듯했다.

"다, 다 죽여! 아파, 아프다고!"

하지만 그 상태는 테이머만 하지는 않았다. 테이머는 블링크가 잘못된 것인지, 팔에 깊은 상처를 입고 있었고 얼굴에는 화상을 입었다.

최한은 엘프 마을로 향하기 전에 케일이 했던 말을 떠올렸다.

'고대의 힘을 하나 얻었다. 그래서 사용해 보려고. 그러니까 나중

에 다 뒤로 좀 빠져.'

어마어마한 힘이었다. 그도 이런 광경을 한 번에 만들어낼 수 없었다. 그렇기에 최한은 엘프들이 방벽 아래를 멍하니 바라보며 서 있는 광경을 이해했다.

"뭐 해? 얼른 안 가고?"

최한은 자신의 팔을 잡는 손힘에 고개를 돌렸다. 그는 피를 멈추지 못하고 있음에도 여전히 냉정한 케일의 눈동자를 볼 수 있었다. 그 눈동자는 이성적이었다.

케일은 피를 토하며 최한에게 명했다.

"얼른 가. 동물들을 저리 둘 건가?"

케일은 손등에 핏줄이 불거질 만큼 최한의 팔을 꽉 잡았지만, 아귀힘이 하나도 없었다. 그것이 최한의 얼굴을 더 굳게 만들었다.

'수도 테러 때도 그렇고.'

꼭, 꼭 그는 자신을 다치게 하면서 다른 생명을 구하려고 하는 이였다. 피를 묻히는 일도, 힘든 일도 꼭 자신이 함께하려 했다. 이렇게 아파하고, 힘들어하면서 말이다.

강한 힘을 얻으면 뭐 하는가? 이렇게 아파하는데.

하지만 최한은 케일의 마음을 이해했다. 그의 귓가로 케일의 담담한 목소리가 들려왔다.

"너뿐이다."

케일은 제 어깨에서 손을 놓은 최한을 볼 수 있었다.

정말 최한뿐이었다.

라온에게 시킬까 했는데, 지금 라온이 조금 이상했다. 케일의 머릿속에 라온의 목소리가 울려 퍼졌다.

-이, 이! 피, 피!

뭐라는 거야.

라온은 제대로 말을 못 하고 계속 외쳐댔다. 그때, 최한의 목소리
가 들려왔다.

"갔다 오겠습니다."

최한은 케일의 대답도 듣지 않고 곧바로 눈앞에서 사라졌다.

"으아악!"

"커헉!"

곧이어 수많은 비명 소리들이 울려 퍼졌다. 최한의 짓이리라. 케
일은 전보다 줄어든 토혈을 닦아내며 다리에 힘을 주었다. 그는 빠
르게 지시했다.

"론, 죽은 마나."

"……네."

네크로맨서 메리가 준 왼팔. 론의 왼팔은 살아 있지 않아서 죽은
마나 회수가 가능했다. 케일은 저 귀한 죽은 마나를 다크엘프들과
왕세자에게 팔 생각이었다.

'돈은 포기할 수 없지.'

무상 노동은 딱 질색인 케일이었다. 그는 배가 고프고 기력이 달
려 힘이 없는 몸에 간신히 힘을 주며 천천히 고개를 들었다. 라크와
고양이들이 보였다.

"가."

무심한 목소리에 멈칫할 법도 하건만, 라크는 바로 최한의 뒤를 따
라 방벽 아래로 뛰어내렸다. 그리고 온과 홍은 케일에게 다가왔다.

냐아아아옹.

냐아아옹.

둘은 케일의 다리에 제 몸을 비벼대려고 했다. 케일은 그걸 피했다.

'저 검댕이 지워지면 어쩌려고?'

케일은 얼른 가라는 듯 피를 닦아낸 손으로 툭툭 쳤다. 온과 홍은 그 모습에 몇 번 더 울고는 송곳니를 드러내며 빠르게 라크의 뒤를 따라갔다. 케일은 그 광경을 보며 몸을 일으켜 세웠다. 그제야 방벽 아래를 볼 수 있었다.

'음?'

케일은 멈칫했다. 순간 시야가 흐려졌다. 모든 에너지를 소진한 탓인지 혹은 눈앞의 광경이 충격적이었던 건지, 케일은 순간 비틀거렸다.

'파괴하는 불이 이렇게 셌어?'

검은 땅 위에 불길이 타오르고 있었다.

파괴하는 불. 그 모든 힘을 온전히 흡수한 결과는 케일의 상상을 넘어섰다. 그는 비틀거리면서도 생각했다.

'좋은데?'

20억 값어치는 하는 힘이었다. 그러나 만족스러움을 느끼는 것과 반대로 케일은 모든 기력을 소진해 몸에 힘이 들어가지 않았다. 뒤로 쓰러지려는 몸을 일으킬 힘이 그에게 없었다.

"공자님!"

"제길!"

펜드릭과 비크로스가 케일을 향해 손을 뻗었다. 하지만 케일은 그들의 손이 닿지도 않았건만 뒤로 넘어지지 않았다.

-안 된다, 케일! 너는 쓰러지면 안 된단 말이다!

케일은 제 등을 받치는 머리를 느낄 수 있었다. 검은 용, 라온이었다. 그는 라온의 동글동글한 머리 촉감이 느껴졌다. 케일의 등이 축축하게 젖어갔다. 우는 것 같다. 케일의 미간이 찌푸려졌다.

'안 되는데.'

용이 내려왔다. 케일은 제 곁으로 다가오는 펜드릭 너머의 엘프들을 바라봤다. 엘프들은 멍하니 굳어서 방벽 아래를 바라보고 있었다. 그러다가 두 엘프, 수호 전사와 어느새 가까이 다가온 족장의 시선이 천천히 케일이 있는 곳을 향해 움직였다. 더불어 그 두 엘프의 곁에 있던 정령, 반투명하게 실체화된 푸른 정령과 하얀 정령이 덜덜 떨기 시작했다.

"괜찮으십니까?"

펜드릭의 손에 하얀빛이 맴돌고 있었다. 치유의 힘이었다. 그 손이 곧바로 케일의 등으로 향했다. 툭. 하지만 그 손은 허공에서 무언가와 부딪쳤다.

"뭐야?"

펜드릭이 순간 당황해 중얼거렸다.

뭐기는, 용 몸이지. 케일은 시선을 돌리기 위해 입을 열었다. 이전만큼 피를 흘리진 않았지만, 여전히 소량의 피가 미미하게 그의 입가에서 흘러내리고 있었다.

"테이머를 처치하고 난 후, 동물들 일은 엘프들이 하는 게 나을 것 같다. 너희들과 함께 살던 존재 아닌가."

펜드릭의 움직임이 멈췄다. 그는 케일을 바라보았다가 그의 차분한 표정에 다시 한번 할 말을 잃었다. 펜드릭은 비로소 케일이 붉은 벼락, 자신을 희생하면서 써야 했던 그 힘을 동물들에게 사용하지 않은 이유가 무엇인지 알 수 있었다.

그는 배려하고 있었다. 동물들과 함께 자연 속에서 살아가던 엘프들이 그들을 편히 보낼 수 있게, 인사를 할 수 있게. 그렇게 하기 위해 그는 굳이 힘들고 번거로운 과정을 거치면서 일을 진행했던 것이다.

케일은 펜드릭의 시선을 대충 흘려보냈다. 배도 고프고 힘든데 이게 뭔 고생인가 싶었다. 케일은 방벽 아래를 내려다봤다.

"하."

펜드릭은 전장을 보며 탄식과도 같은 웃음을 토해내는 케일을 볼 수 있었다.

"힘든 길을 택했어."

최한을 비롯한 일행은 아주 잘 싸우고 있었다. 케일은 테이머의 배를 베는 최한의 검은 오러를 볼 수 있었다.

"피, 피가! 브라운! 와서 날 보호하란 말이야!"

"제길!"

쾅!

최한은 유유히 마창사의 검을 피했다. 창이 다 타버린 마창사는 시체가 된 부하의 검을 빼 와 최한을 공격했다.

"금색 쌍둥이 때문에 일도 많아졌는데! 이것들은 도대체 왜 이러는 거야!"

마창사는 울분을 토하듯 검을 휘둘렀으나, 그의 검은 결코 최한에게 닿지 못했다.

케일은 표정 하나 없이 싸우는 최한 외의 다른 이들도 바라보았다. 자신이 없으니 라크와 고양이들, 론은 아주 물 만난 물고기처럼 잘 날뛰었다.

사실, 살벌하다는 표현이 더 맞았다. 최한도 그렇고, 아주 죽을 듯이 앞뒤 재지 않고 싸우고 있었다. 사방에 피가 낭자했다. 케일은 그 광경에 살짝 무서워하며 반성했다.

'괜히 나댔어.'

그래, 나댔다. 설쳤다. 괜히 힘든 길을 갔다. 파괴하는 불 실험을 한다고 나섰다가 이게 무슨 꼴인가. 케일은 한탄스러웠다. 유능한 놈들이 있으면 그냥 써먹으면 될 것을.

케일은 점점 기력이 부족해 힘들어져 왔다. 당장에라도 자고 싶었다. 아픈 곳은 없었지만 빵이라도 먹고 싶었다. 심장의 활력이 있음에도, 처음으로 쓰러질 것 같은 기분이 들었다.

그런 케일의 씁쓸한 미소를 다르게 해석한 펜드릭은 복잡한 얼굴로 몇 번 망설이더니 입을 열었다.

"……공자님과 다른 분들의 은혜 결코 잊지 않겠습니다."

하지만 케일은 펜드릭의 말에 답할 수가 없었다.

"미친 새끼들이!"

가까이 다가왔던 비크로스가 거칠게 외치며 장검을 휘둘렀다. 뒤돌아서던 케일의 눈동자에 흰 붕대가 비쳤다.

1호. 그 살수였다.

붉은 벼락이 내리치는 와중에도 뒤돌아보지 않고 앞만 보고 달린 듯했다. 얼마나 은밀했던지, 비크로스에게도 들키지 않은 채 케일 가까이로 다가왔다.

케일은 붕대 사이로 드러난 눈동자와 마주쳤다. 그때, 그의 머릿속에 서늘한 음성이 들려왔다. 울음기가 가득한 목소리였다.

-죽여 버린다.

그리고 그 흰 붕대는 그대로 날아가 버렸다. 케일은 자신에게 닿지도 않고 튕겨 나가 버린 존재를 멍하니 바라봤다. 비크로스가 장검을 휘두를 필요도 없었다. 라온이 힘을 썼다. 공중에 띄워진 흰 붕대는 당황하며 몸을 움직이려 했지만 꼼짝도 할 수 없었다.

"뭐, 뭐야? 마법산가?"

케일은 흰 붕대의 물음에 본인을 대신하여 마음속으로 답해주었다.

'아니, 용이다.'

그의 머릿속으로 살벌한 목소리가 들려왔다.

—이제 저것들을 나는 결코 용서 못 한다.

저것들이 누굴까.

—인간, 네 말대로 안 나타난다. 그 대신 너는 보지 마라. 약한 너에게 힘든 일이다.

케일은 기꺼이 라온의 말을 따랐다. 그는 혹시 몰라 날뛸지도 모를 라온에게 말해두었다.

"그래, 좀 잔다."

케일은 눈을 감았다. 도저히 힘들어서 못 버틸 것 같았다. 케일은 제 몸을 받치는 동글동글한 파충류의 머리와 앞발을 느끼며 서서히 잠에 빠졌다.

"크아아아악!"

처절한 비명 소리가 아득한 메아리처럼 들려왔다.

팡!

뭔가 터지는, 꼭 사람 몸이 터지는 것 같은 소리가 들려왔다. 케일은 눈을 떠서 볼까 고민이 되었다. 하지만 이미 승기가 잡힌 상황이고, 여기로 오는 길에 지시를 해두었으니 저보다 잘난 이들이 다 알아서 뒤처리를 할 터.

"위, 위대한 분의 가호……!"

처음 들어보는 목소리가 경이에 찬 말을 내뱉는 것을 들으며 케일은 정신을 잃었다. 그는 서서히 밑으로 꺼지는 듯한 기분을 느끼며 간절히 바랐다.

부디 눈을 떴을 때, 빵 조각 하나라도 먹었으면.

케일은 매우 부담스러울 정도로 아름다운 꽃밭에 눈을 감은 채 고이 누워 있었다.

쏴아아아─

한 줄기 바람에 각기 다른 색색깔의 꽃잎들이 웃음을 터뜨리듯 흩날렸고, 그에 맞춰 답하듯 케일의 붉은 머리칼이 잔잔히 흔들렸다.

어떤 꽃잎들보다 선명한 색을 품은 붉은 머리칼 위에는 나뭇잎으로 만들어진 화관이 자리하고 있었다.

화관을 쓴 채 꽃밭에 누운 케일. 그는 눈을 뜨지 못한 채 얕은 숨을 고요히 내쉬고 있었다.

케일은 마치 늪에서 빠져나오는 것 같은 기분을 느끼며 서서히 정신을 차렸다. 그는 정신이 들자마자 인지했다.

'기절했었지.'

기력이 달려 기절했다. 케일은 이제 눈을 떠야 할 순간이 왔음을 깨달았다. 그런 그가 타인의 존재를 느낀 곳은 머릿속이었다.

-3, 2, 1. 1에 반, 1에 반의반……. 인간, 다시 백부터 센다. 0이 되기 전까지 일어나라. 안 그러면 나는 이 대륙을 다 부순다. 백, 구십구, 구십팔…….

케일은 라온의 목소리를 들으며 바로 눈을 떴다. 그리고 당황했다.

'꽃밭?'

흩날리는 꽃잎들이 청아한 하늘 위로 이리저리 움직이고 있었다. 그의 귓가로 라온의 목소리가 실제로 들려왔다.

"구, 구십오!"

속삭이듯 내뱉는 목소리는 당황한 듯했다. 케일은 고개를 살짝 숙였다. 소리가 들린 곳은 자신의 배 위였다. 손을 들어 올리자 배 위에 둥둥 뜬 투명한 물체가 만져졌다. 용이다.

'눈뜰 때까지 여기 있었던 건가?'

그동안 숫자 염불을 내내 외웠을 검은 용을 생각하니, 그것도 호러였다. 케일은 파충류 특유의 서늘한 피부를 느끼며 남들이 보기에는 아무것도 없는 허공을 토닥였다. 그리고 시선을 돌렸다.

'음.'

하필 처음 보인 얼굴이 삭막한 론의 얼굴이었다. 인자한 미소 하나 없는, 굳어버린 얼굴의 론이 하던 일을 멈추고 케일을 뚫어지게 쳐다보고 있었다. 그 광경에 케일은 또 당황했다.

'……칼을 왜 갈고 있어?'

꽃밭 외곽 경계선쯤에서 론은 홀로 단도를 갈고 있었다. 피를 지웠는지, 청아한 하늘의 빛을 받아 칼날이 반짝였다. 저 칼날에 닿기만 해도 살갗이 갈라질 것 같았다. 케일은 멀뚱히 그 광경을 바라보다가 들려오는 소리에 시선을 돌렸다.

−인간! 왜 기절을 3일 동안 하나! 그딴 벼락 같은 거 내가 한 백 개는 만들 수 있다! 다시는 하지 마라! 약하면 약하게 살란 말이다!

3일?

3일 동안 기절했다고? 내가?

"케일 님!"

"깼는데! 드디어 일어났는데!"

냐아아옹!

케일은 자신을 향해 뛰어오는 최한과 온, 홍, 다른 일행을 보았다가 대번에 미간을 찌푸렸다.

'꼴이 왜 이래? 나 3일 동안 기절했다며?'

케일은 말라붙은 피와 검은 액체를 씻지도 않고 검은 야행복 차림그대로 다가오는 최한과 라크를 보다가 자신을 내려다봤다. 다행이었다. 자신도 야행복 차림 그대로지만, 그래도 피나 먼지는 없었다.

−내가 마법으로 먼지 치웠다! 나는 깨끗한 용이다!

역시. 라온이 제일 나았다. 케일은 온과 홍도 검댕을 그대로 묻힌채 달려오는 걸 가만히 누워서 쳐다봤다. 일어서기도 귀찮았다.

"드디어, 드디어! 정신이 드셨군요."

대표로 최한이 입을 열었다. 그 목소리는 안도와 감격이 뒤섞여있었다.

3일. 그 시간 동안, 최한과 일행은 케일이 일어날 때까지 내내 그 곁을 지켰다. 엘프들은 이 장소가 안전하다고, 그리고 자신들을 믿으라고 했지만 최한도 일행도 그들을 믿을 수 없었다. 애초에 누군가를 믿고 살아오지 못한 이들이었으니까.

최한은 케일과 눈동자가 마주쳤다. 케일의 눈빛이 이곳이 어딘지 묻고 있는 것 같았다. 그건 정답이었다. 케일은 이런 심정으로 최한을 쳐다봤다.

'도대체 내가 왜 이런 꼬라지로 여기에 있는 거야?'

그에 반응하듯 최한의 입이 열렸다.

"엘프들에 의하면 이곳은 생명력과 자연력이 가장 극대화되는 장소라고 합니다. 이곳이 기력과 치유에 가장 좋다고 해서 모시고 있었습니다."

케일은 그 말에 이곳이 책 속에서 나왔던 엘프 마을의 꽃밭임을 알 수 있었다. 이 꽃밭 근처에 세계수 가지가 있었다. 케일은 힘없는 손을 움직여 머리를 매만졌다.

머리에 뭔가 얹힌 느낌이라 뭔가 했더니, 세계수 나뭇잎으로 만든 화관인 듯했다. 케일은 나뭇잎의 촉감이 느껴지자, 입꼬리가 슬쩍 올라갔다.

'최고의 대우군.'

엘프들이 세계수 가지와 가장 가까운 장소에, 세계수 나뭇잎 화관을 인간에게 제공했다. 은인을 넘어선 대접이었다. 그렇다면 답은 하나였다. 케일은 쓰러지기 전, 누군가가 경탄하던 목소리를 떠올렸다.

'위, 위대한 분의 가호……!'

엘프 마을 족장이 제대로 드래곤의 존재를 눈치챈 듯싶었다. 문제는 그녀만이 아느냐, 아니면 모두가 다 아느냐의 문제였다. 케일은 최한에게 자신의 배 위를 가리켰다. 최한이 슬쩍 시선을 피했다.

싸하다.

케일의 눈가가 살짝 찡그려졌다. 최한은 괜히 꽃밭의 꽃들을 매만지며 근처 일행에게만 들리도록 아주 작은 목소리로 빠르게 내뱉었다.

"크흠, 라온의 모습을 본 이는 아무도 없습니다. 하지만 존재가 곁에 있다는 것을 족장과 수호 전사는 압니다."

케일의 눈빛이 최한에게 물었다.

'그 둘만?'

힐끗 케일을 쳐다봤던 최한은 다시 시선을 돌리며 답했다.

"다들 얼추 짐작은 하고 있는 것 같습니다."

케일은 라온의 웅얼거리는 듯한 목소리를 들을 수 있었다.

-나, 나는 내 모습을 보이지 않았다! 약속은 지켰다! 그리고 얌전히 인간 네 옆에만 있었다! 족장이 말 걸어도 무시했다!

3일. 너무 오랜 시간 쓰러져 있었다. 이것들이 도대체 무슨 짓을 했을지 감이 잡히지 않았다. 케일은 자신을 쳐다보지 않는 최한을 지나쳐 온과 홍, 라크와 비크로스, 그리고 론을 차례로 바라봤다.

"도련님, 말씀하실 기력은 있으십니까?"

론의 물음에 일행이 반응하며 케일을 더 뚫어질 듯이 바라봤다.

피를 토하며 쓰러졌다. 그들은 케일이 착하고 남을 돕는 걸 참 좋아하는 사람이라는 걸 알지만, 그가 기본적으로 몸을 쓰고 다치는 일을 즐기지 않음을 알고 있었다.

그런 케일이 정신을 잃을 정도로 힘을 썼다. 얼마나 놀랐는지, 순간 머릿속이 하얘졌다. 그들은 천천히 열리는 케일의 입에 집중했다. 늘 들어도 참 정 없게 들리는 무심한 목소리였다.

"다친 데는 없겠지?"

론이 굳어 있던 입가에 서서히 미소를 머금었다. 온과 홍은 울음소리를 내며 케일의 야행복에 검댕을 다 묻힐 듯 비벼댔다.

"네. 아무도 다치지 않았습니다. 도련님이 걱정하지 않으셔도 됩니다."

걱정은 무슨. 케일은 황당한 마음으로 답했다.

"당연히 그래야지."

최한이 다치면 그건 적이 고래 왕족급의 힘을 지녔단 소리다. 안 다치는 게 당연한 일이었다.

케일은 갑자기 입꼬리를 씰룩이며 웃는 최한의 얼굴이 영 보기 껄끄러웠다. 피 칠갑을 한 흰 장갑을 서서히 벗는 비크로스도. 다시 인자한 척하는 론도.

"크흠."

케일은 헛기침을 내뱉는 최한을 쳐다봤다. 일어나야 하는데. 이제 기력은 어느 정도 회복한 것 같은데, 꽃밭이 생각보다 푹신하다.

"케일 님."

최한은 3일 전 전투 결과에 대한 보고를 해야 했다. 제대로 처리를 하기는 했지만, 조금 과도하게 처리를 해버렸다. 너 나 할 것 없이 다들 조금 눈이 돌아가 버린 탓이었다.

"3일 전 전투 결과로 적들은 일단 모두 물러났습니다. 암살자로 추정되는 1호는 죽었으며 중년의 검사는 하반신을 앞으로 못 움직일 것 같습니다. 그리고 테이머는―"

최한의 눈앞에 케일의 손바닥이 나타났다. 멈추라는 신호에 최한은 말을 멈추고 케일을 응시했다. 얼굴색은 좋았지만 어쩔 수 없는 피로감이 가득한 얼굴이 말했다.

"배고프다."

"……네?"

"고기."

"네?"

채소만 있는 엘프 마을에서 케일은 고기를 찾았다. 쓰러지기 전 빵 하나라도 바랐지만, 막상 닥치니 고기는 되어야 할 것 같았다. 기력이 회복되었지만 공복은 사라지지 않았다.

케일은 멍하니 되묻는 최한이 답답해 강하게 말했다. 오랜만에 나온 그의 목소리는 갈라지고 있었다.

"고기 내놓으라고 해."

그때, 비크로스가 일어섰다.

"구해 오겠습니다."

역시 주방장.

케일은 처음으로 비크로스가 든든했다. 비크로스는 새 장갑을 끼고서 요리를 하러 떠났고 케일은 그 뒷모습을 보며 천천히 몸을 일으켰다.

툭. 허벅지 위로 화관이 떨어졌다. 아름다운 화관 중간중간 특이한 나뭇잎이 존재했다.

세계수 나뭇잎. 일반적인 초록색 나뭇잎이 아니었다. 얼핏 평범한 침엽수처럼 보였으나, 주위에 은은하게 오로라 빛이 맴도는 것으로 보아 세계수 잎일 확률이 높았다. 세계수에서 꺾여 나온 나뭇잎은 후에 이런 은은한 빛깔을 품게 된다고 했다.

케일은 화려하다 못해 성스러워 보이는 화관을 쓰고 3일 동안 누워 있었을 걸 생각하니, 영 찝찝했다. 그렇기에 그는 검지와 엄지로 나뭇잎 화관을 든 채 꽃밭 경계선 밖을 쳐다봤다.

경계선 밖에는 원래 아무도 없었다. 하지만 비크로스가 떠나는 순간에 맞춰 한 무리가 도착했다. 케일은 그들을 보며 말했다.

"여기 말고 침대에 눕고 싶습니다만."

무리의 제일 앞에 있던 엘프. 펜드릭과 함께 '영웅의 탄생'에서 많이 언급되었던 조연, 엘프 족장 카나리아. 하얀 머리칼을 깔끔하게 틀어 올린 그녀는 주름진 얼굴 가득 미소를 그리며 허리를 숙였다.

"위대한 분의 가호를 받으시는 분께 어울리는 집을 내어드리겠습니다."

상당히, 아주 극도로 정중한 자세였다.

최한은 3일 동안 족장을 지켜봤지만 여전히 과한 예의에 살짝 거부감이 들었다. 도와줬다지만 그걸 넘어서는 존경이 보였다. 그는 저도 모르게 미간을 찌푸리며 케일을 쳐다봤다. 그는 왕궁에서도 그렇고 이런 과한 허례허식을 싫어하는 케일을 알고 있었다. 그러나 최한은 케일의 모습에 입을 다물었다.

"그러죠."

그는 아주 당연하다는 듯, 세계수 나뭇잎 화관을 건들건들 흔들며 여유로이 답했다.

"안내하세요."

누가 보면 케일이 용인 줄 알 것이다. 그러거나 말거나 케일은 해탈한 심정으로 이 상황을 받아들였다. 하지만 안내해 준 집을 본 순간, 케일은 난감해져 왔다.

"여깁니다."

엘프 마을 가장 큰 나무 기둥을 파서 만든 집. 거대한 나무 속 집은 신비로웠다. 케일은 족장 카나리아를 쳐다봤다.

"제 집입니다."

족장은 제 집을 내어주었다. 그 집이 가장 좋았으니까.

케일은 잠시 멈칫했지만 당당하게 말했다.

"들어가도 됩니까?"

하기야 좋은 집을 주는데, 굳이 거부할 이유도 없었다.

나뭇잎으로 만든 푹신한 소파에 앉아 빵을 먹던 케일은 지난 3일 동안의 상황을 모두 들을 수 있었다. 케일은 론이 건네는 과일 주스 잔을 받아 들며 자신의 앞에 앉은 최한, 족장, 수호 전사, 펜드릭을 응시했다.

"테이머는 눈을 잃었고 기절한 상태로 마창사와 순간 이동을 했다."

케일의 입에서 3일 전 결과가 나왔다.

"마창사는 다리를 크게 다쳐 하반신을 움직이는 것이 불가할 것으로 예상. 그 둘만 도망갔고 중년 검사와 단원 몇은 현재 포박 상태이며 나머지는—"

죽었고. 동물들도 죽었다.

케일과 족장 카나리아의 시선이 부딪쳤다. 오랜 세월을 살아온 자만이 가질 수 있는 현명한 눈빛을 마주한 케일은 입을 열었다.

"이제 떠나면 되겠군요."

다 해결된 듯하니 떠난다는 말. 단호하면서도 간결한 음성에 펜드릭이 멈칫하며 입을 열었다.

"보답을-"

케일 일행은 펜드릭을 비롯한 엘프들의 기대 이상으로 도와주었다. 하지만 펜드릭은 케일이 손을 들어 올리며 보답을 언급하는 그를 막아서는 모습을 볼 수 있었다.

"됐다. 엘프들은 이 마을 재건과 경계선 복구만으로도 힘들 것인데, 뭘 더 요구하겠어. 우리 일행이 아무도 안 다쳤으면 그것으로 됐어."

펜드릭의 눈동자가 일렁였다. 저번부터 느낀 것이지만, 이 사람은 어찌 이리 소탈할 수가 있을까. 귀족일수록 탐욕스럽고 힘을 원한다고 들었는데, 자신이 잘못 알고 있었던 것 같았다. 그의 귓가로 족장의 목소리가 들렸다.

"역시 용의 수호를 받는 분다우십니다."

펜드릭은 눈을 크게 떴다. 역시, 그간 족장이 말한 위대한 분은 용이었다. 그동안 정확한 뜻을 알지 못해 긴가민가하는 엘프들에게 족장과 수호 전사는 말 한마디 없었다. 비로소 펜드릭은 족장의 말에 모든 아귀가 들어맞는 것 같았다.

그 방대한 자연의 힘. 적들을 말살시키던 그 힘의 주인은 역시나 용이었다. 신이 존재하지만, 지상 위의 신은 드래곤이라 생각하는 엘프들이었다.

'생명체가 닿을 수 있는 극에 달한 존재가 보호하는 자라니.'

펜드릭의 시선이 다시 한번 케일에게로 향했다. 족장 카나리아 역시도 케일을 응시하고 있었다.

"용께서 나타나지 않고 곁을 맴도시는 것은 분명 이유가 있으실 터."

용은 정체를 숨기고 있지만 그 힘을 드러냈다. 오랜 세월을 살아온 그녀는 그 뜻을 알아차렸다.

'자신을 숭배하는 상황은 싫다. 하지만 자신의 사람이 있으니 그를 자신처럼 대하라는 뜻이겠지.'

그녀는 인간이 마을을 도우러 온다는 말을 처음 들었을 때, 영 미덥지 못했다. 하지만 용의 가호와 사랑을 받는 이라면, 그리고 피를 토하면서까지 엘프와 세계수를 지키려던 이라면.

'그럴 수 있어.'

그녀의 입이 천천히 열렸다.

"드래곤님의 수호를 받는 분이시니, 모두 들을 자격이 되신다고 생각합니다."

자격? 케일의 눈가가 살짝 찌푸려졌다.

'이거 뭔가 좋지 않은데? 나는 엘프 마을에서 얻을 것만 얻고 그냥 가고 싶은데?'

케일의 입이 다급히 열렸다.

"잠-"

"세계수를 찾는 것 같습니다."

잠깐을 외치기도 전, 쓸데없는 걸 들어버렸다. 케일의 눈동자가 흔들렸다. 이를 눈치챈 족장의 입가에 희미한 미소가 맺혔다.

"세계수의 위치는 알려지지 않았죠. 이를 아는 인간은 거의 없을 겁니다."

거의 없지만 케일은 알고 있었다.

절망의 호수. 마지막 불가사의 지역. 사람들은 무섭다고 기피하는 그곳에 세계수는 존재했다. 이를 현재 엘프와 몇몇 존재들만이 알았다.

"……인간은 알 필요가 없는 장소니까요."

케일은 모른 척 답했다. 굳이 저 엘프 족장의 입을 통해 세계수의 위치 따위 알고 싶지 않았다. 하지만 그의 말을 어찌 알아들었는지, 엘프 족장의 입가에 희미한 미소가 어렸다.

"그렇죠. 욕심을 내면 안 되거늘, 늘 욕심을 내는 인간들이 그곳을 알고 싶어 하지요. 이번처럼 말이죠. 하지만 그 반대의 사람도 있는 법이지요."

그녀는 욕심 없고, 스스로를 희생할 줄 아는 이 인간은 모든 걸 알아야 한다는 생각이 들었다. 특히 용이 곁에서 듣고 계시지 않은가.

그 이기적인 용이 누군가를 위해 힘을 쓴다는 것은 그 인간이 최소한 역사에 기록될 영웅임을 의미했다. 왜 인간들에게 잊힌 고대사에 나오는 이름 높은 영웅들의 곁에 수호 드래곤이 있겠는가. 용은 재능 있고 의지가 굳건한 인간을 조금씩 도와주었다.

'물론 이번에는 저자에게 딱히 드러난 재능은 없어 보이지만, 고대의 힘을 몇 개나 가진 천하에 다시없을 운을 지닌 자이니 확실히 보통 사람과 다르긴 다르지.'

족장은 바로 본론을 내뱉었다.

"그래서 저희는 이 상황을 타개하기 위해 펜드릭을 시켜 골드 드래곤께 이 상황을 보고하고자 합니다. 그분의 마법으로 세계수 보호벽이 작동 중이니까요."

케일은 멈칫했다. 지금 뭘 들었지?

—골드 드래곤?

라온이 케일과 같은 반응을 보였다. 이번은 다크엘프 시장 때와 달랐다. 엘프 족장 카나리아는 분명 용의 위치를 알고 있는 것 같았다.

'……모른 척하고 싶은데.'

당연히 케일은 그 용의 위치 같은 건 알고 싶지 않았다. 자그마치 세계수와 관련된 일 아닌가. 물론 세계수가 서대륙에 없다고 큰일 나는 건 아니지만.

−인간! 나 궁금하다!

그런데 라온이 궁금해한다.

−물어봐라! 나 용 궁금하다!

어째서 극도로 자신만을 좋아해야 하는 용이 이렇게 다른 용에게 관심이 많은 것일까. 케일은 한참을 망설이다 입을 열었다.

"펜드릭은 어디로 갑니까?"

직접적인 용의 소재지를 묻지 않았다. 케일은 부디 족장이 알 바 아니라고 대답을 피하길 바랐다. 하지만 족장은 1초도 걸리지 않고 답했다.

"위퍼 왕국에 계십니다."

케일의 어깨가 흠칫했다. 그 순간, 라온이 외쳤다.

−인간! 우리 무식한 놈한테 새싹 팔러 가야 하지 않나? 마탑도 부수러 가야 하는데?

맞다.

고래족 위티라를 만나고, 위퍼 왕국에 툰카를 만나러 가야 한다. 한몫 단단히 당기러. 그리고 마탑을 폭발시키러.

−오오!

라온이 신나 한다.

이거 큰일인데?

용.

라온 말고 또 다른 용. 케일은 굳이 또 다른 용을 보고 싶지 않았다.

판타지 소설을 보면 으레 그렇듯 오랜 세월을 산 용은 조력자로, 혹은 열쇠를 쥔 인물로 자주 등장했다. 하지만 '영웅의 탄생'에서 용은 성격 파탄자일 뿐이었다.

'이곳의 용들은 지독하게 이기적인 놈들밖에 없다고 했는데.'

라온이 독특한 경우였다. 케일은 살짝 미간을 찌푸리며 고민에 빠져들었다.

─나만큼 위대한 용은 당연히 이 세상에 없겠지만, 궁금하다! 다 같은 종족이 있는데, 나만 없다.

나만 없다. 그 말에 케일이 살짝 멈칫했다.

─물론 너 같은 약한 인간도 너뿐이라서 괜찮다. 내가 옆에 있어준다!

"하아."

케일의 입에서 깊은 한숨이 흘러나왔다. 그는 두 손으로 제 얼굴을 쓸어내렸다.

'어쩌다가 이렇게 되었을까.'

분명 원했던 목표대로, 계획대로 잘 흘러가던 것 같은데. 왜 이렇게 뜻하지 않게 엮이는 상황이 자꾸 발생하는 것일까. 용과 주인공인 최한을 옆에 둔 탓일까?

케일은 라온의 걱정 가득한 목소리가 들려왔다.

─인간, 또 아프나?

하, 진짜. 케일은 두 손으로 얼굴을 가린 채 엘프 족장에게 물었다.

"그 위치를 알 수 있겠습니까?"

-아싸!

족장이 반색하며 미소를 그렸다. 그녀는 꼭 좋아하는 스타들이 서로를 만나는 것을 볼 생각으로 두근거리는 팬 같아 보였다. 손을 내린 케일은 그 미소를 보자 괜히 입안이 찝찝해져 왔다.

"성격 좋은 용입니까?"

"고귀하신 분들의 성격을 제가 감히 어찌 말하겠습니까. 모든 분들이 다 위대하고 존귀하시지요."

괜히 물어봤다. 용 덕후들에게 물어볼 일이 아니었다.

"성룡입니까?"

"고룡이시지요. 그리고 다행히도 사교적인 분이십니다."

-늙은 용이구나!

족장의 말에 라온이 추임새를 넣었다. 반면 케일의 표정은 좋지 못했다.

'이기적인 용이 사교적이어 봤자지.'

그래도 케일은 조금 안심했다. 족장의 말은 적어도 그 골드 드래곤이 라온에게 호감을 보일 것이라는 소리였으니까.

-나 라온 미르의 위대함을 증명하겠다!

안심하던 케일은 라온의 반응에 한숨을 삼켰다. 저리 어벙한 용이 과연 고룡 앞에서 제대로 버틸까? 슬그머니 걱정이 생겨났다. 하지만 그 걱정은 빼꼼 고개를 내밀다가 사라졌다.

엘프 족장 카나리아가 흐린 미소를 띠며 씁쓸하게 말했다.

"다만 고룡이신지라, 체력적으로 힘들어하셔서 걱정입니다. 다른 드래곤님을 뵈면 기뻐서 기력을 조금이라도 회복하시지 않을까 생각해요."

다행이다. 체력이 많이 약하단다.

케일의 걱정이 조금 줄어들었다. 만약 라온과 골드 드래곤이 싸우는 상황이 생기더라도 어찌어찌 도망칠 수 있을 것 같다.

'정 안 되면 튀어버리면 되겠지.'

최한을 포함하여 애들 바리바리 데리고 가면 라온이 꿀릴 일은 없을 것이다. 케일은 어떻게 하면 고룡을 '고룡 따위'라고 칭할 수 있는 전력을 데리고 갈 수 있을지 고민했다. 하지만 족장 카나리아는 그 주름진 눈가에 화사한 웃음을 매달았다.

"두 드래곤께서 만나신다면, 참으로 아름다운 광경일 것 같아요."

아름답긴. 피 튀길까 봐 걱정인 케일이었다. 하지만 곧 더 걱정스러운 상황이 그를 덮쳤다. 인자한 미소를 짓는 족장에게 수호 전사가 살짝 눈짓을 했다. 그 시선에 족장 카나리아는 살짝 안색을 굳히며 케일과 시선을 마주했다.

"공자님, 그런데 말입니다."

참으로 불길함을 느끼게 만드는 단어의 조합이었다. 케일은 괜히 빵을 집어 들어 식사를 다시 시작했다.

"그 검사를 한번 만나 봐 주실 수 있을까요?"

이놈의 엘프들. 케일은 빵을 씹어 삼키며 엘프에 대한 욕도 함께 집어삼켰다.

이 엘프들은 뭐 주는 것도 없이 부탁만 주야장천 한다. 아무리 케일 자신이 됐다고 했어도, 뭐라도 들고 와서 내밀며 부탁하는 게 염치 아니겠는가.

'영웅의 탄생 때도 그렇고. 은근히 이 족장이 최한을 많이 부려먹었단 말이지.'

케일이 보기에 족장 카나리아는 너구리와 같았다. 물질적인 욕심은 인간의 탐욕이라고 하면서 보상은 안 주고, 부탁은 엄청나게 해댔다.

당연히 케일은 그런 카나리아에게 휘둘릴 생각이 없다. 그는 일부러 뚱한 얼굴로 카나리아를 쳐다봤다.

"왜 만나야 합니까?"

카나리아는 케일의 서늘한 목소리만큼이나 무표정한 얼굴에 조심스레 말을 꺼냈다. 인간에게 이렇게까지 조심했던 적은 없었다. 하지만 용이 곁에서 수호하는 자다. 지금도 위대한 용께서 지켜보고 계실 터.

"그 검사를 아무리 취조해도 입을 안 열더군요. 공자께선 그들의 정체를 모른다고 하셨지만, 그래도 이번이 세 번째 부딪침이니 조금이라도 더 그자에게서 정보를 알아내실 수 있지 않을까 싶어서요."

카나리아는 자신을 빤히 응시하며 빵을 씹어 먹는 케일을 가만히 지켜보았다. 참 우아하게 빵을 먹던 이 귀족은 빵을 모두 삼킨 후, 그녀를 보며 입가에 미소를 그렸다. 그녀와 비슷한 미소였다.

"모두를 위해 이 부탁까지만 들어드리죠."

카나리아의 표정이 묘해졌다. 하지만 케일은 그 표정에 어떠한 반응도 보이지 않으며, 다른 이들을 향해 말을 이었다.

"펜드릭, 그렇지 않아? 모두 잘살기 위해 서로서로 도와야지. 되는 역량 안에서."

"맞습니다, 공자님."

"그래. 물질을 떠나 서로의 마음을 나누는 아주 멋진 일이지. 수호전사님도 그렇게 생각하지 않습니까?"

갑작스러운 케일의 물음에 수호 전사는 흠칫하면서도 곧 자세를 바로 하며 성실히 답했다.

"크흠, 그렇습니다. 마음의 가치를 아는 인간은, 크흠, 공자님이 처음이시군요. 역시 드래곤님의 가호를 받을 만한 분이십니다."

"그렇죠. 수호 전사님 말대로 마음에는 마음으로 보답을 해야만 합니다."

부드러운 어조와 달리 케일의 단어 선택에는 강제성을 뜻하는 것이 있었다. 그러나 그의 다정한 미소에 두 엘프는 좋은 뜻만 알아들으며 미소로 답했다. 펜드릭이 힘차게 답했다.

"맞습니다! 물건으로는 결코 메꿀 수 없는 것이 마음에는 있지요!"

케일이 듣고 싶었던 반응을 보이는 펜드릭이었다.

'그럼, 그럼. 그러니 다음에 너희들은 온 마음을 쏟아 나를 도와야 할 거야.'

케일은 속마음을 말하지 않는 대신 족장을 보며 그녀보다 더 인자한 미소를 그렸다.

풀떼기밖에 없는 엘프 마을에서 케일이 건질 것은 그들의 노동력뿐이었다. 덤으로 정령까지. 다크엘프와는 다른 방식으로 강한 엘프들이었다. 그들을 도왔는데, 이왕 도운 김에 써먹어야 하지 않겠는가?

거기다가 엘프 마을은 로운 왕국과 브렉 왕국 그 사이로, 위치도 좋았다.

-인간, 왜 왕세자 만날 때 미소 짓나? 쟤들 뭐 잘못했나?

라온의 말에 케일은 답하지 않은 채 자리에서 일어섰다.

"바로 가보죠."

케일과 족장의 시선이 얽혔다.

"도울 일이 있다면 최선을 다해 빨리빨리 도와야 하지 않겠습니까?"

족장의 표정이 묘해졌다. 눈앞의 귀족 인간이 꼭 그녀에게 그의 말을 따르라는 압박을 주는 것 같았다. 그리고 그 압박의 정체도 어느 정도 느낌이 왔다.

'특이한 고대의 힘이네.'

알 수 없는 고대의 힘이 족장 카나리아를 압박했다. 그녀는 새삼스레 케일이 신기했다. 다시없을 운에, 특이한 고대의 힘에, 더불어.

'그 화술도 교묘하고.'

카나리아는 케일을 따라 자리에서 일어섰다. 그녀는 펜드릭과 수호 전사가 케일을 쳐다보는 눈빛에서 호감을 읽을 수 있었다. 아마 곧 다른 엘프들도 이렇게 될 터.

재밌는 인간이었다. 엘프들의 호감을 사서 무엇 하려고 이러는 것일까. 그녀는 궁금했지만 계속해서 케일의 곁에 있을 수는 없었다.

"저는 복구 현장에 가야 해서, 펜드릭이 안내해 드릴 겁니다."

"그렇군요."

케일은 펜드릭과 시선이 부딪쳤다.

"가볼까?"

"네."

펜드릭이 앞장서며 문을 열었고 케일과 대기하고 있던 케일의 일행이 그를 따라 움직였다. 하지만 곧 케일의 걸음이 멈췄다.

"아."

"왜 그러십니까?"

의아해하는 일행에게 케일은 마법 주머니를 뒤지며 말했다.

"다 복면 써."

마법 주머니에서 밥 먹는다고 벗어두었던 복면이 나왔다. 일행은 한숨을 내쉬며 복면을 꺼내 썼다. 그러고 나서 케일은 그들에게 몇 가지 지시를 내렸다. 펜드릭은 멍하니 그 광경을 보다가 지시 내용에 살짝 주춤했지만, 곧 케일의 말에 걸음을 옮겼다.

"다시 가지."

"네, 네."

케일은 펜드릭을 따라 족장 집 뒤편으로 향했다. 엘프 마을과 케일이 눈을 떴던 꽃밭, 그 사이에 있는 족장 집에서 나온 케일은 엘프 마을과는 반대 반향으로 움직였다.

곧이어 거대한 바위가 나타났고, 그 바위 아래에 위치한 지하실에 들어선 케일의 표정이 미묘해졌다.

책 '영웅의 탄생'에서도 언급한 적이 없는 장소. 케일은 처음 취조에 대해 듣고서, 그저 엘프들이 어딘가에 비밀 단체 검사를 가두고 간단한 취조를 하는 줄 알았다.

'있는 것들이 더한다더니.'

케일의 앞에 피로 물든 삭막한 지하실, 지하 감옥이라는 표현이 더 어울리는 장소가 펼쳐졌다. 그는 엘프들이 고문을 할 줄은 몰랐다. 케일은 다시 한번 고정관념은 쓸데없다는 생각을 하며, 펜드릭에게 턱짓했다.

"이래 놓고 대화가 되겠나?"

"그게-"

펜드릭은 입맛을 다시며 지하 감옥 앞에 대기하고 있던 엘프들과 어색한 미소를 그렸다.

지하실에는 알아보기 힘들 정도로 피범벅이 된 사람이 기이하게 뒤틀린 다리 형태대로 주저앉아 있었다. 그 중년 검사였다.

'최한이 하반신을 베었다지?'

케일은 고문 도구를 손에 쥐고 있는 엘프를 힐끗 보고는 쪼그리고 앉으며 중얼거렸다.

"엘프나 인간이나 똑같네."

펜드릭은 그 말에 흠칫했다. 탐욕이 없고 그저 모두를 살리기 위해 움직이는 사람. 그런 이가 내뱉는 서늘한 말이 왠지 모르게 날카로웠다.

"펜드릭, 다른 엘프들을 내보낼 수 있나? 자네는 있고 말이야. 편안한 분위기에서 이야기를 나눴으면 하는데."

"네, 알겠습니다."

펜드릭의 눈짓에 감옥 안에 있던 엘프들이 문밖으로 나갔다. 그 와중에도 케일은 고개를 푹 숙인 채 피에 절어 있는 남자를 관찰했다. 테이머, 마창사와 함께 있던 자. 중년의 검사로 꽤 괜찮은 실력자 같았다.

"이름은 아나?"

"그게, 아무 말이 없어서요."

펜드릭이 우물쭈물 답했다. 케일은 힐러이면서 지하 감옥에 태연히 서 있는 펜드릭이 희한하다고 생각하면서도, 다시 중년 검사에게로 시선을 돌렸다.

"크흐흐."

가만히 있던 중년 검사에게서 웃음소리가 흘러나왔다. 가래가 많이 낀 듯한 걸걸한 목소리였다. 그런 그를 보며 케일은 무심히 말했다.

"자는 척 안 해서 좋군."

그때 비크로스가 입을 열었다.

"벨버드입니다."

중년 검사, 벨버드의 웃음소리가 순간 뚝 끊겼다.

케일은 비크로스에게로 시선을 돌렸다가 흠칫했다. 어느새 새하얀 장갑을 꺼내 낀 비크로스는 얇고 날카로운 단도를 들고 있었다. 그 모습에 케일이 당황하여 쳐다봤으나, 비크로스는 그 눈빛을 다르게 해석하고 답했다.

"전투 중에 마창사가 벨버드라고 부르더군요. 테이머 호위 역할을 했던 자 같습니다. 테이머와 이름이 비슷했던 자로, 언제든 죽어도 되는 그런 부품 취급 같지만요."

"크흐흐, 흐!"

검사는 비크로스의 말이 끝나자마자 웃기다는 듯 웃음을 흘렸다. 하지만 그는 웃기만 할 뿐 입을 열지 않았다. 땅을 쳐다보던 검사 벨버드에게 케일의 목소리가 내려앉았다.

"아무 말 안 할 것인가?"

하지만 케일의 예상과 달리 벨버드는 말했다.

"도대체."

천천히 벨버드는 고개를 들었다. 엘프들 따위는 알 필요가 없었다. 하지만 눈앞의 이놈들은 궁금했다. 여전히 자신들을 농락하듯 조잡한 복장과 복면이 거슬렸다.

"도대체 너희들은 누구지? 누구길래 우릴!"

벨버드는 이가 갈렸다. 그는 이런 실력자들에 대해 본 적도 들은 적도 없었다. 그렇기에 더욱 억울했고, 죽더라도 정체를 알고 싶었다. 하지만 고개를 든 벨버드는 복면 사이로 웃는 눈꼬리를 볼 수 있었다.

붉은 벼락을 내리고 쓰러졌던 이. 무리의 대장으로 추정되는 자. 그자가 나직이 한 글자를 내뱉었다.

"암."

벨버드의 눈동자가 살짝 커졌다. 그는 시선을 다시 아래로 돌리기 위해 고개를 내리려고 했다. 하지만 그런 그의 머리카락을 잡는 손아귀가 있었다.

당연히 케일은 아니었다. 비크로스의 흰 장갑에 검사 벨버드의 머리칼에 묻은 피가 번져갔다. 비크로스의 손아귀에 머리칼이 사로잡힌 벨버드의 눈동자는 케일을 볼 수밖에 없었다. 미처 벨버드가 눈을 감기 전, 케일은 조곤조곤 물었다.

"동대륙은 부족했나 봐?"

케일은 당황한 듯한 벨버드의 얼굴을 볼 수 있었다.

"그, 그게 무슨 소리……!"

"태양신."

하지만 케일은 계속해서 제 할 말을 했다. 궁금했던 것들을 이참에 모두 묻기로 했다.

"로운, 늑대족, 인어, 제국. 인어는 해상로겠지. 로운과 제국은 왜 노린 것일까?"

케일은 동대륙 언급 때부터 심하게 반응하는 벨버드와 시선을 마주했다.

벨버드는 그 시선에 살짝 눈가를 찡그렸다. 암과 동대륙, 그 외의 모든 일들을 알고 있는 저자가 누구인지 감이 잡히질 않았다. 그는 살짝 입술을 깨물었다. 그의 눈동자에 체념이 스쳐 지나가고, 동시에 입꼬리가 살짝 올라갔다.

"흐흐, 내가 그런 걸 말할 것 같은가?"

벨버드는 혀를 움직였다. 입안 깊숙한 곳에서 맴도는 쌉싸름한 맛. 이걸 터뜨리는 순간, 자신의 심장은 멈출 것이다. 결국 자신은 부품으로 죽게 된다.

벨버드는 절로 웃음이 흘러나왔다. 그는 활활 타오르는 눈빛으로 케일을 도발했다. 그리고 입안의 작은 구슬을 깨물고자 했다.

"나는 절대 말하지 않, 커헉!"

중년 검사 벨버드의 입에서 비명이 터져 나왔다. 그는 복면 사이로 유쾌하게 접히는 눈꼬리를 볼 수 있었다.

"이런 방식이 통할 줄 알았다면 날 너무 쉽게 본 건데?"

냐아아옹.

붉은 고양이가 슬금슬금 은신을 풀고 사람들 앞에 나타났다. 케일의 일행 중에는 당연히 온과 홍도 있었다. 비크로스에게 머리채가 잡혀 땅을 볼 수 없었던 벨버드의 아래쪽에는 안개가 휘감겨 있었다.

마비독이었다.

"커헉. 컥!"

몸을 부들부들 떠는 벨버드의 입안으로 흰 장갑이 들어갔고, 그 장갑이 작은 구슬을 꺼냈다. 케일의 귓가로 라온의 목소리가 들려왔다.

-저거 마법 장치다! 내가 분석한다!

케일은 비크로스가 흰 장갑을 털며 작은 구슬을 보관하는 것을 지켜보다가 고개를 돌렸다. 그는 마비독으로 정신을 잃어가는 벨버드에게 미소를 지어 보였다.

"이런 흔한 패턴엔 당하지 않는다고."

적의 일원을 잡아들였지만 그 적이 입안의 독이나 장치로 갑자기 죽어버려 어떠한 정보도 얻지 못하는 주인공의 안타까운 이야기.

아쉽게도 케일은 주인공이 아니라서 그런 안타까운 일을 겪고 싶지 않았다. 그는 눈을 부릅뜨고 노려보던 벨버드가 결국 정신을 잃는 것을 보고는 일어섰다. 그리고 자신을 바라보는 펜드릭에게 부드러이 말했다.

"모두의 생명은 귀한 것이니까. 죽기 전에 구해서 참 다행이야, 그렇지 않나?"

펜드릭은 순간 답할 말을 잃어버렸다.

케일은 말문이 막힌 채로 서 있는 펜드릭에게 다가갔다.

"벨버드를 어떻게 할 것인지 정했나?"

"그게."

"애매하지?"

펜드릭은 고개를 끄덕였다.

엘프들의 관습에 따르면 벨버드와 더불어 함께 사로잡은 인원들에게 사형을 내려야 했다. 하지만 아무 정보를 얻지 못한 채 바로 사형을 집행하기에는 이자들이 가지고 있을 정보의 가치가 아까웠다.

"하나 제안을 할까 해."

"제안이요?"

케일은 의아해하면서도 희미한 기대감을 내비치는 펜드릭에게 미소를 지어 보였다.

분명 펜드릭은 케일이 '암'과 '동대륙'에 대해 언급한 것을 기억해 두고 있을 것이다. 케일이 족장 앞에서 말하지 않은 새로운 정보였으니, 펜드릭은 그런 정보들을 더욱더 얻고 싶은 입장일 터.

'엘프들만큼 복수에 철저한 종족도 없으니까.'

본인들을 고고하고 우아한 종족이라 생각하는 엘프들이었다. 그런 생각의 기저에는 자신들이 인간보다 우월하며 사리사욕을 떠나 자연과 함께 살아가는 종족이라는 생각이 깔려 있었다.

그래서인지 엘프들은 자신들을 건든 자들에 대한 복수가 철저했다. 어쩌면 이런 면에서 엘프들은 다크엘프보다도 더 용을 숭배하는지도 모른다. 엘프보다 우월감이 더 강한 종족이 용이었으니까.

케일은 벨버드 쪽으로 눈길을 돌렸다. 기절한 그의 몸에 비크로스가 꼼꼼하게 사슬을 두르고 있었다.

"벨버드를 다른 이들에게 넘기는 건 어떤가?"

펜드릭의 표정이 미묘해졌다. 바라던 상황이라는 듯 아닌 듯 애매모호한 표정이었다.

"공자님께 말입니까?"

참으로 간사한 마음인 것을 알지만, 엘프 측에서는 케일이 나서주기를 바라고 있었다.

현재 엘프 마을이 있는 골짜기를 복구하는 데는 모든 정령을 사용해도 부족했다. 또한 언제 적들이 다시 올지 모르는 상황에서 그에 대한 대비도 해야 했다. 여러모로 일손은 부족했고, 더불어 복수는 반드시 하고 싶은 상황이었다.

펜드릭은 기대감을 애써 억누르며 케일의 답을 기다렸다. 그가 나서준다면 좋을 것 같다. 이리 올바른 사람도 없지 않은가.

"아니."

"네?"

하지만 전혀 기대하지 않았던 대답이 나왔다. 그렇다면 인질을 넘길 다른 이는 누구란 말인가. 펜드릭의 얼굴 위로 그 의문이 여실히 드러났다.

"일단 내 제안을 족장님과 한번 이야기 나누면서 생각해 봐. 포로를 넘길 곳과 자세한 이야기는 응할 생각이 있을 때 말해주지."

"……믿을 만한 곳에 맡깁니까?"

펜드릭은 일말의 고민도 없이 고개를 끄덕이는 케일을 볼 수 있었다.

"그래. 믿을 수 있는 분이야."

나한테 약점이 잡혔거든. 케일은 오랜만에 마법 주머니 구석에 처박혀 있을 영상통신구를 떠올렸다.

케일은 정말로 비밀 단체가 참으로 짜증 나고 싫었다. 하지만 자신이 앞장서서 그들과 싸우고 싶진 않았다. 딱 봐도 고생길이 훤한 상대 아닌가?

"그러니 생각해 보고, 오늘 저녁까지 답을 부탁해. 나도 일정이 있어서 내일은 떠나야 하거든."

펜드릭은 자신의 어깨를 두드리며 지하 감옥을 먼저 빠져나가는 케일의 뒷모습을 응시했다.

'저런 분이 믿는 사람이면 믿을 만하지 않을까?'

확신할 수 없는 부분이지만, 펜드릭은 이번에도 케일이 자신에게 전혀 득이 되지 않는 벨버드 관련 문제에 나서주었기에 슬며시 그의 말에 신뢰가 갔다.

"아, 그리고."

"네?"

감옥을 빠져나가던 케일이 뒤돌아서며 펜드릭에게 말했다.

"위퍼 왕국에 홀로 가나?"

"아, 네. 아마도 그럴 것 같습니다."

"그럼 같이 가지."

"네?"

케일은 신경 써서 부드러운 미소를 지어 보였다.

아무래도 골드 드래곤을 만날 때 연이 있는 엘프족 마을 엘프가 함께 있으면 더 낫지 않을까. 케일은 웬만하면 용을 만날 때 도움이 될만한 이들을 바리바리 다 데리고 가고 싶었다. 물론 자신은 맨 뒤에 있을 것이다. 최한 뒤에 숨을까 싶다.

"현재 위퍼 왕국은 홀로 다니기에 위험해. 우리도 갈 일이 있으니, 같이 가면 안전할 거야."

실제로 현재 위퍼 왕국은 난장판이었다. 작년 가을 툰카가 대장군으로 위임된 후, 위퍼 왕국은 망국으로 가는 지옥 열차를 탄 상태다. 물론 위퍼 왕국 사람들 대부분은 어느 때보다 고무된 상태였지만.

케일은 미안한 표정의 펜드릭을 쳐다봤다.

"그렇게까지 폐를 끼칠 수는—"

"폐는 무슨. 그런 쓸데없는 생각은 하지 말고. 인질 인도도 확인할 겸 같이 가면 더 좋을 것 같은데. 생각해 봐."

"……감사합니다."

"감사할 일은 아니지. 다 돕고 살아야 하지 않겠어?"

펜드릭의 입가에 미소가 어렸다. 병약한 얼굴에 드리운 미소라, 더 선하고 맑아 보였다. 물론 케일은 그 미소보다는 상당히 찝찝한 얼굴로 자신을 쳐다보는 비크로스의 기가 찬 눈동자가 더 잘 보였다.

"맞습니다. 공자님의 말씀이 맞습니다."

"그래. 내 말이 다 맞다니까."

케일은 장난기 어린 목소리로 펜드릭의 말을 받아치고는, 지하 감옥을 벗어났다. 그의 등 뒤로 펜드릭의 목소리가 들렸다.

"최대한 빨리 논의해 알려 드리겠습니다."

그럼 좋고.

케일은 걸음을 빨리했다. 그도 이 문제로 논의할 상대가 있었다.

'정확히 말하면 떠넘길 상대지만.'

펜드릭의 안내로 다시 족장 집으로 돌아온 케일은 곧바로 라온에게 주위를 살펴보라 지시했다. 드래곤이 함께인 것을 알아서인지, 따로 주변에 설치된 도청이나 녹음 마법은 없었다.

케일은 족장이 손님용으로 만들어준 침실로 들어서며 일행에게 문 앞을 지키게 했다.

"라온."

"알았다, 인간."

공중에서 라온이 모습을 드러냈다. 케일은 영상통신구를 테이블 위에 올려두며 맞은편 소파에 자리했다. 라온은 케일의 손짓에 영상통신구를 어딘가로 연결했다.

잠시의 기다림 뒤에 영상통신구 위로 한 사람의 얼굴이 나타났다.

─오랜만이군.

왕세자 알베르. 그의 눈동자에 슬쩍 반가움이 서렸다.

"저하는 여전히 왕국민들의 마음속 별다우신 모습입니다."

하지만 케일의 인사에 대번에 표정이 찡그려졌다.

-뭐 부탁하려고 그러나?

"이제 제 마음을 너무나도 잘 아시는군요. 정말 감동-"

-그만.

케일은 입을 다물며 씩 입가에 호선을 그려 보였다. 그 꼴이 참 보기 싫다는 듯, 왕세자 알베르는 미간을 찌푸렸다.

거의 3개월 만에 마주한 두 사람이었다. 3개월 전 위퍼 왕국과 관련하여 영상통신을 한 후, 서로 찾을 일이 없었다.

-위퍼 왕국에 가는 일로 연락한 건가?

찌푸린 미간과 다르게 알베르의 눈빛에는 호기심이 가득했다. 케일이 위퍼 왕국에 뭘 팔러 가는지, 어떻게 팔 것인지 들었기 때문이다.

"아뇨. 아쉽게도 그건 아닙니다."

-그럼?

"수도 테러 사건을 일으켰던 단체의 소속 단원을 한 명 잡았습니다. 중하 계급 정도로 추정되는 검사로, 현재 신병을 확보한 상태입니다."

느긋하게, 하지만 쉬지 않고 내뱉는 말에 알베르는 잠시 눈을 깜박이며 그 말들을 바로 알아듣지 못했다. 하지만 이내 그의 눈동자에 놀라움이 서렸다.

-어떻게? 아니지. 과정은 중요치 않지.

"과정이 중요합니다. 로운 왕국에서 잡았습니다."

왕세자 알베르의 표정이 굳어졌다. 케일은 그 굳은 표정을 보며 생각했다.

'물었네.'

왕세자가 이 정보를 물었다.

케일은 비밀 단체와 그만 엮이길 바라면서, 동시에 자신이 앞장서서 모든 것을 해결하고 싶지 않았다. 일개 백작가 자제가 뭐라고 나서서, 그런 대륙을 가지고 놀 것 같은 단체와 맞선단 말인가?

용이 옆에 있어도 번거로운 일이었다. 그래서 케일은 한 사람을 떠올렸다.

비밀 단체도, 엘프도 건들기 힘들면서 케일보다 더 깔끔하게 잘할 것 같은 사람. 비밀 단체에 악감정이 있고 그들을 없애고 싶은 사람. 그리고 케일에게 약점이 잡힌 사람.

우리 왕세자뿐이었다.

"자세한 이야기는 논의가 다 끝나야 말씀드릴 수 있지만. 로운 왕국 열손가락산 인근에서 그 단체의 일원을 붙잡았습니다."

-그걸 나한테 말하는 이유는 뭔가?

케일은 대답 대신 웃어 보였고 알베르는 혀를 차며 입을 열었다.

-넘겨.

"네."

그 대답하는 모양새가 얄미운지 알베르는 영 표정을 펴지 못했다.

-귀찮은 건 다 떠넘기는군.

"싫으십니까?"

-아니, 좋지. 좋고말고.

찡그린 얼굴과 달리 알베르의 눈빛은 좋았다. 제국과 더불어 그 단체의 정체를 밝히지 못한 로운 왕국이었다. 1년 넘게 아무것도 밝히지 못한 것은 국가적으로 창피한 일이었다.

그렇기에 케일은 왕세자가 벨버드에게서 무슨 수를 쓰든 정보를 얻을 것이란 걸 잘 알고 있었고, 그 정보를 잘 이용해 먹을 것도 알고 있었다.

"저하."

—그래.

"간 볼 거죠?"

알베르는 서서히 웃기 시작했다. 그는 웃으며 물었다.

—어디 말인가?

다 알면서도 묻긴.

"당연히 제국이지요."

—하, 하하, 맞아. 제국에 간 봐야지.

제국도 아직 태양신 교황을 죽인 비밀 단체와 성자 성녀 쌍둥이를 잡지 못했다. 그 사실이 케일은 꺼림칙했다.

제국은 열심히 수색 중이라고 했지만 위퍼 왕국을 견제해야 하므로 조사에 큰 신경을 쓰기 어렵다고 했다. 일각에서는 태양신 교단의 위세가 더 줄어들길 바라는 마음으로 제국이 설렁설렁 일을 한다고 하지만, 제국민들 다수가 죽은 일이었다.

'황태자가 체면을 얼마나 따지는 인간인데.'

제국이 테러 사건에 대해 조금도 알아내지 못했다는 것은 말이 되지 않았다. 로운 왕국이 몇 번이나 함께 협조해서 조사를 하자고 했음에도 제국은 거부했다. 그래서 왕세자 알베르는 제국의 꿍꿍이가 궁금한 상태였다. 케일도 마찬가지였지만, 그의 생각은 조금 방향이 달랐다.

'황태자는 컨트롤 타워가 되려고 정글도 불태운 이야. 또 북쪽이 내려올 것을 알고 있는 데다 북쪽과 로운, 브렉이 서로 싸워 힘을 잃길 기다리고 있어.'

그런 사람이 비밀 단체는 그냥 둔다고?

말이 안 되는 일이었다. 답은 둘 중에 하나였다.

'위대한 제국이라면서 제국 홀로 그 단체를 찾아내어 처리하려는 속셈이거나.'

아니면 제국과 비밀 단체가 관련이 있거나.

케일이 그간 해리스 마을에서 노는 와중에도 신경 쓴 일이 있었다. 물론 지시만 내린 일이지만.

어쨌든 신경 쓴 일이란, 론에게 조각가로 위장한 암살자 프리지아를 비롯한 살수들로 구성된 정보 단체를 만들게 한 일이었다.

'곧 위퍼 왕국의 툰카는 제국으로 출정한다.'

케일은 5권의 끝이 얼마 남지 않았음을 서서히 체감하고 있었다. 물론 자신으로 인해 이야기가 여기저기 틀어졌다. 벌써 전쟁을 벌였어야 할 툰카의 행보가 늦어지고, 정글은 빠르게 여왕 리타나를 중심으로 똘똘 뭉쳐 강해졌다.

'그래도 내가 할 건 해야지.'

그럼에도 케일은 계획대로 한몫 챙기러 위퍼 왕국에 가야 한다. 거기서 할 일이 많았다.

─사로잡은 포로는 이모님을 통해 건네받도록 하지. 그리고 포로를 잡은 과정도 모두 보고하도록.

케일은 당연하다는 듯 고개를 끄덕이며 흔쾌히 답했다.

"네. 그리고 죽은 마나 팝니다."

-뭐?

"양이 상당히 많아서 다크엘프 도시에 팔아야 할 것 같습니다."

-…….

"할인은 없습니다. 정가로 바로 팝니다. 거래는 직접 대면한 후 현금 거래만 됩니다."

기가 찬 표정으로 케일을 쳐다보던 왕세자 알베르는 진지한 얼굴로 입을 열었다.

-얼마지?

"합리적인 가격으로 모시겠습니다, 저하."

케일은 기가 막힌 얼굴의 왕세자 알베르와 벨버드 신병 관련 문제 및 죽은 마나 거래를 무사히 끝마쳤다. 꽤 오랜 시간 자잘한 논의를 해야 했지만 결과는 만족스러웠다.

그 덕분인지 그날 저녁 엘프 족장 카나리아와 긴 시간 대화를 한 후 벨버드의 신병을 넘겨받을 수 있었다.

다음 날, 정신을 아직 못 차린 벨버드 앞에 케일이 자리했다. 케일은 의자에 앉아 다리를 꼰 채로 벨버드를 내려다봤다. 비크로스는 벨버드에게로 다가가며 물었다.

"깨울까요?"

"그래."

비크로스가 거칠게 벨버드의 머리칼을 잡고는 그의 얼굴 위에 물을 한 바가지 뿌렸다. 케일의 뒤에 서서 이 광경을 보고 있던 펜드릭이 케일에게 조심스레 물었다.

"저자에게 앞으로의 처우에 대해 말씀하실 겁니까? 바로 데리고 가는 게 낫지 않을까요?"

"글쎄. 나는 말이라도 전해주는 게 좋을 것 같은데."

여유로운 케일의 대답에 뭐라 더 말을 이어가려던 펜드릭은 입을 다물었다. 찬물을 맞은 벨버드가 신음 소리를 내며 깨어나고 있었다. 펜드릭은 케일 뒤로 한 발짝 물러서며 그 광경을 가만히 응시했다. 그는 어젯밤 케일과 족장 카나리아가 대화를 나누던 순간을 떠올렸다.

'공자님, 왕세자와 연관이 되면 왕국에 우리 마을의 정체가 밝혀지지 않겠습니까?'

'왕세자 저하께 이 마을에 대한 비밀을 조건으로 포로를 넘길 겁니다. 그리고 이 마을 혼자서는 힘들잖습니까. 다른 엘프 마을들도 안 도우려 할 텐데요. 소식을 들으면 다들 자기 마을 세계수 가지만 챙기려고 할 텐데.'

펜드릭은 옆에서 그 말을 듣다가 놀랐다. 케일은 엘프들의 이기적이고 종족 간의 연대가 없는 면모를 잘 알고 있었다.

펜드릭은 벨버드가 눈을 뜨더니 케일 쪽을 보는 것을 확인하고는 입을 꾹 다물었다.

"으으, 이게 무슨-"

독에 당했던 벨버드의 목소리는 엉망이었다. 케일은 겨우 정신을 차리고 사태를 파악하고 있는 벨버드에게 미소를 지었다. 그 모습에 벨버드는 그제야 자살을 시도하기 전 자신을 기절시킨 케일을 떠올릴 수 있었다. 벨버드는 입술을 깨물며 케일을 노려보았다.

"그런 시선은 별론데."

정작 케일은 그 시선이 대수롭지 않다는 듯 태연했다. 벨버드는 그 태연함에 더 긴장을 높이며 입을 열었다.

"무, 무슨 짓을 한 거지?"

"무슨 짓을 한 건 없는데. 앞으로 할 거지만."

앞으로. 그 단어에 벨버드의 어깨가 살짝 떨렸다. 하지만 그를 내려다보는 남자, 케일은 평이하게 읊조렸다.

"넌 나와 함께 이 엘프 마을을 벗어난다. 네 목숨은 내 손아귀로 들어온 거지."

뒤에 서 있던 펜드릭은 수호 전사와 살짝 눈이 마주쳤다. 케일이 이리 상세하게 포로에게 모든 것을 말해줄 줄 몰랐다. 하지만 뒤이은 말에 펜드릭의 시선이 황급히 케일에게로 향했다.

"그래서 말이야. 내 일정을 너에게 말해주려고 해."

케일은 꼬고 있던 다리를 풀고는 허리를 살짝 숙여 벨버드와 시선을 마주했다.

"용 다음으로 강한 존재가 누구일까? 응? 맞춰 봐."

케일은 벨버드의 눈동자가 흔들리는 것을 놓치지 않았다. 케일은 그 눈동자에서 자신의 웃는 얼굴이 보였다. 고놈 참, 웃는 것도 멋스러웠다. 그는 혼란과 불안으로 가득 찬 벨버드를 보며 말을 이었다.

"난 고래족을 만날 예정이다."

너희들, 비밀 단체를 아주 싫어하고 잡고 싶어 하는 고래족.

"고래 왕족의 혈통이지."

벨버드의 얼굴이 해쓱해졌을 때, 케일은 라온의 보고를 들었다.

–인간, 이 검사한테는 어떠한 감시 마법도 달려 있지 않다. 저번에 **빼낸** 마법 장치 말고는 마법 장치도 없다.

그 말은 곧, 케일이 무슨 말을 해도 그의 말이 비밀 단체 쪽으로 새어나갈 염려는 없다는 소리였다.

"그리고 그다음으로 용을 만나러 갈 참이다. 용 알지?"

벨버드의 얼굴에 더 큰 어둠이 내려앉았다. 그는 케일이 자신을 데리고 함께 이동한다고 한 말을 똑똑히 기억하고 있었다. 케일의 입가에 미소가 사라졌다.

"용은 유명한 존재지. 이기적이고 악독하고."

케일의 머릿속에 라온의 당황한 목소리가 들려왔다.

–그, 그런! 말도 안 된다!

"……물론 그렇지 않은 용도 있지만."

–맞다! 나는 구하는 걸 좋아하는 아주 착한 용이다!

케일은 라온의 말에 한숨이 나오는 것을 참으며, 자신을 뚫어질 듯이 바라보는 벨버드와 시선을 마주했다.

"이번에 만날 용은 세계수와 엘프를 끔찍이도 아끼는 고룡이야."

케일은 자리에서 일어섰다. 여러 의미로 하얗게 질려가는 벨버드의 눈동자에 그를 내려다보는 상냥한 얼굴의 케일이 담겼다. 케일은 옷매무새를 가다듬으며 벨버드에게 마지막 말을 전했다.

"기대해."

그리고 이어진 말은 비크로스에게로 향했다.

"눈 가려. 기절시키고."

"마비도 시킬까요?"

"어."

벨버드는 천천히 검은 천으로 눈이 가려졌다. 발버둥을 칠까 고함을 지를까 고민하던 그는 케일의 무감각한 눈빛에 입을 다물었다. 이제 죽고 싶어도 쉬이 죽을 수 없었다. 시야가 닫힌 그에게 고문관과 케일의 대화가 들렸다.

"재갈은요?"

"재갈도."

"네."

"알아서 해. 다만 죽지도, 그렇다고 자유롭지도 못하게. 적당히 알아서. 알겠나?"

"네."

벨버드의 입에 재갈이 채워졌다. 케일은 그 광경을 힐끗 보고는 뒤돌아섰다.

"갈까?"

태평한 케일의 물음에 수호 전사와 펜드릭은 느릿느릿 고개를 끄덕였다. 두 엘프는 뭐 이런 사람이 다 있냐는 눈빛으로 케일을 쳐다봤지만, 케일은 살짝 어깨를 으쓱였다. 그는 그저 알베르의 이모이자 다크엘프 타샤를 만나기 전까지 조용히 가기 위해, 벨버드에게 살짝 겁을 줬을 뿐이었다.

'그렇다고 거짓말은 아니잖아?'

케일은 멍하니 서 있다가 눈이 마주치자 재빠르게 감옥 문을 여는 펜드릭에게 물었다.

"짐 다 쌌나?"

"네."

"그럼 가면 되겠군."

케일의 진짜 새로운 일행은 벨버드가 아니라 펜드릭이었다.


하지만 떠나려는 케일 일행을 막는 이들이 있었다. 그간 케일이 조용히 엘프들 없는 데로만 다니느라 마주하지 못했던 마을 엘프들.

"저, 정말 드래곤님의 가호를 받으셨나요?"

우우웅―

반투명하게 실체화한 정령들이 케일의 눈앞에서 이리저리 날아다니며 오두방정을 치고 있었다. 케일은 자신에게 질문을 던진 이를 쳐다봤다. 그 엘프 뒤로 상당히 기대에 가득 찬, 열광적인 눈빛의 몇몇 엘프들이 케일을 응시하고 있었다.

'골치 아프네.'

케일은 머리가 아파왔다.

엘프가 인간에게 먼저 다가가는 경우는 극히 드물었다. 우월감이나 이런 것을 떠나 굳이 그럴 이유가 없었다. 하지만 이유가 생긴 열 손가락산 마을 엘프들은 아주 적극적으로 인간에게 다가갔다. 그리고 그 인간은 케일이었다.

"대답하기 힘드신가요?"

케일은 가장 앞에 서서 저를 쳐다보는 엘프의 시선을 피했다. 하필 맨 앞에 있는 두 엘프가 할머니에 어린아이다. 케일은 족장 카나리아를 쳐다봤다.

'분명 조용히 가고 싶다고 했는데.'

카나리아는 부드러운 미소를 짓고 있었는데, 케일의 눈에는 그 미소가 참으로 얄미워 보였다. 하지만 이번 일은 그녀의 탓이 아니었다.

"죄송합니다. 가족에게만 말했는데."

케일은 사과의 말에 고개를 돌렸다. 펜드릭이 미안한 표정을 지은 채 어쩔 줄을 몰라 했다. 떠나는 시간과 장소가 노출된 것은 펜드릭 때문이었다. 하지만 가족들에게 언제 떠날지를 말한 이를 심하게 탓할 수도 없는 노릇이었다.

'뭐, 이렇게 되면.'

그는 일단 라온이 모습을 드러내어 찬양받는 상황은 피했기에 최악은 넘겼다고 여겼다. 그래서 차선을 택했다. 엘프들에게 좋은 인상을 남겨두면 추후 뭘 시켜도 알아서 잘 움직이지 않겠는가?

"아니. 이게 뭐가 미안한 일인가."

케일의 입가에 친절한 미소가 걸렸다. 그 미소에 펜드릭은 안도의 한숨을 내쉬었다. 반면에 케일의 일행은 그 미소를 슬그머니 외면했다. 케일은 눈앞의 할머니 손을 잡고 있는 어린 엘프와 시선을 맞췄다.

"대답하기 힘들지 않아요."

엘프 아이를 향한 상냥함이 가득했다. 그는 아이가 했던 질문을 떠올렸다.

'저, 정말 드래곤님의 가호를 받으셨나요?'

그 질문의 답을 원하는 엘프와 정령들이 이곳에 자리해 있다. 엘프들은 대부분 대놓고 보거나 한 걸음 물러서서 훔쳐보듯 힐끗거렸다. 물론 정령들도 반짝이며 뭐라 중얼거렸지만 정령의 말은 케일에게는 전혀 닿지 못했다.

하지만 엘프들에게는 그 목소리가 닿았다.

'이 인간은 강대한 기운의 보호를 받아요!'

'드래곤님의 기운인가 봐. 나 드래곤님의 기운은 처음 느껴봐! 내

정령 생에 기록해 둘 거야!'

'세상에, 인간에게 자연의 기운이 엄청 많아! 불, 물, 바람, 나무가 각기 다른 형태로 다 있어.'

'거기다가 속성 밖 자연의 힘도 하나 가지고 있다고요!'

정령들은 난리였다. 저마다 외쳤다.

'이런 인간은 처음 봐. 정령사도 엘프도 아닌데.'

'드래곤님이 좋아할 만해! 고대의 힘이, 자연이 사랑하는 인간인가 봐!'

'희한한 인간이야.'

그 말을 듣는 엘프들의 눈빛이 더욱더 깊어지며 케일에게로 향했다. 그 안에는 족장도, 수호 전사도 있었다. 다만 정령의 말을 듣지 못하는 펜드릭만이 이를 알 수 없었다. 케일도 펜드릭처럼 이 오두방정을 모른 채 아이의 물음에 답했다.

"드래곤께서 약한 나를 지켜주고 계시지."

아.

감탄이 곳곳에서 흘러나왔다. 그 순간, 오늘도 케일의 등 뒤에 바짝 붙어서 투명화해 있던 존재, 라온의 목소리가 그의 머릿속에 울려 퍼졌다.

-잘 안다, 약한 인간.

케일은 가벼이 그 맞장구를 흘려보내고는 엘프 아이에게 눈가를 휘며 웃어 주었다. 하지만 그 미소는 곧 이어진 아이의 말에 살짝 흔들렸다.

"우아! 부러워요! 최고예요! 멋져요!"

아이의 칭찬 3단 콤보가 이어졌다. 그리고 곧 이어져 쏟아진 말들이 케일의 귓가를 두드렸다.

"3일 동안 세계수 정원에, 그 꽃밭이요! 그곳에 계실 때 찾아뵙고 싶었는데, 워낙 부하분들이 엄격하셔서 못 가봤어요. 그렇게 무서, 아니, 음, 강하게 호위하는 분들은 처음 보았어요! 인간 왕실 기사단도 그러지 않을 것 같던데요!"

아이는 말을 하면서도 힐끗힐끗 케일 뒤의 일행을 쳐다봤다. 그리고 무섭다는 듯 몸서리를 쳤다. 엘프가 인간에게 그렇게 행동했다.

'도대체 3일 동안 이놈들은 어떻게 나를 지킨 것일까.'

케일은 왠지 모르게 자신이 엘프를 피해 다녀서 그간 엘프를 만나지 않았던 것이 아니라, 자신이 쓰러졌던 3일 동안 일행이 한 행동 때문에 엘프들이 알아서 피했다는 생각이 들었다. 그리고 오늘은 펜드릭 배웅을 이유로 당당하게 모였고.

케일은 아이의 질문을 시작으로 다른 엘프들의 질문을 몇 개 받았다. 대부분이 아이들이었다.

"드래곤님은 어떠신가요?"

상냥한 미소를 매단 케일의 등을 라온의 앞발이 툭툭 쳐댔다.

─위대하다.

"위대하지."

라온이 시키는 대로 답했다. 이왕 이렇게 된 거 위대한 용의 가호를 받는 억수로 운 좋은 인간으로 보이면 좋지 않겠는가? 왠지 모르게 게임처럼 엘프들 호감도가 올라가는 소리가 들리는 듯했다.

"우아! 멋있으시죠?"

아이의 질문에 당연히 라온이 먼저 답했다.

─멋있고 아름답다.

"멋있고 아름다우시지."

"와아!"

아이들의 감탄과, 당연히 그렇다는 듯 담담하지만 들뜬 어른들의 반응이 이어졌다. 케일은 기가 찼다. 진짜 용이 눈앞에 있으면 아주 뒤로 넘어가면서 박수를 칠 태세였다.

"드래곤님의 힘은 엄청나죠?"

-내 몸통만큼 강한 존재는 없다.

"당연히. 위대한 힘을 지니셨지."

케일은 태엽 인형처럼 시종일관 친절하게 답했다. 그의 머릿속에서 라온의 목소리가 점점 커져갔다.

-역시 나는 위대한 라온 미르다! 나이도 한 살 더 먹었다!

케일은 사방이 시끄러워 머리가 아팠다. 그 와중에도 그는 시종 론에게 눈짓했고 론은 슬그머니 최한과 함께 앞으로 나와 길을 텄다. 케일은 그 길을 따라 엘프 마을의 입구로 향했다. 그런 그를 따라 걸음을 옮기던 어린 엘프들 사이로 한 노인 엘프가 입을 열었다.

"드래곤님을 뵙고 싶은데, 가능할까요?"

-지금도 가능하다!

가능하기는.

케일은 엘프와 드래곤을 만나게 해줄 생각이 없었다. 만나더라도 그건 나중에 자신에게 득이 되는 상황에서 쓰고 싶었다. 지금은 그저 드래곤과 가장 가까이 닿아 있는 인간 정도가 알맞았다.

케일은 걸음을 멈추고 살짝 두 팔을 벌렸다. 덩달아 걸음을 멈추거나 혹은 멀찍이 케일을 지켜보고 있던 엘프들에게 차분한 목소리가 닿았다.

"이 드래곤님의 위대한 기운이 느껴지지 않으십니까? 이 위대한 힘은 엘프분들이라면, 누구보다도 자연과 가까운 엘프분들이라면 느끼실 겁니다."

당연히 어느 정도 연륜이 쌓인 엘프와 정령들은 케일 주위의 은은하지만 강한 힘을 느끼고 있었다. 마치 전투 상태를 해제한 드래곤이 힘을 드러내지 않고 여유로이 케일 주위를 날아다니는 듯했다. 하지만 드래곤이 미쳤다고 인간을 따라다니겠는가. 그것도 숨어서. 분명 저 인간을 감싼 드래곤의 가호, 방어막 정도이리라.

케일은 고개를 끄덕이는 엘프들에게 이어 말했다.

"제가 드래곤님께 잘 말씀드려, 다음에 기회가 된다면 드래곤님과 여러분이 대화를 나눌 시간을 마련하겠습니다."

엘프들의 고개가 번쩍 들렸다. 그들에게 케일은 어두운 표정으로 말을 이었다.

"하지만 지금은─ 지금은, 여러분도 아시겠지만 마을도 힘든 상황이고, 곳곳에서 무서운 일들이 많이 일어나고 있어 빨리 떠나야 할 것 같습니다."

엘프들 몇몇이 고개를 끄덕였다. 그들은 가까이 다가가지 않고 멀찍이서 케일을 지켜보던 이들이었다.

마을이 엉망이 되었다. 세계수 가지를 노리는 갑작스러운 공격에서 겨우 벗어났다. 그런 상황 속에서 그들은 드래곤님도 아니고, 인간을 찬양하는 듯한 다른 엘프들의 태도가 싫었다. 물론 용의 가호를 받는 자이니 존중하고 그를 인정하는 것은 맞았지만, 이런 들뜬 분위기가 썩 내키지 않았다.

그런 와중에 케일이 한 말이 그들에게 와닿았다. 새삼 자신들을 위기에서 구해준 자가 눈앞의 인간임이 명확히 인지됐다.

케일은 여전히 무거운 분위기를 벗어던지지 않았다. 희미한 미소를 입가에 그린 그에게서 막중한 책임감이 느껴졌다. 그 책임감이 말이 되어 흘러나왔다.

"할 일이 많습니다. 저에게 주어진 일들이지요."

그 말에 어른 엘프들의 표정이 굳어졌다. 케일이 하려는 일들이 무엇인지 말하지 않아도 알 것 같았다.

분명 그가 하려는 일은 우리 마을에서 했던 일처럼, 그리고 족장을 통해 들었듯 그가 그간 했던 수많은 일과 같은 일일 터. 물질적으로 얻는 것 없이, 희생만 하는 일.

케일은 열기가 가라앉은 대신 자신을 향한 또 다른 호감으로 채워진 분위기를 감지하며 생각했다.

'할 일이 많지.'

암, 그렇고말고. 해야 할 일이 많았다. 툰카를 속여서 한몫 벌어야 했고, 만나야 할 이들이 많았다. 물론 이 일의 순서가 어찌 될지는 모르겠으나 모두 해야 할 일이었다.

"자연의 친우인 엘프분들을 뵈어서 반가웠지만, 이만 가야 될 것 같습니다."

아직 궁금증이 많은 아이들이 케일에게 더 묻고 싶어 했지만 어른들은 그런 아이들을 슬그머니 말리며 케일에게 길을 터주었다.

케일은 자신을 따라 잠깐 걸음을 멈춘 일행을 바라봤다. 엘프이자 힐러인 펜드릭은 상당히 감동한 표정이었다. 하지만 비크로스와 론, 고양이들은 기가 찬 표정을 어떻게든 숨기려 무표정을 유지하고 있었다. 최한과 라크는 케일의 말에 당연하다는 듯 고개를 끄덕였다.

-인간, 내가 이래서 너를 혼자 못 둔다! 이 쓸모없이 약하면서 쓸모 아주 많은 인간아!

점점 말도 아닌 소리를 하는 라온의 말을 무시하는 것은 케일의 일상이었다. 그는 다시 걸음을 내디디려다 멈칫했다.

'음?'

난리도 이런 난리가 없다는 듯 허공을 뛰놀던 반투명 정령들이 등불처럼 마을 입구까지 나란히 선 채 길을 만들어주었다. 그러면서 뭐라 말했댔지만, 알 길이 없는 케일은 그러려니 하며 입구로 향했다.

'괜찮은 사람이야. 정령사가 아닌 게 아쉬워. 친구 소개시켜 주고 싶은데.'

'예전에 어머니께 들었던 오래전 영웅들이 떠올라. 그들도 저랬었대.'

'착한 사람인 것 같아요. 긴가민가했는데, 역시 선한 분위기 같아요.'

케일이 들으면 기가 찼을 말을 하는 정령들의 얘기에 코웃음을 치는 엘프는 한 명도 없었다. 족장 카나리아만이 묘한 얼굴로 입구에 다다른 케일을 맞이했다.

"족장님, 가보겠습니다."

카나리아는 그 말에 응하는 배웅의 말 대신 다른 말을 건넸다.

"공자의 가문이 동북부에 위치했다고 했죠?"

"……그렇습니다만."

카나리아는 케일의 눈동자에 맺힌 경계심을 읽었다. 그 모습에 그제야 웃음이 흘러나왔다. 아까 모습보다 이런 모습이 편한 그녀였다.

"공자, 본인에게 현재 땅의 힘이 없음을 알고 있으리라 생각합니다. 이 로운 왕국은 바위의 나라. 땅의 힘이 가장 강하지요. 땅의 가장 강한 형태가 바뀌니까요."

케일의 눈동자는 그녀를 보며 속마음을 숨기지 않았다.

'그래서?'

케일은 굳이 더 힘을 얻고 싶지 않았다. 만약 땅의 힘까지 얻어버리면 자연 대표 속성 다섯 개가 다 모인다. 그건 상당히 찜찜한 미래를 예견할 것 같지 않은가?

케일의 표정이 굳어지는 것을 눈치챈 카나리아는 조심스레 품에서 포장된 서책을 하나 내밀었다. 그걸 받지 않고, 뭐냐는 듯 쳐다보는 케일에게 그녀는 설명했다.

"땅과 관련된 고대의 전설이 담긴 서책입니다. 오래된 책이죠. 우리 쪽에서는 도통 무슨 소린지 모를 전설인데, 어쩌면 당신에게는 필요할지도 모르겠어요."

케일은 카나리아가 자신의 쪽으로 내미는 서책을 쳐다봤다.

'고대의 전설?'

더욱더 받기 싫었다. 필요 없었으니까. 하지만 이어진 그녀의 말에 케일은 눈이 번쩍 뜨였다.

"참 웃긴 전설인데. 강한 파괴력을 지닌 어떤 영웅이 엄청나게 돈을 탐냈다고 하더군요. 그 영웅이 죽자 그의 재산을 되찾아 보관하게 된 또 다른 영웅의 일대기인데."

카나리아는 코웃음을 쳤다.

"영웅이 돈 따위를 탐내겠어요? 그것도 얼어붙은 세상을 구한 위대한 영웅이며 어떠한 권력도, 작위도, 명예도 탐내지 않은 사람이 고작 동전 줍기가 취미라고? 말이 된다고 생각하세요?"

그녀는 동의를 구하듯 케일을 쳐다봤다. 그 시선에 케일도 역시 코웃음을 치며 고개를 끄덕였다.

"그럼요. 영웅이 그럴 리가 있습니까? 그리고 고대의 전설에는 워낙 거짓과 진실이 뒤섞여 있잖습니까."

"그렇긴 하죠. 아무튼 돈에 환장한 영웅의 적이자 친우였던 또 다른 영웅의 전설이 담긴 서책인데, 이 영웅이 땅의 기운을 썼던 자 같아요."

카나리아는 고민 어린 표정으로 손을 뻗는 케일의 손바닥 위에 서책을 내려놓았다.

"사실 이 서책에서 고대의 힘을 찾으리라 생각하지 않아요. 하지만 우리에게 필요 없는 서책이 마을을 구한 당신에게 도움이 된다면 좋지 않을까 해서 드려요."

"귀한 책 아닙니까?"

"아니에요, 사실."

카나리아는 조금 과장해서 말할까 하다가 사실대로 말했다.

"사실, 엘프들에게 필요 없는 물건을 모아두는 창고가 있어요. 거기 있던 책인데, 생각이 들어 가지고 왔어요."

그러면서도 그녀는 이 책이 케일에게 큰 도움이 되지 않으리라 생각했다. 왜냐면 이 책에 적힌 장소에 갔지만 아무것도 찾을 수가 없었으니까.

'하지만 이 사람은 운이 좋으니.'

고대의 힘은 그 주인을 하늘에서 정해준다고 할 정도의 운이 필요한 힘이었다. 그 운이 눈앞의 인간은 다섯 개나 주어졌다. 그러니 카나리아는 혹시 몰라 그에게 서책을 건넸다. 케일은 부담스럽다는 듯 난색을 표하며 서책을 받아 들었다.

"음, 엘프 마을에 필요 없다고 하니 일단 받기는 하겠습니다. 이런 성의까지 거절하기는 힘들군요. 그리고 고대의 힘이 구한다고 얻을 수 있는 힘이 아닌지라."

"그렇긴 하죠. 천운이 닿아야 하니까요. 그래도 꽤 웃긴, 말도 안 되는 전설이 담긴 책이라 읽어보면 재밌을 거예요."

"네. 그러죠."

케일은 느긋하게 서책을 품에 넣고는 카나리아와 악수를 나눴다.

"다음에 연이 닿는다면 또 뵙겠습니다, 족장님."

"그래요. 드래곤님과 함께 만났으면 하네요."

-나 여기 있다! 족장!

케일은 라온의 외침을 무시하며 족장과의 작별 인사를 꽤 부드러운 분위기에서 나눴다. 그는 품 안의 서책을 느끼며 생각했다.

'파괴의 불이 이 엘프 마을 근처에 생긴 이유가 있었네.'

이 서책이 엘프 마을에 있었기 때문에 파괴의 불이 이 마을 근처에 생긴 것이 아닐까 생각됐다. 세상엔 그냥 뜬금없는 일도 많지만 어느 정도 인과가 존재하는 일도 많았다.

그는 족장의 말을 떠올렸다.

'영웅이 돈 따위를 탐내겠어요? 그것도 얼어붙은 세상을 구한 위대한 영웅이며 어떠한 권력도, 작위도, 명예도 탐내지 않은 사람이 고작 동전 줍기가 취미라고? 말이 된다고 생각하세요?'

말이 된다. 왜 안 되나.

얼마 전 그런 영웅에게 돈을 뿌리고 온 이가 케일이었다. 그는 내심 확신했다. 이 서책 속 돈에 환장한 영웅이 '파괴의 불' 주인이라고. 그리고 왠지 모르게 그 적이자 친우였던 자가 '무서운 짱돌'일 것 같았다. 정확히 말하면 땅의 하위 속성이 바위지만, 그래도 땅 속성에 포함은 되었다.

'파괴의 불 주인의 돈을 짱돌 주인이 가져갔단 말이지?'

고대의 힘이 아니라, 그 돈을 생각하며 케일은 심장이 뛰었다. 힘이야 얻고 싶으면 얻고, 아니면 말면 될 일이었다.

'돈만 챙겨도 될 거 아냐?'

케일은 씰룩이며 올라가려는 입꼬리 끝을 간신히 억누르고는 마지막 인사를 건넸다.

"가보겠습니다."

"그래요. 잘 가요."

케일은 엘프 마을의 입구이자 출구, 그리고 경계선이 되는 환상 마법이 드리워진 반투명한 장막 속으로 걸어갔다. 그 뒤를 그의 일행이 따랐다.

드디어 케일은 며칠 만에 엘프 마을 밖으로 나왔다. 그는 잠시 걸음을 멈춰 엘프 마을 경계선 바로 밖. 방벽이 있던 자리를 둘러보았다.

"하."

그의 입에서 탄식이 흘러나왔다. 그 탄식에 일행이 슬그머니 먼 산으로 시선을 돌렸다. 최한과 라크는 헛기침을 하며 고개를 숙였고, 론과 비크로스는 담담했다. 온과 홍은 최한의 품에서 냐옹 울며 같이 먼 산을 쳐다봤다.

-인간! 우리의 위대한 전투 흔적이 보이나? 다 부쉈다!

그래. 다 부쉈다.

케일은 자랑스레 말하는 라온의 목소리를 들으며 왜 엘프 족장까지 나서서 복구 작업에 매달리는지 깨달을 수 있었다. 눈앞에 나타난 광경을 보니 납득할 수밖에 없었다.

나무가 다 파헤쳐져 부러져 있었고 땅 여기저기가 뒤집혀 있었다. 그리고 검날이나 오러에 베인 듯 바위들이 산산조각 난 채 쓸쓸히 자리를 지켰다.

하지만 케일은 이 모든 광경을 보아도 일행에게 아무 말도 할 수 없었다.

─인간, 네가 내린 불벼락 자국이 제일 크다! 보이나? 나름 쓸 만한 힘이지만, 다시는 쓰지 마라!

케일 자신이 한 짓이 가장 심했기 때문이었다. 골짜기에는 땜빵이라도 난 듯 거대한 원을 그리는 검은 땅이 존재했다. 아무것도 없는 황량한 검은 땅.

케일은 먼 산을 보며 일행에게 말했다.

"가자."

그는 고대의 힘 바람의 소리로 골짜기를 벗어나기 전, 비크로스에게 물었다.

"무겁진 않지?"

"네."

귀와 눈, 입, 모든 것을 가린 벨버드를 들쳐 멘 비크로스는 하나도 무겁지 않다는 듯 거뜬해 보였다. 아무 소리도 들리지 않고, 보이는 것도 없는 벨버드는 현재도 기절 중이었다.

케일은 일행이 준비가 된 것을 확인한 후 골짜기를 벗어났다. 그는 블로크 마을로 향했다. 빠른 이동 끝에 마을에 금방 도착했지만, 벨버드가 있어 마을에 들어서지 않고 산 아래에서 걸음을 멈췄다.

"공자님!"

부집사 한스가 케일에게 허리를 숙이며 인사했다. 그의 품으로 냉큼 아기 고양이 온과 홍이 안겨들었다. 케일은 한스를 지나쳐 반가운 이에게 손을 내밀었다.

"한 세 달 만입니까?"

"그러게요, 공자."

브렉 왕국에서 돌아온 로잘린이 싱그러운 미소를 그렸다. 그녀는 어떻게 되었냐는 듯 묻는 케일의 시선에 답하듯 품에서 종이를 한 장 꺼내 보였다.

전쟁 발발 시, 로잘린이 정식으로 브렉 왕국과 로운 왕국 마법사 연합의 수장이 된다는 내용이었다. 케일은 웃으며 로잘린을 맞이했다.

"잘 갔다 왔어요, 로잘린 씨."

"그 인사가 듣고 싶었어요."

케일은 따라 웃어 보이는 로잘린의 손을 놓으며 한스에게 명했다. 다크엘프 타샤를 만나야 했다.

"한스, 수도로 먼저 가자."

26장
만나서 반갑다

## 26장
### 만나서 반갑다

케일이 다크엘프 타샤를 만난 곳은 수도 성 밖에 마련된 여관이었다.

"지하는 아예 개조를 했네."

작년 왕세자에게 팔찌를 전해줬던 그 여관으로, 케일은 왕세자에게 이곳을 샀다는 말을 들은 적이 있었다. 현재 이 건물은 지상은 여관으로, 지하는 마법사들의 거점 중 한 곳으로 쓰였다.

'마법사들이 꽤 많네.'

지하는 총 3층으로, 대략 서른 명의 마법사들이 바삐 움직이고 있었다. 물론 그들은 케일 일행을 보고 흠칫했다가 로잘린을 보고 정중히 인사를 한 후 사라졌다.

비밀리에 진행되는 일이기에, 당연히 지하 시설은 상당히 뛰어난 마법 장치들로 도배되어 있었고 나름 최신 방어 마법들이 모두 펼쳐져 있었다. 케일만큼 키가 큰 타샤가 슬쩍 고개를 케일 쪽으로 들이 밀며 물었다.

"케일 공자, 여기 마음에 쏙 들지 않아요?"

시원하게 웃는 타샤의 눈동자에 맴돈 것은 장난기와 자부심이었다. 그 장난기를 알았기에 케일은 웃으며 맞받아쳤다.

"이곳보다는 우리 영주성이 더 좋을 것 같다만."

"에이."

타샤는 케일의 말에 손사래를 치며 웃었다. 말도 안 되는 소리였다. 이곳은 마법 왕국인 위퍼 왕국의 꽤 실력 있는 은둔 마법사들이 참여하여 만든 공간이었다. 이 마법 장치 설비를 따라잡을 곳은 현재 왕국 내에 없었다. 아무리 케일이 자신의 영지를 사랑하여 한 말이라도 저 말은 농담이라고 타샤는 확신했다.

"아무리 그래도 케일 공자, 영주성보다는 여기가 더 좋죠. 물론 여기가 중앙 거점은 아니지만, 그래도 최신 마법 장치들이 다 모였답니다. 공자님도 아시겠지만, 현재 마법 장치들이 씨가 마르고 있는 상황이잖아요? 물론 베일에 싸인 한 상인이 어디서 구했는지 모를 마법 장치들을 독점적으로 팔고 있지만요."

이런 상황에서, 왕세자가 현재 전쟁을 대비하며 마법 장치 제작 시설을 만들고 있다는 것은 지금 하는 이 일들이 미래에 꽤나 성공할 가능성이 높다는 것을 의미하였다.

타샤는 이를 알고 뿌듯한 마음으로 케일을 쳐다봤다. 그러다가 점점 이상함을 감지했다. 빤히 바라보는 케일의 눈빛에 장난기와 함께 진지함이 보였다. 타샤는 요 몇 달 사이에 자주 봤던 마법사 로잘린에게로 시선을 옮겼다.

'응?'

그리고 멈칫했다. 로잘린이 난감한 미소를 짓고 있었다. 그 모습에 타샤는 다른 케일의 일행을 쳐다봤다.

마비가 되어 덜덜 떠는 벨버드를 들쳐 멘 비크로스, 론, 최한, 묘족 온과 홍. 그들 모두 담담했다. 아니, 무감각하게 실내를 쳐다봤다. 그 심드렁한 표정에 타샤는 케일을 쳐다봤다. 케일은 씨익 미소를 그렸다. 그 미소에 타샤는 띄엄띄엄 말을 뱉었다.

"어, 음. 공자, 정말로?"

정말로 헤니투스 영지 성이 마법 설비가 더 뛰어납니까?

차마 모두 내뱉지 못한 말에, 케일은 대수롭지 않게 답했다.

"그렇다니까."

로잘린이 맞다는 듯 고개를 끄덕였다.

"하."

타샤는 탄식을 흘렸다. 마법이 크게 발달하지 않은 나라가 로운 왕국이었다.

'거기서 가장 구석인 헤니투스 영지가 최신 마법을 모두 받아들였다고?'

믿을 수 없다 생각하던 그녀는 자신에게 가까이 다가온 케일이 귓가에 속삭이는 목소리를 들을 수 있었다.

"왕세자 저하께서 마탑 설계도 일부를 구해다 준다고 하지 않던가?"

그 사실은 일급비밀이었다. 타샤의 눈동자가 흔들렸다가 이내 초점을 잡았다. 그녀는 굳었던 표정을 풀며 황당하다는 듯, 허탈하다는 듯 웃었다.

"하, 하하."

그녀는 긴 머리칼을 쓸어 넘기며 케일에게 물었다.

"어디서 구해 오나 싶었는데. 공자시군요."

"뭘 그리 당연한 걸."

케일은 별것 아니라는 듯 넘겼고, 정말로 그리 생각했다. 자신이 지금 마탑을 부수러 가는 사람인데. 그깟 설계도 하나 없으면 되겠는가.

현재 헤니투스 영지의 성벽과 영주성은 완성되는 중이었다. 그곳의 마법 장치는 로잘린이 전면적으로 맡았지만 실상 대부분 라온이 만든 것이다.

'10실버를 괜히 주는 게 아니지.'

용돈을 그간 괜히 정기적으로 준 게 아니었다. 라온이 성과 배에 달릴 마법 장치들을 모두 만들어줄 것이라 예상하고 준 용돈이었다. 그리고 금전 교육은 어릴 때부터 하면 좋다고 했다.

"공자, 헤니투스성을 한번 보러 가고 싶네요."

"현재 마무리 공사 중이라. 다 완성되면 한번 보러 와."

"그럴까요?"

케일은 고개를 끄덕이며 덧붙였다.

"그래. 메리 데리고."

일꾼을 데리고 오길 바랐다. 타샤는 한숨과도 같은 웃음을 흘리고는 힘차게 고개를 끄덕였다.

"그럼, 이제 제대로 안내해 드리죠."

그녀의 시선이 비크로스가 들쳐 멘 벨버드에게로 향했다. 그녀는 귀와 눈, 모든 것들이 차단된 그에게 잠시 시선을 두다가 다시 케일을 바라봤다.

"지하 감옥에 돈을 엄청 썼어요. 도망 못 가게 하려고."

음산하게 덧붙이는 타샤는 변장 마법 목걸이로 외양을 가렸음에
도 언뜻 그녀에게서 검은 눈동자와 검은 머릿결을 가진 다크엘프 전
사의 모습이 덧그려지듯 보였다.

"그래? 우리도 감옥을 보강 중인데, 여긴 어떨지 궁금하네."

잠시지만 분명히 타샤가 드러낸 전사의 기세와 그 나직한 말을 케
일은 당연하다는 듯 흘려보냈다. 그는 태연히 타샤의 안내를 따라
지하 3층, 가장 안쪽으로 향했다. 케일은 여러 감옥 중 하나로 들어
섰다.

"안락한데?"

"그렇죠? 저자도 지내기 편할 겁니다."

케일은 감옥으로 제작된 방을 둘러보았다. 감옥은 여러 개였고,
그중에서도 가장 안쪽 방인 이곳은 다른 곳과 달리 상당히 아늑했
다. 평범한 여관방처럼 보였는데, 특이하게도 모서리가 모두 둥글었
다. 마치 자해를 방지하기 위한 방 구조 같았다. 케일은 그 뜻을 알
아차렸다.

"신체적 고통이 아닌, 정신적 고통을 택했나 보군."

타샤는 고개를 끄덕이며 긍정을 표했다. 그냥 범죄자도 아니고 테
러를 일으킨 집단의 직급이 있는 자였다. 평범하게 대할 리가 없었다.

쯧. 케일은 혀를 차며 비크로스에게 눈짓했고, 비크로스는 벨버드
를 소파에 앉혔다. 그리고 안대와 귀를 막고 있던 장치를 빼냈다. 벨
버드는 마비독이 덜 가셔서 덜덜 떨리는 몸을 주체하지 못했다. 하
지만 그는 눈을 떠야 했다.

"눈 떠."

비크로스의 서늘한 목소리 때문이었다. 힘겹게 눈을 뜬 그의 눈앞

에 아늑한 공간이지만 동시에 낯설기도 한 공간이 나타났다. 여전히 온몸이 꽁꽁 묶인 그를 내려다보는 눈길이 많았다.

타샤는 분명 큰 상처를 입었다고 들은 벨버드의 상태가 그럭저럭 괜찮은 것을 보며 케일을 쳐다봤다. 그 시선에 케일은 입을 열었다.

"하반신은 움직이지 못해. 하지만 다른 자잘한 상처는 치료했지."

"역시 공자는 마음이 너무 물러요, 물러."

타샤는 고개를 가로저었다. 그 모습에 벨버드는 기가 찼다.

매일 온갖 독으로 죽지 않을 만큼 괴롭힘을 당했다. 물론 독에 대해 공부하고 싶다는 비크로스가 치료를 해주면서 행한 짓이었다. 아버지 왼팔의 복수를 아직 잊지 않은 아들의 행동을 케일은 모른 척했다.

케일은 뭐 이런 마음 약한 사람이 다 있냐는 듯 따스하게 쳐다보는 타샤의 시선을 외면했고, 타샤는 그제야 벨버드를 바라봤다. 그런 그녀에게 케일의 목소리가 닿았다.

"정신 고문 쪽을 할 거면 전문가를 소개시켜 줄까?"

죽음의 신 교단의 파문 신관, 케이지. 그녀가 정신 계열 전문가였다.

"아뇨. 우리도 우리 방식이 있어서."

케일은 타샤가 거절하며 벨버드에게 환히 웃는 광경을 외면했다. 역시 그녀는 그냥 평범한 다크엘프가 아니었다. 왕세자의 뒤에서 모든 일을 맡는 대장이 그녀인 까닭이 있었다.

"앞으로 우리 많은 대화를 나누어보아요."

벨버드를 향해 상냥하게 건넨 타샤의 목소리는 왠지 모르게 소름 돋는 분위기를 풍겼다. 뭔가를 느낀 듯 벨버드의 얼굴이 하얗게 질린 것을 보며 케일은 나가자고 눈짓했다.

타샤는 따라 일어서며 그와 함께 감옥 밖으로 향했다. 타샤는 다른 일행까지 모두 나온 것을 본 후 수하에게 감옥 문 앞을 지키라 명하고는, 케일 일행을 다시 지상으로 안내했다. 그녀는 지하 계단을 오르며 케일에게 지나가듯 물었다.

"엘프들은 어떻던가요?"

은근한 호기심과 동시에 이유 모를 경계심이 담긴 물음이었다.

케일은 오늘 부집사 한스와 힐러 엘프인 펜드릭을 다른 여관에 두고 이곳으로 왔다. 엘프와 다크엘프. 그 애매한 관계 때문이었다. 케일은 그 관계를 모른다는 듯 대수롭지 않게 답했다.

"엘프가 엘프지."

"흐음, 그래요? 세계수 가지를 지켜줬으니 공자는 거기서 거의 평생의 은인이겠네요."

"거기에 라온도 있으니까."

라온. 용이 그곳에 있었다는 말의 의미를 알아들은 타샤는 감탄을 흘리며 고개를 끄덕였다.

"거기서 공자는 거의 교단의 성자였겠는데요."

케일은 차마 반박할 말이 떠오르지 않았다. 타샤는 무언으로 긍정을 표하는 케일에게 은밀히 물었다.

"위퍼 왕국에 도대체 뭘 팔길래, 알베르가 그렇게 혼자서 웃어대나요?"

"……왕세자 저하가 혼자 웃으셔?"

그건 굉장히 호러틱할 것 같은데.

케일은 혼자 웃는 왕세자 따위 보고 싶지 않았다.

"네. 결재받으러 갈 때마다 케일 공자가 할 일이 기대된다면서 혼자 웃던데요?"

"그럴 수도 있겠네."

타샤는 케일의 입가에 왕세자 알베르와 비슷한 미소가 맺히는 것을 볼 수 있었다. 역시 이 둘은 닮았다. 그리고 확신했다.

"위퍼 왕국에 득이 될 일은 아니군요?"

"당연하지. 나는 로운 왕국 사람이야."

그 무심한 대답에 순간 타샤는 안도감이 들었다. 그녀는 걱정이 한층 줄어드는 기분을 감추며 지상으로 향하는 문을 열고 케일에게 응원의 말을 전했다.

"꼭 잘 해결하시고 다음에 술이나 한잔하죠."

"그래."

지상으로 발을 내디딘 케일의 머릿속에 라온의 목소리가 들렸다.

-그런데 우리가 할 거 사기 아닌가?

라온은 왕세자와 케일의 대화를, 케일이 하던 짓을 모두 보았다.

'사기는 아니지.'

사기는 아니었다. 다만 물건을 반만 팔아서 그렇지.

-어쨌든 나는 마탑만 말한 대로 부수면 10실버 주나?

케일은 라온의 기대감 가득한 목소리에 실소와 함께 속삭임으로 답해주었다.

"금화 하나 줄게."

-오, 세상에!

용은 감탄했고, 케일은 상상했다.

마탑을 부수며 한바탕 펼쳐질 쇼. 연극은 꽤나 재밌을 것 같다.

한참 근사한 미래를 상상하던 검은 용 라온이 케일에게 물었다.

마차에 올라타며 떠나려던 케일은 라온의 물음에 잠시 멈춰 섰다.

-그럼 이제 큰 고래랑 쥐 만나러 가나?

그는 고개를 끄덕이며 마차에 올라탔다.

곧 한스와 펜드릭까지 모인 이 마차는 로운 왕국 동북부 해안, 우바르 영지의 해군 기지로 향했다.

케일은 몇 개월 만에 방문한 우바르 영지 해안가를 천천히 둘러보았다. 고래족 후계자 위티라의 마중을 위해 론과 비크로스를 바람의 절벽으로 보낸 후, 최한과 라크, 펜드릭만을 대동한 채 움직이고 있었다. 온과 홍이 물을 싫어하는지라, 둘은 부집사 한스와 함께 저택으로 먼저 갔다.

-인간.

당연히 라온은 함께였다.

-인간, 저건. 그러니까 저건!

라온은 몇 번이나 케일을 불러대며 말을 잇지 못했다. 그건 라온뿐만이 아니었다.

"공자님."

"으음, 케일 님."

"……저런."

늑대 소년 라크, 최한, 힐러 펜드릭. 셋이 저마다 한곳을 바라보며 내는 반응을 케일은 흘려들었다. 해군 기지를 둘러보려고 해도 자꾸 한곳에만, 어떤 물체에만 눈길이 갔다.

'해군 기지 자체에서 외부인 출입을 엄격히 경계해 다행이지.'

북쪽 연합군 스파이를 극도로 경계하는 왕세자 알베르 덕에, 해군 기지는 철저한 보안 아래 진행 중이었다. 그래서 케일은 지금 광경을 다른 이들은 볼 수 없어 다행이라 여겼다.

최한이 손가락으로 헤니투스 못의 해안가를 가리켰다.

"케일 님, 저, 저거 배 맞죠?"

"어. 배야."

물론 케일도 실물로는 처음 보는 배였다. 영상통신으로 중간 과정을 몇 번 보고만 받았을 뿐이었다.

최한이 당황한 얼굴로 멍청하게 중얼거렸다. 엄청난 크기의 배가 그의 눈에 들어왔다.

"⋯⋯누가 봐도 저건 헤니투스가 배네요."

담담히 고개를 끄덕이는 케일은, 김록수는 완성되어 가는 배를 보며 안도했다. 역시 자신이 알던 거북선과는 외양이 달랐다. 최한도 한국의 그 거북선을 떠올리지 않고, 그냥 저 배의 모습에 놀란 것 같았다.

케일이 기억하는 거북선과 달리 이 배는 선두인 갑판이 넓게 뻥 뚫려 있었으며, 배의 양옆에 거북이 등 껍데기 모양의 기다란 타원형 벽이 하나씩 세워져 있었다.

양쪽에 하나씩, 안쪽으로 살짝 둥그렇게 휜 등 껍데기 모양의 벽 안에는 마법 장치들이 설치될 예정이었다. 수많은 마법이 양쪽 등 껍데기 사이 뻥 뚫린 하늘로 솟아오를 것이다.

"하."

케일은 그 배를 보며 한숨을 흘렸다. 그는 깨달았다. 그는 아버지의 부를, 헤니투스 가문의 부를 얕봤다.

한참 동안 말이 없던 라온의 목소리가 들려왔다.

ㅡ이, 인간, 저거 다 금인가? 저 누런 게 다 금인가? 저 반짝이는 거 금 맞나?

최한이 탄성을 흘렸다.

"황금 거북이라니."

황금 거북이 등 껍데기 모양의 양쪽 벽. 더불어 멋들어진 거북이 조각이 선수상으로 자리하고 있었다. 배의 돛대도 거북이를 형상화했다. 당연히 금빛이었다.

금빛이 바닷가의 강한 햇빛을 받아 번쩍이고 있었다.

"공자님, 굉장히 부유하신 가문의 분이셨군요."

물질에 초탈한 엘프 펜드릭도 그 거대한 금빛을 보며 감탄을 흘렸다. 케일은 일행을 보며 명확히 인지시켜 주었다. 혹시 오해할까 싶어 제대로 말해둘 필요가 있었다.

"오해가 있을까 봐 말하는데."

케일은 해안가 쪽에서 이쪽으로 헐레벌떡 달려오는 쥐 혼혈 드워프 뮐러와 바람의 절벽 쪽에서 오는 위티라와 론, 비크로스를 확인하며 일행을 다시 바라봤다.

이어질 자신의 말을 기다리는 이들에게 케일은 진지한 얼굴로 나직이 말했다.

"도금이다."

전부 다 황금은 아니었다.

순간 최한과 펜드릭이 황당하게 쳐다봤지만 케일은 제 할 말을 다
했기에 이를 무시하며 뮐러보다 먼저 도착한 고래족 후계자 위티라
를 맞이했다.

"오랜만이네."

"네, 공자. 그간 잘 지내셨죠?"

위티라는 반가운 인사와 달리 표정이 좋지 못했다.

"난 잘 지냈다만. 네 표정은 별론데?"

케일은 빙빙 돌려 말하는 것이 싫었기에 그것부터 꼬집었고, 위티
라는 이럴 줄 알았다는 듯 고개를 끄덕이며 입을 열었다. 그녀도 쓸
데없는 말로 시간 낭비하고 싶지 않았다. 바로 본론이 흘러나왔다.

"인어족 일로 우연히 동대륙과 연이 닿았습니다."

그 순간, 론과 비크로스의 시선이 위티라에게 닿았다. 두 사람의
고향이자 케일은 잘 알지 못하는 곳이었다.

"그 덕에 많은 정보를 얻었고, 저희가 처리하기에는 조금 난감한
부분이 있어서요. 혹시나 싶어 케일 공자를 찾아왔습니다."

"부탁을 할 심산인가?"

"부탁은 아니고, 정보를 교환하고 싶습니다."

이럴 줄 알았다.

고래족이 굳이 찾아온다고 하는 것을 보면 작은 일이 아닐 터. 그
렇다고 모른 척 외면할 수도 없었다. 무슨 문제든 알아야 피해 가지
않겠나?

물론 보나 마나 그 비밀 단체 일일 것이다. 케일은 고래족에게서
들은 것이 자신이 감당하기 힘들다면 엘프나 왕세자, 혹은 골드 드
래곤 같은 남에게 시급히 떠넘겨 버릴 생각이었다.

"말해봐."

케일은 어서 말하라는 듯 위티라를 응시했고 그 눈빛에 그녀는 조심스럽게 입을 열었다.

"저희에게 정보를 준 이는 동대륙의 최강 종족이라 불리는 이들이었습니다."

최강 종족? 케일은 그 단어보다 '불리는 이들이었습니다', 과거형에 신경이 쓰였다. 갑자기 바닷바람도 불지 않건만 뒷목이 서늘해져 왔다.

"그 단체 때문에 멸족 위기에 처한 호족이었습니다. 그중 주술사와 연이 닿아서-"

호족.

케일은 위티라가 내뱉는 다른 말은 들리지도 않았다. 호족. 그 단어에 순간 그는 잠시 머릿속이 멍해져 두 눈을 깜박였다.

"......호족?"

케일은 제대로 들은 것이 맞나 싶어 되물었다. 그러나 위티라는 그가 자신의 말을 제대로 이해 못 한 줄 알고 하던 말을 멈추고서 친절히 답했다.

"네, 호족. 호랑이족이요."

딱 들어도 동대륙 최강 종족 중 하나일 것 같은 이름이었다. 거기다가 주술사도 있단다.

케일은 문득 생각했다.

'나한테 무슨 동물 관련 팔자가 있나?'

온갖 수인족들이 엮이는 이유를 알 수가 없었다. 그것도 꼭 어딘가 힘들고 위기에 처한 수인족들만 줄기차게 들러붙었다.

'이건 뭐 동물 병원을 운영하는 것도 아니고.'

케일은 주위를 둘러보았다. 이미 케일과 위티라 주위에는 론과 비크로스가 경계를 서며 다른 이들이 접근하는지 확인하고 있었다. 역시 눈치 빠른 부자였다.

케일의 시선이 다시 위티라에게 닿았다.

"교환하고 싶은 정보가 뭐지?"

고래족 후계자 위티라는 케일의 눈빛에 살짝 혀로 입술을 축였다. 그녀는 전혀 관심이 없어 보이는 케일의 모습에 입안이 바짝 말라왔다.

반대로 케일의 머릿속은 복잡했다.

'호랑이까지 엮이면, 이건 뭐 난장판인데.'

끔찍한 상상을 뒤로 미루는 그에게 마침내 위티라의 목소리가 들려왔다.

"사실 거창한 정보 교환이라기보다는요. 공자는 굳이 우리에게 정보를 주지 않으셔도 됩니다. 그저 저희가 정보를 나눠 드리려는 거죠."

케일의 얼굴이 묘한 빛을 띠었다.

세상에 공짜는 없다. 그는 위티라를 빤히 바라보며 입을 열었다.

"일단 말해봐."

위티라는 고개를 끄덕이며 그녀가 동대륙 해안가를 정찰하던 중 얻은 정보를 그대로 읊었다.

"일전에 공자가 말했던 '암'이라는 단체가 동대륙의 뒷세계를 완전히 장악했다고 합니다."

시종 론의 눈동자가 위티라에게로, 그녀의 입으로 향했다.

"그리고 호족이 그 단체 인원 중 일부가 서대륙으로 넘어온 정황을 발견했어요. 이에 호족은 그와 관련된 정보를 모으던 중, 상당수의

많은 실력자들이 이미 서대륙으로 넘어온 상태임을 파악했습니다."

케일은 고개를 끄덕였다.

그렇겠지. 마창사도, 금발의 소드 마스터도, 모두 쉬이 찾기 힘든 실력자들이었다.

"그리고 곧 '암'의 여러 전투단 중 핵심인 1전투단이 대규모로 이동할 정황을 발견했다고 합니다."

음?

별다른 생각 없이 고개를 끄덕이던 케일이 멈칫했다.

"……뭐라고?"

케일은 순간 뭘 들었나 싶었다.

뭐가 넘어온다고?

"1전투단이요. 그들 전체가 이동하려는 정황을 파악했다고 합니다."

"……어디로?"

"여기로요."

"서대륙?"

"네. 서대륙에요."

허.

케일은 생각보다 스케일이 큰 정보에 잠시 말문이 막혔다. 그리고 슬금슬금 뒤통수를 기어오르는 싸한 느낌에 얼른 손으로 뒷목을 문질렀다.

위티라는 케일 얼굴 위로 스쳐 지나가는 걱정을 포착했다.

'역시, 걱정하실 줄 알았어.'

그녀는 서대륙을 걱정하는 듯 진중해진 케일의 모습에 절로 마음이 따스해져 왔다. 하지만 케일은 서대륙 걱정이 아니라 자신을 걱정하고 있었다.

"공자, 그래서요."

그래서요? 더 들을 게 있단 소린가?

케일은 듣기도 싫은 정보를 물고 온 위티라를 시한폭탄 보듯 쳐다봤다. 그녀는 그의 눈동자에 머문 걱정을 해소시키려는 듯 부드러이 말했다.

"호족과 저희가 현재 수시로 그 정황에 대한 정보를 모으고 있어요. 호족 측은 대규모 이동 일정이 아마 올겨울일 것이라 예상하더군요."

케일의 입꼬리가 일그러졌다. 호족은 멸족을 겨우 면했다면서 왜 여기저기 들쑤시고 다니는 걸까? 비밀 단체에 복수라도 할 심산인가?

"이 정보를 넘기며 호족은 저희들에게 제안을 하나 했습니다."

케일은 다급하게 입을 열었다. 왠지 저 제안을 들으면 안 될 것 같았다.

"그래, 제안했구나. 그렇구나! 나한테 얻고 싶은 정보가 무엇이지?"

그냥 수긍하고 넘어가고 싶은, 다급한 케일의 맞장구였다. 하지만 턱도 없었다. 위티라는 케일의 말에 고개를 끄덕이며 입을 열었다.

"그 제안 내용은, '암'의 1전투단이 서대륙으로 향하는 배로 이동을 시작해서 그들 모두가 바다 중간 지점에 왔을 때."

케일의 눈가가 일그러졌다. 그의 시선이 위티라의 허리춤으로 향했다.

툭툭. 위티라는 제 허리춤에 매달린 채찍을 쓰다듬으며 나직이 읊조렸다.

"1전투단을 다 죽이자고요."

케일의 입에서 깊은 탄식이 흘러나왔다. 그는 비로소 왜 '암'을 앞세운 비밀 단체가 인어족과 협력하여 해상로를 차지하고자 했는지 짐작이 되었다. 동대륙의 전투 인원을 서대륙으로 불러 모으기 위한 행동이었을 것이다.

케일은 위티라가 채찍을 마치 피아노 건반 두드리듯 톡톡 두드리며 조곤조곤 하는 말이 천둥처럼 들려왔다.

"호족은 1전투단을 깡그리 흔적도 남지 않게, 망망대해 위에서 없애자더군요. 그들에게 타격도 줄 겸, 그리고 포로를 잡아 정보를 얻을 겸. 겸사겸사로요."

"……그래?"

"네. 아주 즐거운 계획이죠."

후후. 위티라의 웃음소리가 케일의 귓가를 맴돌았다.

'이런 무서운 것들.'

비밀 단체의 여러 갈래 중 하나인 '암'. 그곳의 1전투단이니 분명 실력이 엄청날 터. 그렇기에 케일은 바다 위에서 펼쳐질 그 피 튀기는 전투에 웬만하면 끼어들고 싶지 않았다.

때문에 케일은 다시 물었다.

"그래서 나에게 얻고 싶은 정보가 무엇이지?"

"음."

위티라는 곧바로 답하지 않고 살짝 케일의 눈치를 살피더니 조심스레 입을 열었다.

"호족이 겨울까지 정찰을 하며 정보를 주는 대가로 원하는 정보가 있습니다. 사실 저희는 그 단체에 복수를 해야 하니까, 호족이 원하는 정보를 웬만하면 구해다 주고 싶었거든요."

케일은 말 대신 위티라를 빤히 응시했다. 그녀는 그 시선에 대수롭지 않게 말을 이었다.

"사실 그렇게 어려운 정보는 아니고, 저보다는 공자가 잘 알 지식 같아서요."

지식?

갑자기 정보에서 지식으로 바뀐 어휘 선택에 케일은 의구심을 숨기지 않았다. 하지만 위티라는 원하는 지식을 천천히 읊었다.

"사람이 적어야 하고, 또한 기온이 서늘할수록 좋습니다. 그리고 수풀이 우거져 제대로 된 숲이 있어야 해요. 특별히 다스리고 있는 지배 세력이 없는 곳이면 더 좋을 것 같다고 합니다. 그러면서도 인간 세상과 닿아 있어 교류는 활발할 수 있는, 꽤 넓은 영역이었으면 해요."

줄줄 읊어대는 위티라의 말을 들을수록 케일은 도통 그 말이 무슨 뜻인지 이해가 되지 않았다.

"그런 곳이 왜?"

"호족이 이주하려고요."

"아, 이주. 그러면 그럴 수도-"

케일은 말을 끝맺지 못하고 위티라를 쳐다봤다.

잠시만. 호랑이가 뭘 한다고?

"네. 그렇게 생각하면 방금 말씀드린 장소가 말이 되죠. 그래서 그런 곳을 혹시 알고 계신가 해서요."

케일은 순간 말문이 막혔다.

그런 장소?

사람이 없고. 지배 세력도 없고.

춥지 않고 서늘해야 하고. 숲이 잘 조성되어 있어야 하고.

더불어 인간과 교류가 편해야 하고.

위티라가 말했던 조건들이 하나둘 케일의 머릿속에 펼쳐질 때, 라온의 목소리가 그의 머릿속에 울려 퍼졌다. 마치 상금을 타기 일보 직전에 마지막 정답을 외치는 참가자 같았다.

-있다! 어둠의 숲이다!

그리고 케일은 그 정답을 깡그리 무시했다.

"글쎄. 지금은 생각이 안 나는데."

왜냐고?

고래족 위티라가 설마 그런 호족이 살 만한 장소 하나 몰라서 저러겠는가? 지금 이렇게 묻는 이유는 케일의 입에서 어둠의 숲이라는 이름이 나오길 바라는 마음에서가 틀림없다.

"······정말요?"

봐라. 지금 다시 되묻는 위티라의 표정은 마치 케일에게 알고 있지 않냐고, 어서 말하라고 애타게 바라보는 그런 얼굴이었다.

-인간, 모르나? 나는 아는데! 내가 말한 대로 읊어라. 어. 둠. 의. 숲!

싫어. 안 해.

"어. 지금 당장은 안 떠오르는데."

아주 천연덕스럽게, 도저히 모르겠다는 케일의 표정은 누가 보아도 진짜 같았다.

위티라는 살짝 입술을 깨물었다가 고개를 끄덕였다.

"네. 그러면 혹시 다음에 떠오르면 알려주실 수 있을까요?"

"그래. 그러지."

케일은 결코 그럴 생각이 없었다.

'내 입에서 어둠의 숲이 나오면 곧바로 부탁하겠지. 호랑이족을 거기에 살게 하면 안 되냐고.'

물론 고래족은 지금까지 겪은 것이 있으니 공짜로 부탁하지 않을 것이다. 분명 상응하는 대가를 제시하겠지만, 썩 내키지 않았다.

비밀 단체에 복수하려고 하는 호족인데, 그들과 엮이면 이건 과로를 향해 뛰어가는 열차나 다름없었다.

'뭐, 북쪽에서 기사단이 내려올 때 호족이 있으면 든든하겠지.'

그래도 아닌 건 아니다. 이미 늑대 전투단으로 충분했다.

케일이 대강 생각을 정리했을 때, 위타라는 다른 이야기를 꺼내 들었다.

"그리고 그 단체에서는 대규모 이동 전에 저희 고래족을 피할 해상로를 알아보려는 건지, 몇 명이 미리 바다를 건너올 건가 봐요."

아주 태평한 말투였다. 케일은 그 태평함에 곧바로 물었다.

"그냥 볼 건가?"

"네. 그들은 일단 지켜보게요."

지켜보는 이유는 뻔했다. 케일은 곧바로 그 이유를 언급했다.

"그들이 어디로 가는지 보려고?"

"네."

그럴 줄 알았다.

고래족은 비밀 단체 '암'의 단원들이 어디로 가는지가 제일 궁금할 것이다. 그렇다고 그 '암'의 단원들이 곧바로 서대륙의 본거지로 가지는 않겠지만 자그마한 단서는 분명히 얻을 수 있을 터.

"그래, 열심히-"

열심히 해. 수고해. 그렇게 말하며 대화를 끊으려던 케일은 양 볼

이 뜨거운 느낌에 슬쩍 주위를 둘러보았다.

'아이고야.'

론에, 비크로스에, 최한에, 라크에, 펜드릭에.

로잘린과 한스, 온, 홍만 없다뿐이지, 대부분의 전투 인력이 케일을 빤히 쳐다보고 있었다. 모두 저 단체에 억하심정이 단단히 있는 인간들이었다.

'그래도 과한데.'

케일은 전보다 한층 더 분노가 상승한 듯한 일행의 모습이 이상했지만, 특히 론과 최한의 서늘한 눈빛에 결국 입을 다시 열었다.

"그래, 열심히 하고. 나한테도 정보 알려줄 거지?"

"네."

"그래."

최한이 빤히 자신과 위티라를 쳐다봤다. 어디 검이라도 들어서 날뛸 표정이다. 론은 단도를 만지작거렸다. 저 노인네는 아직 왼팔 앙심을 못 풀었나?

하지만 담이 작은 케일은 결국 한마디를 더 덧붙여야 했다.

"크흠, 일단 그들이 어디로 가는지, 땅에 닿는 순간부터 나한테 알리도록."

케일은 다시 한번 슬쩍 주위를 둘러보았다. 최한이 만족스럽다는 듯 고개를 끄덕였고 론이 살포시 미소를 지으며 중얼거렸다.

"……피 토하면서 굶어 죽게 해봐야 할 텐데."

무슨 저런 살벌한 소릴!

불벼락을 내리칠 때 피를 토하며 굶어봤던 케일은 끔찍한 소리에 몸서리를 쳤다. 그리고 다시 한번 생각했다.

역시 나같이 담이 작은 인간한테 이런 인간들은 너무 감당하기 힘든 존재다.

"저, 케일 공자."

"왜 그러지?"

위티라는 슬쩍 케일 뒤편을 가리켰다. 그 행동에 케일은 뒤돌아섰다. 황금 거북이 등껍데기가 햇볕을 받아 번쩍이고 있었다.

"공자 배인가요?"

위티라의 목소리가 묘하게 떨렸다. 케일은 이를 모른 채, 고개를 끄덕였다.

"어. 정확히 말하면 우리 영지 배지. 단박에 맞히네?"

케일은 저 멀찍이 떨어진 채 다가오지 못하고 있는 드워프 혼혈 뮐러를 가리켰다.

"저 녀석이 만든 배야."

까딱까딱. 케일의 검지가 어서 오라는 듯 까딱였고, 뮐러는 헐레벌떡 뛰어왔다.

쥐와 드워프의 혼혈인 그는 여전히 땅딸막했지만, 한층 살이 쪄 토실토실해져 있었다.

"공자님, 안녕하십니까? 잘 지내셨습니까?"

헤헤거리며 살갑게 말을 붙이는 뮐러는 전보다 겁을 덜 집어먹고 있었다. 케일은 호오, 감탄을 흘렸다. 겁을 집어먹은 것보다야 이런 게 나았다.

"그래. 잘 지냈지. 온과 홍도 너를 보고 싶어 하더군. 나중에 온, 홍과 함께 저녁이라도 하지."

딸꾹. 뮐러가 갑자기 딸꾹질을 시작했다. 한층 어깨를 움츠러뜨린 뮐러가 케일에게 조심스레 물었다.

"두, 두 분도 함께 오셨습니까?"

"어. 네 이야기를 많이 하더라. 반가운가 봐."

뮐러의 얼굴이 하얗게 질렸다. 그러거나 말거나 케일은 위티라에게 뮐러를 소개했다.

"드워프와 쥐족 혼혈이야. 굉장히 뛰어난 손재주를 지닌 녀석이지. 그렇지, 뮐러?"

위티라와 케일의 시선이 뮐러에게 닿았다. 그 두 시선을 받은 뮐러는 위티라의 외모에 멈칫했다가 이내 격렬하게 고개를 끄덕이며 외쳤다.

"네! 최강의 공격력을 탑재할 예정인 배로, 미래 지향적인 모습을 지닐 것입니다. 어떠한 곳에서도 보지 못한 배죠!"

위티라는 고개를 끄덕였다. 그녀가 봐도 저 황금빛 배는 방어력이 뛰어나 보였고, 공격력을 어떻게 높일진 모르겠으나 케일이 맡았으니 제대로 된 공격이 가능한 배로 만들 것 같았다.

'역시 공자는 선견지명이 뛰어나.'

해상전을 대비하다니. 위티라는 늘 한발 앞서는 케일에게 감탄했다.

"역시 공자는 대단하십니다."

"······내가?"

"네."

뮐러는 위티라와 케일이 대화를 나누자 일단 입을 닫았다.

최강의 방어는 선빵이라는 모토를 지닌 배임을 설명해 주고 싶었으나, 그럴 틈이 없었다.

그런 그에게로 케일이 질문을 던졌다.

"별장 설계도는?"

"아, 완성되어 갑니다!"

케일의 눈꼬리가 휘었다.

우바르 영지 해안가에 세울 케일의 별장 설계도였다.

전쟁이 나도 안전하게 백수 라이프를 즐길 수 있는 집. 꿈의 집이었다. 그 꿈의 집이 뮐러의 입을 통해 흘러나왔다.

"지하를 최대한 확보할 예정이고, 최대한 튼튼하게, 그리고 방어력이 뛰어나게 지을 예정입니다!"

툭. 툭. 케일은 허리를 숙여 키가 작은 뮐러의 어깨를 두드렸다.

"네 모든 걸 쏟아서 만들어야 할 거야."

"네! 반드시! 반드시 해내겠습니다!"

"그래. 믿으마."

믿는다는 말에 뮐러는 더 하얗게 질렸다. 그와 달리 위티라는 감탄을 흘렸다.

'말이 별장이지, 비밀 기지를 만드실 건가 보네.'

튼튼하고 지하가 넓은 공간. 딱 답이 나왔다. 케일을 보던 위티라는 다른 이들의 얼굴도 볼 수 있었다. 최한이 흐뭇한 미소를 지은 채 연신 고개를 끄덕였다. 다른 일행도 담담했다.

'역시, 이들은 특별해.'

위티라는 속마음을 감춘 채, 하얗게 질린 뮐러에게 격려를 모두 마친 케일에게 물었다.

"내일 떠나실 건가요?"

"그래야지."

위퍼 왕국. 조금만 더 시간이 흐르면, 위퍼 왕국을 방문한 지 딱 1년이 된다. 그 전에 케일은 하나 해야 할 일이 있었다.

케일은 일 년이 조금 안 되는 시간 만에, 마탑을 다시 찾았다.

"오랜만입니다, 공자님."

케일은 눈앞의 이가 내민 손을 잡았다.

위퍼 왕국 부족민과 마법사 사이에서 태어난 혼혈이자 가장 불운한 마나 사용자.

전 마탑주의 숨겨진 자식.

현재 툰카의 참모 중 하나로 모두를 속이고 있는 미친놈.

헤롤 코디앙.

"헤롤, 자네도 오랜만이야."

마법에 대한 증오로 가득한 놈은 오랜만에 보니 신수가 훤해져 있었다.

"툰카는?"

"여기 있다!"

케일은 들려오는 거친 목소리에 헤롤의 손을 놓으며 시선을 돌렸다.

끼이익. 녹슨 철문이 열리며, 여전히 거대한 덩치를 지닌 툰카가 건물 안 어둠 속에서 빠져나와 서서히 모습을 드러냈다.

툰카가 나오는 건물은 마탑이었다. 위퍼 왕국의 오래된 문화유산인 동시에 현재는 흉물스러운 과거의 흔적이 된 건물. 주위엔 무엇도 없이 시들시들한 풀만이 존재했다.

"대장군이 되었다지?"

"크하하! 그래, 이제 이 몸이 대장군이 되었지."

툰카는 케일의 물음에 어깨를 들썩이며 웃더니, 잔뜩 흥분한 목소리로 답했다. 이글이글 들끓는 눈동자가 케일을 향했다.

"그래서 대장군으로서 첫 일을 하기 전에, 마지막 액땜을 하나 할까 해서 말이야."

히죽 웃으며 입꼬리를 올리는 툰카에게서 미친놈의 냄새가 폴폴났다. 툰카는 제 뒤의 마탑을 가리키며 케일에게 물었다.

"계약대로 부술 거지?"

케일은 계약서를 쓰며 마탑을 부수기로 했다.

툰카는 그 약속을 지키지 않으면 여기서 당장 케일을 부수기라도할 눈빛이었다. 물론 최한을 비롯한 이들이 뒤에 있어 현실이 되기힘든 눈빛이었지만.

"나는 말이야."

케일의 입이 열렸다. 일 년 만에 마주한 케일과 툰카. 두 사람은여전했다. 케일은 여전한 어투로 답했다.

"말한 건 지켜."

툰카처럼 케일도 입꼬리를 올렸다.

"시원하게 부숴주지."

그리고 한몫 단단히 챙길 것이고.

과거 마탑 지하 연구실에서 발견했던 문서와 씨앗. 1년 동안 묵힌물건들은 그 가치가 꽤 올랐다.

"크하하하!"

툰카가 시원한 웃음을 터뜨렸다. 케일의 말이 아주 마음에 든 모양이었다. 그와 함께 케일의 머릿속에 라온의 목소리가 들려왔다.

-인간! 있잖아, 인간!

라온의 갑작스러운 말에 케일은 흠칫했다. 얘가 뜬금없이 이럴 때마다 불안했다. 이번엔 무슨 말을 하려고 저럴까.

-사실 나는 뭘 부술 때 즐겁다! 그래서 지금 신난다! 날려 버리자!

라온은 대륙의 문화유산이었던 마탑을 날려 버릴 생각에 들떴다. 케일의 입꼬리가 미묘하게 삐뚜름히 올라갔다.

'이번엔 생각이 같은데?'

라온과 케일의 생각이 일치했다.

사실, 케일도 신났다.

쇼를 할 생각에 들떴다.

하지만 들뜬 것과 별개로, 화사하게 미친놈처럼 웃고 있는 툰카의 얼굴은 썩 보기 유쾌한 광경은 아니었다.

"내일 부순다고?"

케일에게 질문을 던지는 툰카의 눈빛은 생일 선물이 무엇인지 듣고 싶어 안달 난 아이 같았다. 그래서 케일은 그 기대를 충족시켜 주었다.

"아니."

"……뭐?"

툰카를 비롯한 참모 헤롤 등의 얼굴이 굳어버렸다. 그 굳은 얼굴을 보며 케일은 쾌활하게 말했다.

"부수는 수준이 아니라, 폭삭, 아주 폭삭 무너뜨릴 거다."

"뭐? 으하하하!"

툰카는 호탕하게 웃으며, 망가진 마탑 앞에 자리한 공터로 두 팔을 벌린 채 다가갔다. 그 공터에는 수많은 병사들이 서서 툰카를 맞이하고 있었다. 툰카는 그들에게 외쳤다.

"들었나? 이 증오의 역사가 곧 사라진다! 새로운 위퍼 왕국의 역사가 곧 시작된단 말이다!"

쿵. 쿵. 쿵.

병사들이 발을 굴리며 환호했다.

'질리네.'

케일은 그 광경이 질렸다. 그의 옆으로 헤롤 코디앙이 다가왔다. 그는 케일 뒤에 선 최한과 라크, 그리고 로잘린을 힐끗 보더니 케일에게 말을 붙였다.

"공자님, 병사들 숫자에 난처하셨죠? 원래 여기 근처 터가 넓어서, 인근에서 훈련을 하다 공자님 소식에 다 데리고 왔습니다."

근처 훈련은 얼어 죽을.

분명 병사들에게 마탑 부수는 걸 보여주면서 사기를 높이려고 데려왔을 것이다. 케일은 이미 알 거 다 아는 사이끼리 이렇게 겉치레하는 것도 별로란 생각이 들었다. 그의 입이 서서히 열렸다.

"그래, 그럴 수도 있지. 더 많은 이들이 와도 돼. 좋은 광경이 될 테니까."

물론 케일은 별로인 일도 열심히 하는 사람이었다.

-다 같이 폭발을 보나? 오, 내 마법 폭탄의 위대함을 알겠구나!

많이 보면 볼수록 좋은 일이었다.

태평한 케일의 태도에 헤롤이 그를 탐색하듯 쳐다봤다. 헤롤 자신의 비밀을 알고 있는 자는 별다른 요구 없이 1년을 보냈고, 계약서 수행을 위해 다시 돌아왔다.

"그런데 마탑을 어떻게 무너뜨릴 겁니까?"

"마법."

"……네?"

케일은 굳어진 헤롤의 표정을 보며 미소를 덧그렸다. 마법을 증오하는 놈 앞에서 마법을 언급하는 건 꽤 해볼 만한 일이었다.

"왜? 그럼 뭐로 부수려고?"

헤롤은 제 어깨 위에 올려진 케일의 손을 쳐다봤다. 툭, 툭. 어깨를 두드리던 손은 움직임을 멈췄고, 케일이 헤롤에게 말했다.

"마법의 상징인 마탑을 마법으로 부수는 것도 꽤 재밌는 일이잖아?"

웃음기 가득한 목소리에 헤롤의 시선이 케일에게 닿았다.

"그리고 선을 지켜. 마탑을 어떻게 부수든, 뭘 하든. 그건 내 마음이니까."

명확하게 선을 긋는 목소리는 더 이상의 선을 넘는 행동을 허락하지 않을 것이란 의도가 다분했다. 헤롤은 케일과 그의 일행을 보았다.

툰카를 가볍게 다루던 최한. 그와 비슷해 보이는 실력자들. 그 실력자들이 헤롤 자신과 케일을 쳐다보고 있었다. 그의 귓가로 케일의 목소리가 닿았다.

"네가 나한테 그럴 처지는 아니잖아?"

헤롤은 실소를 흘렸다. 자신의 출생 비밀을 아는 자. 그자는 1년 만에 돌아와 자신의 약점을 은근히 들먹이며 선을 넘지 말라 경고했다.

헤롤의 눈빛이 서서히 서늘하게 가라앉았다. 여긴 위퍼 왕국, 자신의 영역이었다. 그때 그의 귓가로 케일의 목소리가 이어졌다.

"넌 이 왕국을 손에 쥐고 누구보다도 네 마음대로 사는 중이잖아.

나도 비슷해."

가라앉던 헤롤의 눈동자에 묘한 빛이 감돌았다. 나도 비슷해. 그 말이 그의 귓가에 맴돌았다. 케일과 그의 시선이 부딪쳤고, 케일은 유쾌하게 덧붙였다.

"네 선을 안 넘을 테니, 너도 넘지 마."

선하고 올곧아 보이는 겉모습을 지닌 헤롤. 그의 입꼬리가 서서히 올라갔고, 그는 결국 웃음을 터뜨렸다.

"하, 하하―"

한참을 웃던 그는 툰카가 병사들에게서 멀어져 다시 이쪽으로 다가오는 것을 보며 케일에게 비로소 반가운 인사를 건넸다.

"여전하시네요. 그래서 더 반갑고요."

"그렇지. 나는 여전히 평화를 사랑한다고."

―오늘도 왕세자 만날 때 짓는 미소 같다.

케일은 오늘도 라온의 맞장구를 흘려들으며 여전히 신나 보이는 툰카와 마주했다. 정확히 말하면 툰카의 시선은 케일 뒤에 서 있는 최한에게로 향했다.

"오랜만에 한판 붙어볼까?"

"대장군인 채로 얻어터지는 것도 재밌겠군."

툰카의 도발을 담담히 받아넘기는 최한의 눈빛에는 귀찮음이 한가득했다. 툰카는 그 말에 기가 죽기는커녕 도리어 더 즐거워하며 중얼거렸다.

"강한 냄새가 더 짙어졌어……."

케일의 어깨가 들썩거렸다.

'최한이 더 강해졌다고?'

그는 천천히 고개를 돌려 최한을 쳐다봤다. 최한이 살짝 고개를 숙였다.

"모두를 지키기 위해 늘 노력 중입니다."

왜?

너 엄청 강한데? 굳이 왜?

"얼마 전 위티라 씨의 말을 들으니, 잘한 선택 같습니다."

선하고 은은한 미소가 케일의 눈에 박혔다. 그는 곧바로 최한에게서 고개를 돌렸다.

'불길한데.'

설마, 호족과 고래족이 비밀 단체 1전투단을 몰살한다는 계획에 참여하려는 건 아니겠지?

케일은 그 답을 알려면 최한을 쳐다보고 물어보면 된다는 것을 알았지만 차마 그럴 수 없었다. 불길했으니까. 그렇기에 케일은 대신 화두를 돌렸다. 그는 툰카에게 툭 던지듯 말했다.

"툰카, 오늘 밤에 축제 어떤가?"

"축제?"

뭔 소린지 못 알아듣는, 이 무식해 보이는 놈에게 케일은 신난 얼굴을 꾸미며 답했다.

"그래. 내일 마탑 부수는 것을 미리 축하하는 술판 말이야. 어때?"

"크으! 아주 좋은데? 역시 너는 썩어빠진 귀족 놈들과 달라! 뭘 알아!"

뭘 알긴. 하긴, 네가 지옥 열차에 탄 건 알겠다. 하필 정글이 아닌 제국부터 먼저 쳐들어갈 생각 중이니까.

케일은 신이 나 참모들에게 축제를 명하는 툰카를 물끄러미 바라보다가, 이내 그쪽에서 시선을 거두며 일행에게 명했다.

"잠시 쉬자."

그래야 밤에 움직일 수 있을 테니까.

밤이 찾아왔다.

케일은 영 미덥지 못한 표정으로 아래를 내려다봤다. 그를 위해 준비해 둔 천막 한쪽에선 최한과 로잘린이 내일 설치하고 폭파시킬 마법 폭탄에 대해 이야기 중이었고, 케일은 팔짱을 낀 채로 지그시 아래만 쳐다봤다.

"……영 미덥지 않은데."

"아닌데! 우리 잘할 수 있는데!"

"맞는데! 누나랑 막내랑 우리가 최곤데!"

"나는 위대하다!"

차례로 온과 홍, 라온이 쏟아붓는 말에 케일의 미간은 더 찌그러 졌다. 아무리 봐도 미덥지 않았다.

'그렇다고 축제에 참가하기로 한 인원을 뺄 수도 없고.'

최한, 라크, 비크로스, 로잘린, 론, 펜드릭, 그리고 케일 자신. 이렇게 일행은 술자리에 참석하기로 했다.

붉은 고양이 홍이 당당히 케일에게 다가와 온과 라온보다 앞에 서며 어깨를 쫙 펼쳤다.

"우리 셋이면 웬만한 왕궁도 부술 수 있는데!"

그렇긴 하지. 라온 혼자서도 부수고 남지.

오히려 일을 제대로 안 하고 부수고만 올까 걱정이었다. 케일은 제 옆에 높인 커다란 상자를 발로 찼다.

툭. 가볍게 발이 튕겨졌고, 상자 안이 가득 찬 소리가 들려왔다. 상자 안에는 작년 마탑 지하 연구실에서 발견했던 것들이 담겨 있었다.

고대의 힘 원리를 이용한 마나 저장 장치.

마법 내성이 생기는 이유.

이 두 가지에 대한 연구 자료였고, 더불어 또 다른 씨앗이 존재했다. 물론 반만.

정확히 말하자면, 중요한 건 다 뺀 반만 이 상자 안에 있다.

"이거 제대로 옮겨놔야 해. 알아들었나?"

케일은 5살 라온이 혀를 차며 한숨을 내쉬는 광경을 볼 수 있었다.

"약한 인간, 우리가 너보다 강하다. 그만 좀 잔소리해라."

허.

케일은 기가 찼다. 그러거나 말거나 온과 홍도 동의한다는 듯 고개를 끄덕였다. 라온이 앞발을 까닥이자 거대한 상자가 공중에 떠올라 투명해져 갔다.

"갔다 온다, 인간. 약하니, 술은 조금 마셔라."

황당함에 케일이 할 말을 잃었을 때, 붉은 고양이 홍이 다가와 제 앞발로 케일의 발등을 툭툭 두드렸다.

"빨리 갔다 올 건데! 다 끝나고 누나랑 막내랑 마탑에서 술래잡기하다가 와도 되는데?"

"……어. 돼."

홍과 라온이 희희낙락거리며 천막을 은밀히 빠져나갔고, 온이 걱정 말라는 듯 케일의 종아리를 두드리고는 유유히 천막을 벗어났다.

케일은 두 손으로 얼굴을 쓸어내렸다. 저 셋이면 일은 분명 제대로 할 것인데, 왜 이리 기분이 찜찜하지?

하지만 그는 이내 천막을 찾아온 존재를 보며 또 다른 찜찜함을 하나 더 느껴야 했다.

"저, 공자님."

"그래."

"그러면 이 일 뒤에는 함께 레어에 가실 건가요?"

레어. 골드 드래곤.

고룡이 산다는 그 레어.

펜드릭이 꺼낸 말에 숨이 턱턱 막혀왔다.

"······가야지."

하지만 가야 했다. 최강자인 라온이 가고 싶어 하는데, 자신이 무슨 힘이 있겠나.

"그럼 미리 연락해 두겠습니다. 아마 아주 기뻐하실 겁니다."

"그래."

"그, 공자님. 그러면 저도 그때-"

"그때, 뭐?"

병약하게 생긴 엘프가 수줍어했다. 그 꼴이 영 보기 싫어질 때쯤, 펜드릭은 케일에게 조심스레 물었다.

"그때쯤이면 저도 공자님을 수호하시는 드래곤님을 뵐 수 있겠죠?"

"······어. 볼 수 있지."

"그렇군요! 세상에 살면서 드래곤님 두 분을 한꺼번에 보는 엘프는 저뿐일 겁니다!"

케일은 떨떠름한 얼굴로 수긍했다. 저렇게 순수하게 광적으로 기
뻐하는 종류의 생명체들은 케일과 맞지 않았다.

"그, 그래."

"네. 그리고 제가 치료할 분은 돌아가는 길에 뵙습니까?"

케일의 표정이 진지해졌다.

"어, 그때 볼 거야."

"네. 알겠습니다."

수도에서 다크엘프 타샤를 만났을 때 그녀에게 네크로맨서 메리
와의 연락을 부탁했다. 통증 치료에 대한 내용이라 하자 타샤는 다
시 한번 따스한 눈빛으로 케일을 쳐다봤지만, 그 눈빛이 영 싫어 머
릿속에서 지워 버린 케일이었다.

"그럼 늦었으니, 이만 가보겠습니다."

펜드릭은 굳이 변장 마법을 하지 않고 후드를 다시 푹 눌러쓴 채
로 귀를 가리고는 천막을 빠져나갔다.

케일은 한숨을 내쉬며 천막에 남아 있는 두 명을 쳐다봤다. 그중
에서도 최한이 케일의 눈치를 보며 어색한 미소를 지었다.

"잘되어 가나?"

"그게."

드물게도 최한이 어정쩡하게 답했다. 하지만 케일은 최한에게 틈
도 주지 않고 단호히 말했다.

"반드시 잘해야 돼."

"⋯⋯네."

비장한 최한의 대답을 들은 후 케일은 로잘린과 최한에게 천막 입

구를 가리켰다.

"이만 우리도 술판에 끼도록 하죠."

"네, 공자."

"알겠습니다, 케일 님."

케일은 천막 입구를 열어젖히며 밖으로 향했다. 한밤중임에도 툰카 진영 측에서 웃음소리와 노랫소리가 들려왔다.

케일은 그 방향과 반대 방향에 잠깐 시선을 두었다. 지금쯤 평균 8세들이 열심히 임무 수행 중일 것이다. 케일은 툰카 측이 더 방탕하게 놀길 바라며 그들의 술판 쪽으로 걸음을 옮겼다.

술판이 벌어진 다음 날. 드디어 마탑이 역사 속으로 사라지는 날이 밝았다.

케일은 팔짱을 낀 채로 마탑을 올려다봤다.

대외적으로 지하 3층, 그리고 지상 20층으로 구성되어 있다고 알려진 마탑. 그곳은 이제 과거 그 찬란한 위용은 사라지고, 볼품없고 녹슨 철거물과 죽음의 기운만이 남았다.

"크흐흐, 기대되는군."

케일이 슬쩍 옆을 쳐다보자 툰카와 시선이 부딪쳤다. 그는 술이 덜 깬 얼굴로 웃어댔다. 누가 보면 딱 정신 나간 놈이라고 하기 좋겠으나, 그 눈빛은 멀쩡했다.

"우리 부족민들이, 수많은 왕국민들이 저 마탑 때문에 죽었지. 마법 폭탄으로 부수는 게 아쉽지만, 그것도 재밌는 일이야."

"맞습니다, 툰카 대장군님. 이제 곧 우리의 역사가 시작되는 겁니다."

헤롤 코디앙이 툰카의 옆에서 차분히 맞장구를 쳤다. 그 뒤로 수많은 병사들이 벌써부터 창대를 땅바닥에 찍고 발을 굴리며 기대감을 드러냈다.

"케일 님."

최한이 다가와 말했다.

"설치 끝났습니다."

"그래?"

케일의 시선이 마탑으로 향했다. 검은 마법 폭탄 몇 개가 마탑 외벽에 일정 간격을 두고 설치되어 있었다.

-위대하신 이 몸의 최신 마법 폭탄이다.

라온의 5세 버전 마법 폭탄이다.

"신호를 주면 제가 폭발시킬게요."

로잘린이 마나를 피워 올리며 케일의 지시를 기다렸다. 위퍼 왕국에 오자마자 변장 마법을 사용 중인 그녀는 태연했다. 케일은 툰카를 보며 말했다.

"곧 터뜨리도록 하지. 병사들에게 알리면 좋지 않겠나?"

"크흐흐, 그럴까?"

툰카는 제 병사들 앞으로 가 두 팔을 벌렸다. 또 뭐라 말할 기세였다. 그 광경에 조금도 흥미가 없는 케일은 로잘린에게 다가가 명을 내리려 했다. 그런 그의 옆에 헤롤 코디앙이 다가왔다.

마탑주도 알지 못했던 버려진 아들. 헤롤은 케일을 보며 부드러이 말을 건넸다.

"아쉬우시겠습니다."

"뭐가 말이지?"

"마탑에서 아무것도 얻지 못하고 그저 소유만 하다가 일 년 뒤에 폭파시키는 것이 말입니다."

"아쉽지."

아쉽긴. 신났다.

케일은 씁쓸한 미소를 지으면서도 가벼이 답했다.

"가볍게 돈 썼다 생각하려고. 내가 좀 많이 부자잖아?"

"이럴 때 보면 귀족이십니다."

"그렇지. 그러니 자네도 내 위치를 잊지 말라고."

그때, 갑자기 케일은 땅이 울리는 느낌을 받았다.

쿵. 쿵. 쿵.

"우, 우, 우!"

병사들이 발로 땅을 굴리며 다 함께 외쳐댔다. 케일은 그 광경을 보려 고개를 돌렸다가 툰카와 시선이 마주쳤다. 그 광기에 가득 찬 눈을 보며 케일은 손을 올렸다.

"시작해."

"네. 5초 카운트다운 합니다!"

로잘린의 손끝에서 마나가 퍼져 나가기 시작했다.

"5!"

그녀가 외쳤고.

쿵. 쿵. 쿵. 땅을 울리는 발길질이 더 강해졌다.

그리고.

"4, 3, 2!"

로잘린과 케일, 최한, 론, 비크로스. 일행의 시선이 한데 엉켰다. 그녀의 손에서 마나가 마법 폭탄들을 향해 쏟아져 나갔다.

"1! 폭파!"

로잘린이 외쳤다.

쾅, 콰아아, 콰아아앙!

동시다발적으로 수많은 폭발음 소리가 울려 퍼졌다. 병사들의 발 굴리는 소리도 들리지 않을 정도의 거대한 폭발음.

-신난다! 신난다! 아무도 안 다치니까 부숴도 된다!

라온이 신나 했고, 동시에.

쿠쿠쿠쿵!

-마탑이 부서진다!

마탑이 부서지며 서서히 아래로, 아래로 흙바람을 일으키며 무너져 갔다. 폭발 범위 밖에 서 있는 케일에게로 흙먼지 바람이 밀려왔다.

"크, 크하하하하! 무너졌어! 무너졌다고!"

케일의 등 뒤에서 툰카의 웃음소리와 마법으로 핍박받던 왕국민 출신 병사들의 환호가 울려 퍼졌다. 와중에 케일은 시선을 옆으로 돌렸다.

'미친놈.'

헤롤이 입꼬리를 한없이 위로 올린 채 웃고 있었다. 억눌린 웃음 이었다. 광기가 가득한 시선이 케일에게 닿았다.

"공자님도 웃고 계시는군요."

그 눈동자에 비친 케일도 웃고 있었다.

"어. 시원하네."

부서지는 마탑이 시원해 보였다.

대륙 대부분의 마법사들이 눈물을 흘리고 경악할 광경을 보며 케일은 웃었다. 그럴 수밖에 없었다.

쿠쿠쿠쿵-

마탑이 지상 2층 부분부터 옆으로 기울어져 갔다.

쿠웅-!

마침내 마탑이 옆으로 기울어지며 완전히 무너졌다.

"콜록, 콜록."

아 씨, 이놈의 먼지.

케일은 먼지 때문에 손수건으로 입을 가렸다.

-인간, 감긴가?

턱도 없는 라온의 말을 흘리며, 케일은 사라지는 흙먼지 바람 사이로 처절하게 망가진 마탑을 눈에 담았다. 서서히, 아주 서서히 마탑이 그 무너진 모습을 드러냈다.

쿵. 쿵. 쿵!

"우! 우! 우!"

병사들의 광기가 더욱더 커져갔다. 케일은 등 뒤의 광기를 느끼며 무너진 마탑으로 천천히 다가갔다. 동시에 최한과 다른 일행이 케일보다 빨리 그 먼지 속으로 먼저 들어갔다.

"무너진 광경이라도 보시게요?"

헤롤이 히죽히죽 웃으며 케일의 옆으로 다가왔다.

"어, 보게."

케일은 미소를 지으며 함께 걷자는 듯 옆을 내어주었다. 둘은 각

기 다른 이유로 두근거리는 마음을 안고서 흙먼지 안으로 걸어 들어
갔다.

그리고 마침내, 마탑의 모습이 모두의 앞에 드러났다.

"크흡!"

헤롤이 입술을 꾹 다물며 웃음을 참았다. 20층 높이의 마탑은 이
제 없었다. 날아가 버린 2, 3층과 곳곳이 아래로 푹 꺼져 무너져 내
린 1층의 지반이 존재할 뿐이었다.

"기분이 좋은가 보군."

헤롤은 케일의 목소리에 그를 보지 않고 고개를 끄덕였다. 말로
설명할 수 없이 좋았다.

이 광경이 얼마나 보고 싶었던가. 이제 위퍼 왕국에 마법이 들어
서는 일은 다시 없을 것이다. 온몸에 희열이 차올랐다.

그때 담담한 케일의 목소리가 들려왔다.

"나도 기분이 좋아."

그 말에 헤롤은 순간 묘한 기분이 들었다. 단순한 맞장구가 아닌,
진심으로 기쁨이 담긴 음색이었다. 헤롤은 천천히 시선을 돌렸다.
케일은 잔잔한 미소를 입가에 머금고 있었다.

그 순간, 한 사람의 목소리가 들려왔다.

"어?"

최한이었다.

케일의 눈동자에 이채가 감돌았다.

연기가 시작되었다.

최한은 1층의 무너진 지반 중 한 곳을 가리켰다. 언뜻 지하가 보
였다.

그래, 저 안에, 지하 4층의 비밀 공간이 언뜻 보이는 저 안에, 어제 애들이 옮긴 그 상자가 있었다.

케일은 연극의 시작이 될 최한의 대사를 기다렸다. 며칠 동안 그렇게 연습시켰던 그 말이 최한의 입에서 흘러나왔다.

"이. 게 뭐. 지? 이. 상. 하. 네. 케. 일. 님. 께 보. 고. 해. 볼. 까?"

아. 저 발 연기.

케일이 처음으로 최한의 멱살을 잡고 싶었을 때, 비크로스가 최한의 어깨를 잡고 그를 뒤로 패대기치더니 무너진 지반 아래를 내려다봤다.

"뭔가 있군."

역시, 암살자 론과 고문 전문가 비크로스의 연기력이 뛰어났다. 비크로스가 케일이 있는 쪽을 바라봤다.

폭발로 무너져 대부분의 자료가 소실되고 아주 조금, 쥐똥만큼 남은 연구 자료들. 일부러 케일이 그렇게 만들어놓은 자료들이 그를 기다리고 있었다.

비크로스의 입이 열렸다.

"공자님."

이제 케일의 차례였다.

-인간, 조심조심! 넘어지면 떨어져서 죽는다!

라온의 잔소리는 케일에게 닿지 못했다. 케일은 비크로스가 가리킨 무너진 지반 쪽으로 걸어갔다.

"무슨 일이지?"

"어서 보십시오."

비크로스가 무너진 지반 아래 어둠 속을 가리켰고 케일은 그쪽으로 시선을 두었다.

저 아래, 어둠 속에서 여기저기 부서진 상자가 언뜻 보였다. 그 순간, 그는 탄식과도 같은 네 글자를 내뱉었다.

"이럴 수가!"

비크로스는 그 감탄사에 고개를 끄덕였다.

'역시 공자의 연기는 자연스럽군.'

그는 케일이 다급히 자신을 보자, 자세를 바로 했다. 그에게 케일이 물었다.

"저 위치가 어디쯤이지?"

지하 3층보다 더 아래 같습니다. 그 말을 최한이 해야 했다.

"저. 기. 는-"

하지만 비크로스는 왼팔로 다가오는 최한을 막으며 빠르게 말을 내뱉었다.

"지하 3층보다 더 아래 같습니다."

"······그래?"

바스락 바스락. 케일은 자신의 등 뒤로 가까워지는 발걸음 소리를 들으며 심각한 얼굴로 말했다.

"지하 4층이 있단 건가? 아닌데. 마탑은 지하 3층만 있다고 알려지지 않았나?"

"그. 러. 게. 나 말. 입. 니. 다."

케일은 처음으로 최한을 개무시했다. 그는 최한 쪽은 쳐다도 보지 않고 다가오는 일행과 시선을 마주했다. 마법사 로잘린, 그녀가 심각한 얼굴로 입을 열었다.

"공자님, 사실 제가 마탑에서 행하던 비밀 연구가 있다는 말을 들은 적이 있습니다. 앗!"

그녀는 놀라며 두 손으로 자신의 입을 가렸다. 그녀는 케일 등 뒤를 보며 어쩔 줄 몰라 했다. 마치 케일 등 뒤의 사람이 들으면 안 될 말을 했다는 듯.

'훌륭한데?'

케일은 로잘린의 연기력에 박수를 치며 서서히 뒤돌아섰다.

"……참모장."

헤롤 코디앙. 그가 묘한 얼굴로 로잘린을 바라보고 있었다. 그는 케일의 부름에 서서히 시선을 케일에게로 돌렸다. 알 수 없는 열기가 가득 찬 눈동자는 광기와 닮아 있었고, 케일은 그 눈을 마주하며 입을 열었다.

"아무래도 예상 밖의 일이 생긴 것 같은데. 참모장, 그렇지 않나?"

"……그런 것 같습니다."

헤롤은 차분하게 답했지만, 그 안의 탐욕까지 숨기지는 못했다.

"무슨 일이지? 왜 다 부서진 마탑에 모여 있는 건가?"

툰카와 그의 수하들이 이어 등장했다. 다른 참모들까지 모두 다가오고 있었다. 케일은 헤롤의 어깨 위에 손을 올렸다.

"툰카."

"……왜 그래?"

툰카는 그 속이 훤히 들여다보이는 얼굴에 당황이 서렸다. 케일이 저리 진지하게, 그러면서도 상냥하게 툰카를 부른 적이 없기 때문이다.

"마탑의 숨겨진 공간이 발견된 것 같다."

"그게 왜? 덜 부서졌냐?"

······이런 무식한 놈.

케일은 툰카의 머리를 한 대 치고 싶었지만 꾹 참으며 일행에게 지시했다.

"지하에 뭐가 있는지 찾아와. 그리고 헤롤."

"네, 공자님."

케일은 헤롤을 보며 물었다.

"도와줄 거지?"

"당연히 공자님 일인데 도와야지요."

내 일이라서 돕기는. 케일은 욕심이 그득그득한 그 얼굴이 우스웠지만, 어느 때보다도 역할에 충실한 채로 심각하게 지시했다.

"다들 시작하지."

다들 예상치 못한 상황이 들이닥친 듯 진중한 얼굴로 고개를 끄덕였다. 그때, 케일의 곁으로 다가온 최한이 편하게 말했다. 그는 처음으로 연기를 자연스럽게 해냈다.

"케일 님, 폭발 여파로 위험하니 케일 님은 여기 계시면 저희가 다녀오겠습니다."

−그래, 인간. 너는 약하니 조용히 그늘에 가서 앉아 있어라!

당연한 소릴 왜 해?

케일은 지극히 당연한 소리에 할 말이 없어졌다.

자신이 왜 저 위험한 곳에 가나?

"맞습니다. 공자님, 저희 병사들과 전사들이 함께할 테니 걱정 안 하셔도 됩니다."

"그런가, 참모장?"

"네."

헤롤이 안달이 난 듯 어떻게든 함께 들어가려고 했다. 케일은 느긋한 얼굴로 고개를 끄덕이며 그에게 주의를 주었다.

"물론 저 안의 물건들은 다 내 거야. 그건 알고 있겠지?"

헤롤이 미소를 그렸다.

"당연하지요. 다만 필요 없으면 파실 것 아닙니까?"

"그렇지. 왜, 내가 물건들을 바로 숨길까 봐 따라가서 보려는 건가?"

"그런 것도 있지요."

헤롤은 속마음을 숨기지 않았다. 그는 케일 일행이 물건을 숨길까 하는 걱정과 저 지하 연구실의 물건들을 모두 보고 싶어 하는 욕망이 가득했다.

"그렇군. 헤롤, 나는 우리 사이에 그런 거짓은 남겨두기 싫으니 함께 가봐."

─약한 인간, 또 거짓말한다! 정말 잘한다! 네 재능이다!

케일은 거짓말이라는 재능을 하나 깨달았다.

"네. 배려 감사합니다. 열심히 돕겠습니다."

"그래그래. 다치지 말고."

케일의 마지막 말에 비크로스가 간신히 코웃음을 참았다. 론이 아들의 어깨를 두드리며 일행을 이끌고 무너진 지하로 향했다. 당연히 일행의 뒤를 따라 헤롤이 다른 수하들과 함께 움직였다. 케일은 느긋하게 현장에서 물러나 그 모습을 관찰했다.

─인간, 아쉽다.

라온은 뭐가 아쉽다는 것일까.

─어제 우리가 아주 제대로 지하 4층에 함정을 만들어놓고 안을 다 부숴놨는데.

케일은 자신이 헤롤에게 했던 말을 떠올렸다.

'다치지 말고.'

말고는 무슨. 지하 4층 곳곳에 가벼운 함정을 설치해 두라고 말한 이가 케일이었고, 론에게 함정 위치를 가르쳐 주며 헤롤 일행이 그 위치에서는 교묘하게 앞서게 하되 부상이 발생하지 않도록 조절하라 지시한 것도 케일이었다.

좀 긴박하고 어렵게 얻어야 귀한 정보인 줄 알지 않겠는가?

-인간, 나쁘게 웃는다! 그리고 나 금화 달라! 일했다!

나쁘게 웃는 건 또 뭐래.

케일은 괜히 손가락으로 입꼬리 끝을 매만지며 표정을 관리했다.

"툰카."

케일은 헤롤을 비롯한 참모진들이 없는 틈을 타 툰카에게 다가갔다. 툰카의 뒤에는 그의 왼팔과 오른팔 격인 수하 두 명이 서 있었다. 케일은 은근슬쩍 툰카에게 물었다.

"너 왕세자 저하께 나를 친우라고 했다지?"

"크흠!"

툰카가 드물게 흠칫 놀랐다. 케일은 그때를 놓치지 않고 말을 이었다.

"아마 저 숨겨진 공간에서 마법사들의 연구 자료가 나올 거다. 그 연구 자료 중 너희들에게 도움이 되는 것이 있다면, 나는 그걸 너희들에게 넘길 거야."

"……뭐?"

멍청하게 되묻는 얼굴을, 케일은 진지하게 대했다.

"그리고 만약에 너희들에게 해를 입히는 물건이라면."

해를 입히는 물건. 그 말에 툰카의 표정이 심각해졌다. 아무리 생각이라는 것을 안 하는 그라도 마법사들이 자신들에게 해가 될 만한 무언가를 충분히 연구했겠다는 생각은 들었다. 그 생각에 툰카의 얼굴에 점차 근심이 서렸을 때.

"당연히 너희들에게 넘길 거다."

당연히. 그 말이 툰카의 귓가에 맴돌았다. 그는 과거 자신에게 배를 구해다 주고, 배웅을 해주던 케일의 모습이 떠올랐다.

"……그렇게 말해도 되나? 귀한 것일수록 넘겨줄 듯 안 넘겨줄 듯 해야 비싸게 팔지 않나?"

케일이 정색했다.

"툰카, 내가 그런 놈으로 보이나?"

"아니지. 너는 그런 놈이 아니지."

그래, 케일 헤니투스 이자는 그런 속 좁은 자가 아니었다. 툰카가 그의 말에 수긍할 때 케일의 말이 이어 들려왔다.

"너는 나를 친구라고 말했다지? 나는 동등한 관계는 정당한 거래에서 시작된다고 생각한다. 네가 나에게서 뭔가를 빼먹을 놈으로 보이지 않아."

케일이 장난스럽게 말을 건넸다.

"네가 마법사 놈들처럼 그런 속 좁은 놈은 아니잖아?"

툰카의 입꼬리가 천천히 올라갔다. 근심이 가득하던 얼굴에 서서히 미소가 맺히더니 결국 크게 웃음을 터뜨렸다.

"맞다. 그렇지, 크흐흐! 나는 그런 놈이 아냐! 하하하하!"

툰카는 한참을 웃었다. 그러면서도 그의 시선은 케일에게 닿아 있었다. 이런 귀족은 처음 보았다. 위퍼 왕국에서 마법사 눈치나 보던 그런 귀족 놈들과는 차원이 달랐다.

아무도, 정말 아무도 자신과 수하들이 행하는 길을 응원해 주지 않았다. 그런데 응원하는 자가 나타났다.

친우.

저도 모르게 로운 왕국 왕세자에게 그 말을 내뱉고서 툰카 스스로 얼마나 놀랐던가. 하지만 이제는 그 말을 잘 내뱉었다 싶었다.

"역시 넌 약하지만 훌륭하다."

툰카는 처음으로 약자를 인정했다.

"당연한 거 말하지 마."

그리고 이를 케일은 당연하다는 듯 받아들이며 생각했다.

'이제 발견한 물건이나 거래 내용을 가지고 헤롤이 장난은 못 치겠네.'

그는 은근슬쩍 툰카에게 한 번 더 언급했다.

"정당한 거래. 좋지?"

"당연히 좋다! 나는 비겁하지 않아! 너희들도 그렇지 않나?"

툰카의 왼팔과 오른팔 격인 수하 두 명이 믿음직한 얼굴로 고개를 끄덕였다.

"그렇습니다, 대장군님."

"맞습니다. 정당해야죠."

케일의 말에서 틀린 점은 없었다. 동등한 관계에서 정당한 거래를 하는 것. 올바른 말이었다.

케일 본인도 그렇게 생각했다. 그렇기에 그는 느긋하게 결과를 기다렸고, 결과가 나왔을 때 케일은 모두에게 그 내용을 알렸다.

마탑의 숨겨진 지하 4층. 그곳에서 파손된 상자를 하나 발견했다.

그 상자 안에는 일부의 문서들이 온전한 모습을 갖추고 있었다. 문서의 내용은 두 가지였다.

고대의 힘 원리를 이용한 마나 저장 장치.

마법 내성이 생기는 이유.

위퍼 왕국에 득이 되면서도 해가 되는 내용이었다.

"이 문서들의 가치를 누구보다도 잘 아는 이는 위퍼 왕국 측이겠지?"

케일의 질문에 답하는 이는 아무도 없었다.

참모진 전용 천막. 그곳에 툰카와 헤롤을 비롯한 수뇌부들이 모두 모여 케일을 마주하고 있었다. 케일의 곁에는 그의 일행이 호위하듯 기립해 있었다.

"……네. 잘 압니다."

케일은 느리게 답하는 헤롤을 보며 속으로 웃음을 참았다.

마나를 느끼지만 마나를 몸에 저장할 수 없어 마법사가 될 수 없었던 비운의 사람, 헤롤. 그래서 그는 마법을 증오했다. 그런 그의 앞에 마나 저장 장치와 그 연구 자료 일부가 발견되었다. 연구 이름은 고대의 힘 원리를 이용한 마나 저장 장치.

그도 이제 마법을 부릴 수 있는, 그런 기회를 줄 만한 물건이 눈앞에 나타난 것이다.

'애증하는 마법이니, 손에 넣고 싶겠지.'

케일은 작은 천 주머니를 매만졌다.

"이 안에 있는 게 마나 저장 장치란 말이지?"

그의 말에 헤롤의 눈빛이 번뜩였다.

-맞다, 인간. 내가 키웠다.

1년 전, 케일이 라온에게 넘겼던 씨앗은 마탑에서 만들고 있던 마나 저장 장치였다.

현재 케일의 손에 들린 것은 그 마나 저장 장치가 씨앗을 틔워 새싹이 되고, 더 자라서 열매를 맺었을 때. 그 열매 중 하나를 수확한 것이었다.

물론, 제대로 된 씨앗은 아니다.

"로잘린, 이게 바로 사용 가능한가?"

"아닙니다. 씨앗의 형태인데, 현재 말라비틀어져 사용이 불가능합니다. 이 씨앗과 연구 자료를 토대로 새로이 연구를 하면 몰라도……."

로잘린은 말꼬리를 흐리며 헤롤의 눈치를 봤다. 케일 역시도 그의 눈치를 살폈다.

헤롤은 망가진 것이라도 단서가 되는 이 씨앗과 연구 자료에 대한 탐욕을 감추지 못했다. 케일은 이를 확인하며 또 다른 화두를 입에 올렸다.

"마법 내성이 생기는 이유라. 이거 굉장한 자료인데."

이번에는 툰카와 부족민 출신 수뇌부들이 움찔했다.

그들이 마법사를 이길 수 있었던 이유는 마법 내성의 덕이 컸다. 그런데 그 이유를 밝히는 연구 자료라니. 자신들에게 필요하면서 동시에 누구에게도 넘길 수 없는 자료였다.

케일은 툰카를 쳐다봤다. 씨익. 툰카가 되도 않는 순한 미소를 지어 보였다. 케일은 이를 외면하며 위퍼 측에게 물었다.

"뭐, 일부니까 별로 중요하지 않을 것 같은데. 그냥 버리면 되겠지?"

책상이 덜컹거렸다. 당황한 누군가가 무릎으로 책상을 친 것이다.

"-는 장난이고."

후우. 누군가 한숨을 내뱉었다.

"일부지만 엄청난 가치의 물건이네."

케일은 말을 하면서 로잘린과 라온이 했던 말을 떠올렸다.

'공자, 저 자료만으로는 모든 것을 다 알려면 적어도 10년을 연구해야 해요. 그것도 실력 있는 마법사들이 있어야 되고요.'

'인간, 마법을 다룰 줄 알아야 저것도 연구할 수 있다.'

케일은 그 말에 집중했다.

마법사가 있어야 연구 가능한 물건. 헤롤은 무조건 저 연구를 지속하려고 들 것이다. 그러면 마법사가 있어야 할 터.

그 점을 로잘린은 정확히 꼬집어주었다.

'공자, 잘만 하면 위퍼 왕국의 약점을 잡을 수도 있겠는데요?'

'역시, 로잘린 씨는 나와 생각이 일치할 때가 많아요.'

마법을 없애는 것이 목표인 왕국의 수뇌부가 마법사를 이용해 마법 연구를 한다.

보나 마나 그런 상황이 펼쳐질 것이고, 케일은 정보원을 통해 그 증거를 손에 넣으면 되었다. 그와 로잘린이 그 약점을 손에 쥘 순간을 떠올리며 웃고 있을 때, 라온이 상자 속에 담긴 것들을 보며 총평했다.

'이건 찌꺼기 수준밖에 안 된다.'

알맹이는 로잘린의 연구실이자 라온이 가끔 놀러 가는 곳에 온전히 있었다.

"툰카."

"그, 그래."

"너에게 넘기마."

툰카의 표정이 달라졌다.

"저, 정말인가?"

"정말이지."

케일은 손에 든 천 주머니로 테이블을 두드렸다. 톡톡. 말라비틀어진 씨앗이 부딪치며 둔탁한 소리를 냈다. 그때마다 위퍼 측 인물들이 움찔거렸다. 그러거나 말거나 케일은 제 할 말을 했다.

"나는 아무런 이익도 얻지 못하고 마탑을 백억에 샀다. 그리고 하나 나온 이익도 다 너희에게 팔고자 한다. 툰카, 너라면 어떻겠나?"

"……더 많이 받으려고 할 것 같다."

"그렇지."

참모장 헤롤의 미간에 골이 깊이 파였다. 자신이 아는 케일이라면, 그리고 자신이라면 어떻게든 최대한 많이 받아내려고 할 것이다. 현재 그는 소유한 마탑마저 사라진 상황이니까.

'하지만 우리 재정 상태가 좋지 않아.'

위퍼 왕국은 현재 제국과의 전쟁 준비로 여유가 많지 않았다. 하지만 헤롤은 케일 손안의 저 두 가지를 반드시 손에 쥐고 싶었다.

'그렇다고 싸울 수도 없고.'

케일 쪽의 전력은 상당했다. 저들과 싸우면 제국과의 전쟁이 늦춰진다. 전쟁을 더 늦추는 건 왕국 차원의 사기에 좋지 않았다.

'백억에 샀으니, 최소한 백억보다는 더 받으려고 할 터.'

만약 제국에 마법 내성 자료를 넘긴다면, 제국은 이를 백억에 사려고 할 것이다. 헤롤도, 툰카도 이 점을 알고 있었다.

"난 대강 이 정도 생각한다."

케일이 왼손을 펼쳤다.

"아."

헤롤이 탄식을 흘렸다.

손가락 다섯 개.

"오, 오백억?"

툰카가 놀라서 소리쳤다. 헤롤은 이내 탄식을 지우고 입가에 미소를 매달았다.

'시작이 오백억이니, 이제 깎으면 되겠군.'

뭐든 거래는 최대치를 먼저 부르는 법이었다. 헤롤은 이제 제대로 거래가를 정하기 위해 입을 열었다. 하지만 케일이 조금 더 빨랐다.

"오백억은 무슨. 오십억만 줘."

"네?"

헤롤이 놀라서 되물었다.

정말로?

"정말, 오십억 말씀이십니까?"

케일이 다정하고 순수한 미소를 입가에 머금었다. 그의 따뜻한 눈빛이 수뇌부들을 훑고 지나갔다.

"그래. 오십억."

나머지 자료는 왕세자한테 몇 배에 팔기로 했거든.

이왕이면 제국을 건드렸다가 약해진 위퍼 왕국을 로운 왕국의 마법사들이 홀라당 집어 먹으면 좋잖아?

케일의 머릿속에 지난겨울 왕세자와 나눴던 대화가 펼쳐졌다.

'케일, 불쌍한 놈들이니 오십억에 팔아라. 어차피 마탑 백억도 네 돈 준 건 아니잖아?'

'백억에 팔려고 했는데, 저하의 말씀이니 기꺼이 따르지요.'

'그래. 네가 그들의 은인이 되면 참 좋지 않겠어? 그걸 노린 거지?'

'당연하지요.'

'이런 나쁜 놈.'

왕세자는 케일을 욕하며 웃었고 케일도 함께 웃었다.

"어차피, 지금 위퍼 왕국은 힘들지 않은가? 힘든 이들에게 알맞은 정당한 거래라 생각한다만."

"너, 너는! 정말, 너 같은 귀족을 나는!"

툰카가 한참 제대로 말을 잇지 못한 채 케일을 일렁이는 눈동자로 바라봤다. 케일은 그 눈동자가 꼴 보기 싫었지만 미소를 유지했다. 툰카는 마침내 의자에서 일어서며 외쳤다.

"고맙다! 정말로 고맙다!"

케일은 찌꺼기를 오십억에 사고 고맙다고 하는 인간은 또 처음 보았다. 하지만 케일은 그 인사에 답했다.

"알면 다행이고."

그 태연한 대답을 헤롤은 도저히 이해할 수가 없었다.

'알면 다행이라고?'

막대한 이익을 얻을 수 있는 기회, 혹은 위퍼 왕국군에게 약점이 될 만한 자료를 손에 쥐었다. 그런데 별다른 미련을 두지 않는다고?

헤롤은 그 말을 믿을 수가 없었다. 하지만 동시에 믿을 수밖에 없었다. 모든 과정을 자신이 지켜보았으니까.

'그리고 100억에 마탑을 사놓고선 조사도 하지 않고 방치한 인간이기도 하고.'

20층. 그 층을 소유하고 싶다고 마탑을 사서 어떤 조사도 하지 않은 케일이었다. 헤롤은 지난 1년간 케일이 무언가를 발견할까 싶어 마탑 근처에 항시 정보원을 배치해 두었다. 하지만 정말 케일은 그때 떠난 후로 아무것도 하지 않았다.

"……돈이 욕심나지 않으십니까?"

결국 헤롤은 의문을 참지 못하고, 그대로 내뱉고야 말았다. 그는 케일이 가소롭다는 듯 웃는 것을 볼 수 있었다.

"우리 영지에 돈이 얼마나 많은 줄 알아? 네 상상을 초월하게 많고, 나는 그곳의 장남이야."

맞다.

헤롤은 잠시 잊고 있었다.

케일은 100억이라는 돈을 그냥 물 뿌리듯 쓰는 그런 부자 가문의 사람이었다. 여전히 혼란스러워하는 헤롤에게 케일은 그가 납득할 만한 이유를 하나 더 말해주었다.

"지금 내 손에 쥔 자료가 대륙의 권력자들 누구나 원하는 자료임을 알아. 나는 태풍의 중심에 서기 싫어."

천만의 말씀. 태풍의 중심은 고요한 법이었다. 케일은 전쟁 속 평화를 원했다. 그렇기에 위퍼 왕국과 왕세자 모두에게 파는 수고를 벌였다.

"공자님의 말씀은 위험한 상황이 싫으니 그냥 우리에게 바로 팔겠다, 이것입니까?"

"그렇지, 참모장. 정답이야. 알다시피 난 평화를 사랑하잖아?"

헤롤도 그나마 납득할 수 있는 이야기였다. 헤롤의 정체도 남들에게 밝히지 않고 평화를 원한 케일 공자였으니까.

헤롤은 케일에게서 시선을 돌려 제 주위를 둘러보았다. 참모들은 의문이 아직 남아 있었지만, 툰카와 전사 측은 케일에게 신뢰 가득한 눈빛을 보내고 있었다.

'어차피 나에게 필요한 것들이다.'

마나 저장 장치. 그것도 헤롤 자신이 최고라 여기는 고대의 힘을 흉내 낸 것이라고 하니 더욱더 탐이 났다.

"좋습니다. 툰카 대장군님, 어떠십니까?"

툰카는 헤롤의 물음에 답하지 않고 케일에게 커다란 손을 내밀었다. 늘 보이던 실없이 크게 웃는, 혹은 멍청한 얼굴이 아닌 진중한 표정의 툰카가 케일에게 자신의 마음을 전했다.

"정말 고맙다."

케일은 자리에서 일어나 그 손을 맞잡았다.

"고마우면 잊지 마."

"그래. 이 은혜를 잊지 않으마."

툰카를 대표로 한 위퍼 왕국 측은 케일 헤니투스 소유 마탑의 숨겨진 공간에서 발견한 자료를 50억에 구매하기로 최종 결정했다. 여유로운 케일의 모습과 달리, 계약은 위퍼 왕국 측이 서두른 덕에 속전속결로 진행됐다.

계약 성사 후, 케일은 자신의 천막으로 돌아왔다.

"왜 여기까지 따라와?"

그는 품에 계약서와 50억짜리 어음을 지닌 채로, 천막 안으로 뒤따라 들어오는 최한을 시큰둥하게 쳐다봤다.

"케일 님."

"어."

케일은 목을 갑갑하게 했던 셔츠 단추를 풀며 최한의 말에 귀를 기울이지 않았다.

"대단하십니다."

"어?"

그래서 당황했다.

"케일 님의 능력은 특출하십니다. 이렇게 사, 아니, 전략에 뛰어나신 분은 없을 것 같습니다. 저는 이런 부분에 서툴거든요."

전략 앞에 사기라고 말하려던 거니?

하긴, 케일은 최한의 발 연기가 놀라웠다. 조금 대사가 길다 싶으면 튀어나오는 발 연기가 대단했다, 진심으로.

"하지만 다음 일정 때 만날 존재 앞에서는 최대한 조심하는 게 좋을 것 같습니다."

케일은 비로소 계약이 다 성사된 마당에 최한이 홀로 자신의 천막까지 따라온 이유를 알 수 있었다.

다음 일정 때 만날 존재, 골드 드래곤.

"케일 님은 늘 한발 앞을 내다보고 움직이신다지만, 그 존재는 강합니다. 저도 라온도 부족할 수 있습니다."

-내가 부족하다니! 나는 저놈 상상보다 훨씬 더 강하다!

라온의 반박이 케일의 머릿속에 울려 퍼졌지만, 이번만큼은 케일도 최한의 말에 동의했다. 최한은 아무 말이 없는 케일을 조심스레 쳐다봤다.

"그래. 최한, 네 말이 맞다."

최한은 케일이 자신의 말에 수긍하자, 얼굴빛이 밝아졌다. 케일은 그런 낯빛 따위는 조금도 신경 쓰지 않았다. 그는 골드 드래곤을 만나러 가기 전 생각해 둔 바가 있었다.

첫째도 안전, 둘째도 안전, 셋째도 안전이 살아남는 법이었다.

"최한, 이번에 내 앞은 너에게 맡긴다. 어떤가?"

최한은 힘차게 고개를 끄덕였다. 원하던 말이었다. 케일의 앞을 지키는 호위는 자신이 적격이었다.

"네. 맡겨만 주십시오. 케일 님도 일행도 제가 다 지키겠습니다. 제 모든 실력을 다 쏟아부어서요."

그렇지. 그런 자세면 골드 드래곤도 해볼 만할 것이다.

지금껏 최한이 자신의 모든 실력을 써서 싸운 적은 단 한 번도 없었다. 라온도 그렇고.

–내가 있다. 약한 인간, 다른 용 따위는 나한테 비교도 안 된다.

라온의 허세쯤은 한 귀로 듣고 한 귀로 흘렸다.

"그럼 내일 떠날 준비를 해놓겠습니다."

"그래. 준비 끝내고 푹 쉬도록."

"네."

케일은 최한마저 천막을 나가자, 평온을 느꼈다. 하지만 그 혼자만 있는 것은 아니었다. 케일은 주머니에서 금화를 하나 꺼내 공중으로 던졌다.

"옜다."

"오오!"

허공에서 라온이 나타났다. 라온이 두 앞발로 금화를 절묘하게 받아 들었다.

"이, 이것은 금화!"

마탑을 부수는 데 있어 혁혁한 공을 세웠던 마법 폭탄 제조 수고비였다. 10실버나 1골드나 그게 그거지만, 케일은 금화에 눈이 박혀 굳어버린 라온의 동글동글한 머리를 쓰다듬었다.

"좋지?"

"좋다, 인간! 아주 좋다! 고맙다! 더 열심히 하겠다!"

"그래."

그는 슬쩍 라온에게 조심스레 말을 건넸다. 라온에게야 금화를 주기로 약속했지만.

"온과 홍한테는—"

비밀로 해.

그렇게 말하고 싶었다.

하지만 그 순간, 천막 입구에서 기이한 울음소리가 들려왔다.

냐아아옹, 히히.

냐아옹!

웃음소리가 섞인 고양이 울음소리. 케일은 어떠한 노크도, 말도 없이 천막 입구 안으로 기어들어 오는 고양이 두 마리를 볼 수 있었다. 온과 홍이었다.

이 눈치 빠른 녀석들.

케일은 말똥말똥한 눈빛에 말을 이었다.

"자, 옛다."

금화 두 개가 공중으로 떠올랐고 온과 홍이 재빠르게, 어느 때보다도 민첩하게 금화를 하나씩 낚아챘다. 케일은 온과 홍, 라온 셋이서 금화를 붙잡고 웃어대는 것을 물끄러미 쳐다보다가 그대로 침대 위에 드러누웠다.

'……미친 용만 아니면 좋겠는데.'

케일은 부디 앞으로 만날 용이 정상이길 바라며 잠이 들었다. 보초는 당연히 평균 8세들이 섰다. 웬만한 기사단보다 나은 전력이었다.

<br>

다음 날. 이른 아침부터 떠나는 케일을 툰카를 비롯한 참모진들이 배웅 나왔다. 케일은 이렇게 순박한 툰카의 얼굴은 처음 보았다. 왠지 모르게 툰카는 쑥스러워하며 말을 건넸다.

"몇 군데 더 관광을 하고 간다고?"

"그래. 갈 곳은 헤롤 참모장에게 전해두었으니 어디 다른 곳으로 샐 걱정은 하지 않아도 돼."

"안 한다. 케일, 나는 너를 믿는다."

케일은 툰카가 제 이름을 부르는 목소리가 너무나도 순수해 껄끄러웠다. 그리고 그 껄끄러움이 더 심해졌다.

"크흠, 앞으로 위퍼 왕국 안에서는 편히 다녀도 된다. 뭐든 힘든 일이 생기면 나한테 말해라."

미친 툰카는 보았어도 과하게 친절한 툰카는 영 불편했다.

"그래. 그러도록 하지. 제국과의 전쟁에서 꼭 승리하도록."

"그래야지."

케일은 당연하다는 듯 고개를 끄덕이는 툰카를 보며 생각했다.

'무조건 위퍼 왕국이 질 전쟁이다.'

하지만 케일의 생각과 달리, 대륙에서는 이 전쟁에 대해 저마다 다른 생각을 토해냈다.

태양신 교단이 무너지면서 희대의 혼란을 겪고 있는 제국과 똘똘 뭉친 공격 특화 위퍼 왕국군 간의 전쟁. 결과를 섣불리 파악하기 힘들다는 평이 많았다.

왜냐면 위퍼 왕국군은 제국을 모두 점령하는 것이 아닌, 맞닿아 있는 제국의 성을 몇 개 차지하는 것을 목표로 두는 듯했기 때문이다.

또한 연금술이 발달하면서 덩달아 다른 곳들보다 진보한 마법 체계를 지닌 제국을 위퍼 왕국에서 건드는 것이 어느 정도 명분이 있다고도 판단했다.

'그래도 제국이지.'

케일은 전쟁 결과를 제국의 승리로 단정 지으며 툰카에게 악수를 청했다. 툰카는 이별의 악수라 생각해 그 손을 바로 잡았다. 케일은 한 발 앞으로 내디디며 툰카의 귓가에 속삭였다.

"연금술은 마법보다 음흉하다. 마법 내성을 지닌 전사들을 아껴."

툰카의 어깨가 흠칫 떨렸다. 케일은 저와 툰카가 무슨 대화를 나누는지 궁금해하는 사람들에게 아무렇지도 않게 미소를 지어 보이고는 다시 한번 툰카에게 한마디를 더 속삭였다.

"분명히 제국의 첩자가 네 군 안에 있을 거다. 너희도 첩자에 대한 조사를 했겠지만, 못 찾았다면 다시 찾아라. 가까이 있는 자부터 찾아. 황태자의 수법이다. 반드시, 반드시 찾아서."

케일은 귓가에서 얼굴을 떼며 툰카의 눈을 보고 말했다.

"죽여."

툰카의 눈동자가 흔들렸다. 케일은 그런 그의 손을 놓으며 부드러이 물었다.

"나를 믿잖아?"

"……믿는다."

케일은 툰카의 대답에 만족했다.

제국이 이길 것이다.

그렇지만 위퍼 왕국이 최대한 버티면서 제국을 괴롭혀 주었으면 하는 게 케일의 바람이었다. 그래야 로운 왕국이 그 틈에 강해져서, 브렉 왕국과의 결속을 더 다질 수 있다.

'북쪽이 내려오기 전에 말이지.'

북쪽의 3국 연합이 내려오는 순간, 왕세자는 로운 왕국을 장악해 군권을 손에 쥐며 전면에 나설 것이다.

"그럼 잘 가라. 다음에 또 보자."

케일은 툰카의 인사에 미소로 답했다. 다음은 무슨. 또 볼 일은 이제 없을 것이다.

케일은 마차 앞으로 걸어가, 대기하고 있던 일행 중 후드를 눌러 쓴 펜드릭을 향해 지시했다.

"가지."

골드 드래곤. 고룡이 사는 레어로 향했다.

케일은 옷깃을 여몄다. 여름이라도 이곳은 싸늘했다. 아니, 신발 밑에 밟히는 눈이 증명하듯 여기는 추웠다. 케일은 옆에 선 늑대 소년 라크에게 물었다.

"라크, 너는 여기에 와봤지?"

"네. 여기일 줄은 상상도 못 했습니다."

쿨럭. 케일은 기침을 하며 코를 킁킁거렸다. 콧물이 났다. 로잘린이 웃으며 손수건을 내밀었고 케일은 그 손수건을 받아 코를 가렸다.

"펜드릭, 여기 맞는가?"

"네. 여깁니다."

여기일 줄은 상상도 못 했는데.

케일은 단단히 여민 목깃 안에 자리하고 있을 목걸이를 떠올렸다. 고대의 힘 '스며드는 목걸이'. 무슨 속성의 힘이든 담을 수 있는 목걸이였다.

그 목걸이를 발견했던 장소, 옐리아산.

케일은 라크에게 부탁해 이 목걸이를 옐리아산에서 가져왔고, 그덕에 정글의 불을 껐던 기억이 떠올랐다. 케일은 눈으로 덮인 산 정상에서 산 아래를 내려다봤다.

옐리아산. 이곳은 험준하기로 대륙에서 세 손가락 안에 꼽히는 산이었다.

'이곳에 레어가 있을 줄이야.'

고대의 힘을 얻었던 장소에 용이 산다.

"펜드릭, 이제 어떻게 하면 되지?"

정상까지 왔다. 하지만 레어를 발견하지 못했다. 펜드릭은 설렘이 가득한 얼굴로, 하지만 병약해서 언제든 쓰러질 것 같은 얼굴로 쾌

활히 답했다.

"기다리면 됩니다."

"……얼마나?"

"드래곤님께서 원하실 때까지요."

"……뭐?"

지금 상당히 추운데 그냥 기다린다고?

케일은 주위를 둘러보았다. 털가죽으로 꽁꽁 싸맨 일행들이 차가운 바람을 그대로 맞고 있었다. 그중 비크로스는 살벌한 눈빛으로 펜드릭을 노려보는 중이었다. 무슨 이런 개소리 같은 대답이 있냐는 표정이었다. 추위를 많이 타는 듯했다.

펜드릭이 케일에게 조심스레 물었다.

"그런데 공자님, 드래곤님은 언제쯤 뵐 수 있나요? 위치를 말씀드리면 텔레포트해서 오시나요?"

케일의 입꼬리가 삐뚜름하게 올라갔다.

"아니."

"그럼 어떻게 오십니까?"

ㅡ네 뒤에 있다, 엘프야. 그런데 이 안에 있다는 위대한 드래곤은 왜 마중을 안 나왔나?

라온의 살벌한 목소리가 케일의 머릿속에 울려 퍼졌다. 케일은 그 말을 그대로 펜드릭에게 읊어주고 싶었다.

"펜드릭."

"네."

"네 뒤에, 어!"

하지만 그 순간, 산이 진동했다.

우우우웅.

-그래, 당연히 마중 나와야지. 이 위대한 라온 미르가 왔는데!

의기양양한 라온의 목소리가 들려왔다. 케일은 황급히 손을 뻗어 최한의 어깨를 붙잡았다.

쿠구구구궁-

거대한 소리와 함께 정상의 눈이 솟아올랐다. 아니, 정확히 말하면 지반이 솟아올랐다.

"어?"

"으앗!"

일행이 겨우 중심을 잡으며, 지반이 솟아오르는 산 정상 중심을 쳐다봤다. 케일도 마찬가지였다.

"오! 드디어 드래곤님을!"

펜드릭이 두 손을 모은 채 어쩔 줄 몰라 했다. 진심으로 광신도 같아 보였다. 케일은 황급히 최한의 등 뒤에 바짝 붙었다. 그리고 로잘린과 다른 이들에게 손짓해 자신의 양옆과 뒤에 서도록 했다.

'브레스라도 날리면 큰일이니까.'

골드 드래곤은 성룡이니, 브레스도 날릴 수 있었다.

케일은 일행이 자신을 둘러싸자 안전함을 느꼈다.

쿠구구구구쿵!

마침내 솟아오르던 지반이 멈추며 거대한 동굴이 나타났다. 케일은 눈 더미들이 정확히 자신들이 있는 곳을 제외한 다른 방향으로 흘러내리며 눈사태가 나는 광경을 멍하니 바라봤다.

그 순간이었다.

"어?"

눈이 안 내린다.

설산을 뒤덮고 있던 눈이 더 이상 내리지 않았다.

'설마 이 눈도 계속 용이 내린 거야?'

이런 먼치킨이 다 있나?

라온도 이런 걸 할 줄 아나?

케일은 문득 라온의 노동력을 그간 너무 과소평가한 것이 아니었나 하는 생각이 들었다. 하지만 그는 이내 들려오는 소리에 고개를 돌렸다.

또각또각.

눈과 바람마저 멎어 적막한 공간. 케일 일행이 숨죽이고 있는 사이 동굴에서부터 소리가 들려왔다.

또각또각.

일정한 리듬을 지닌 발걸음이 점점 더 가까워졌다. 케일은 곧 동굴 안에서 걸어 나오는 인영을 보았다. 마침내, 동굴의 어둠 속에서 걸어 나온 이가 그 모습을 빛 아래에 드러냈다.

화려한 백금발의 엘프였다.

고래족은 눈에 닿지도 않을 만큼 아름다운 엘프의 모습이었다. 케일은 순간 그 엘프가 미소 짓는 것을 볼 수 있었다.

"오오오오—"

털썩. 펜드릭이 두 무릎을 꿇었다.

그 모습에 직감했다.

드래곤이구나.

골드 드래곤.

미친 종족이구나.

그때였다.

-나 갔다 온다!

갑작스러운 라온의 목소리에 케일이 움찔했을 때.

"허억!"

펜드릭이 경기를 하듯 숨을 들이마셨다. 그의 등 뒤에서 작고 검은 물체가 쑥 지나갔다. 펜드릭은 경악한 얼굴로 그 검은 물체를 보며 외쳤다.

"브, 블랙 드래곤님!"

당연히 라온이었다.

케일은 말릴 틈도 없이 금발의 엘프를 향해 날아가는 라온을 한숨과 함께 지켜봤다. 작고 검은 용은 순식간에 금발의 엘프 앞에 당도했다.

"호오."

작은 감탄과 함께 금발의 엘프는 묘한 눈빛으로 라온을 쳐다봤다. 라온은 엘프의 겉모습을 한 골드 드래곤 앞에서 날개를 쫙 펼치며 당당히 외쳤다.

"만나서 반갑다!"

신난 목소리로 인사했다. 금발 엘프의 표정이 더 묘해져 갔다. 그러나 라온은 멈추지 않았다.

"나는 위대한 라온 미르다! 너는 누구냐?"

기대감이 가득한 동글동글한 눈동자가 금발 엘프에게로 향해 있었다. 잠시 침묵하던 금발 엘프의 입이 열렸다.

"뭐야, 이거. 용 맞아? 용이 용한테 반갑다고?"

뭐 이런 희한한 생명체가 있냐는 듯한 표정이었다. 그 표정에 케일은 확신했다.

저거 진짜 용 맞네.

이기적인 용.

그래, 자기만 아는 용들끼리 서로 반갑다고 인사할 리 없지. 자신이 유일하다며 치고받고 싸우면 몰라도.

케일은 최한의 등을 쿡 찔렀다. 최한은 곧바로 검집에 손을 올렸다. 언제 용이 날뛸지 모를 노릇이었다.

**4권에 계속**